C0-AMI-232
Månpocket

En miljövänlig bok!
Papperet i denna bok är framställt av råvaror som uteslutande kommer från miljöcertifierat skandinaviskt skogsbruk. Det är baserat på ren mekanisk trämassa. Inga ämnen som är skadliga för miljön har använts vid tillverkningen.

HANS BLIX

Avväpna Irak

Översättning av Ulla Danielsson
och Anders Mellbourn

Månpocket

Omslag av Patrik Lindvall
Omslagsfoto © Louise Billgert

Redaktör: Anders Mellbourn
Översättning av Ulla Danielsson
och Anders Mellbourn

www.manpocket.se

Denna MånPocket är utgiven enligt överenskommelse
med Bonnier Fakta, Stockholm

Tryckt i Danmark hos
Nørhaven Paperback A/S 2005

ISBN 91-7001-212-1

Dedikation

Till hela den personal som arbetade för Förenta Nationernas kommission för övervakning, verifiering och inspektion i Irak – United Nations Monitoring, Verification and Inspection Commission (UNMOVIC).

Innehåll

Förord

Avväpna Irak kom ut på mer än ett dussin språk under första halvåret 2004. Den behandlar mina egna erfarenheter från FN och – tidigare – från det internationella atomenergiorganet IAEA av kontrollinspektioner och jakten på förbjudna vapen i Irak. Manuskriptet var klart i januari 2004 och jag hade möjlighet att väga in vad som hänt och var känt i Irakfrågan under de allierades ockupation fram till dess.

Det gläder mig att boken nu kommer ut i pocket. Det jag upplevde med egna ögon och öron och som jag beskrivit i boken har inte förändrats och jag ser ingen anledning att ändra i texten, med undantag för vissa mindre redaktionella bearbetningar och korrekturändringar. Men mycket har också hänt i det ockuperade Irak sedan januari 2004. Mycket ny information har kommit fram genom böcker och en störtflod av artiklar. Utredningar har gjorts i olika länder om underrättelsetjänsternas misslyckanden. Debatten om huruvida kriget var berättigat, om föregripande anfall, om FN:s roll och internationella inspektioner, om de bästa sätten att möta terrorismen och om spridningen av massförstörelsevapen har inte avtagit. Jag anser inte att något av detta kräver att jag reviderar min text från januari 2004. Men jag har lagt till ett kapitel i slutet av boken med ytterligare tankar om de olika motiven för kriget i ljuset av vad som kommit fram. Jag diskuterar också vilka lärdomar som möjligtvis har dragits av kriget i fråga om information från underrättelsetjänster, föregripande anfall och olika sätt att hantera frågor om massförstörelsevapen.

I sammanhanget vill jag förmedla en iakttagelse om pålitligheten hos källor som slog mig vid läsningen av Bod Woodwards bok *Plan of Attack*. Jag visste hur vi i New York såg på vad som gjordes och sades av beslutsfattare i Washington, medan hans bok ger en bild av hur de beslutsfattarna såg på mig och andra i New York. Av uppenbara skäl blev jag särskilt intresserad av hur det möte skildras som jag och Mohamed ElBaradei, generaldirektören för IAEA, hade med president Bush den 30 oktober 2002, då även vicepresident Dick Cheney, utrikesminister Colin Powell, den nationella säkerhetsrådgivaren Condoleezza Rice och biträdande försvarsminister Paul Wolfowitz var närvarande. I Woodwards berättelse – som bygger på intervjuer – betonade presidenten att inspektörerna hade USA.s makt bakom sig. Det stämmer med mina anteckningar om att presidenten försäkrade att inspektörerna hade USA:s stöd.

Men enligt Woodwards berättelse lade presidenten till att ”beslutet att gå i krig är mitt. Tro aldrig att vad ni säger avgör beslutet”. Jag uppges inte ha reagerat på detta, men enligt vad jag minns – och det bygger på mina anteckningar omedelbart efteråt och finns i min bok – sa inte president Bush något sådant. Snarare sa han att tvärtemot vad han anklagades för var han inte någon vild Texaskille som snabbt ville dra USA in i krig. Han skulle låta säkerhetsrådet diskutera en resolution – men inte under någon längre tid.

Varför lämnade någon av dem som Woodward intervjuat en version av vad som hände som i så hög grad avvek från vad som sades enligt mina anteckningar? Naturligtvis kan min minnesbild vara felaktig. Jag har dock en annan hypotes med viktigare innebörd. Jag har beskrivit i min bok hur det efter några samtal jag haft med Condoleezza Rice förekom artiklar som fick det att framstå som att hon hade läxat upp mig eller satt mig under press. Både hon och jag ogillade artiklarna, som inte hade någon grund. Min hypotes är att det görs promemorior inför olika möten som Bush och Rice ska ha, kanske av tjänstemän i nationella säkerhetsrådet. Dessa tjänstemän kan ha hoppats att Bush och Rice skulle uttrycka sig mer hökaktigt än vad de valde att göra. Är det särskilt långsökt att tro att Vita Husets nyhetsförmedling ibland vidarebefordrade uppfattningar i promemoriorna snarare än vad som verkligen uttalades? Om det är så, har vi ett bra exempel på hur en ”virtuell verklighet” skapas.

Liksom i ursprungsupplagan vill jag tacka min litterära agent Jane Gelfman, min nordiske förläggare Albert Bonnier och min vän Per Gedin för uppmuntran, råd och vänskap. Jag tackar Dan Frank och Anders Mellbourn för deras kloka och varsamma redigeringsarbete. Jag tackar kollegerna på UNMOVIC, särskilt min efterträdare Dimitri Perricos för hjälp och vänskap. Jag tackar alla översättare, alla goda vänner som har gått igenom översättningarna och de vänliga förläggare som tagit hand om mig när boken presenterats i olika länder.
Till slut tackar jag min kloka och tålmodiga hustru Eva Kettis och vår son Mårten för oräkneliga förnuftiga förslag.

Stockholm, oktober 2004
Hans Blix

I

Att avväpna Irak: sanningens ögonblick?

Invasion istället för inspektion

På eftermiddagen söndagen den 16 mars 2003 satt jag på mitt kontor på trettioförsta våningen i FN-byggnaden i New York där UNMOVIC (UN Monitoring, Verification and Inspection Commission for Iraq) hade sitt högkvarter. Några av mina närmaste medarbetare hade kommit dit för att vi tillsammans skulle lägga sista handen vid ett handlingsprogram som jag skulle lägga fram för FN:s Säkerhetsråd.

När kommissionen efter en resolution i Säkerhetsrådet inrättades i december 1999, hade Säkerhetsrådet bedömt att det fortfarande kunde finnas massförstörelsevapen (WMD) i Irak, trots att man där efter Kuwaitkrigets slut 1991 hade lyckats genomföra en avsevärd nedrustning med hjälp av FN:s inspektioner. I november 2002 hade en ny omgång inspektioner inletts med syfte att identifiera och lösa återstående huvudpunkter för att avrusta Irak.

Trots att inspektionerna nu fungerade fullt ut och det verkade som om Irak var villigt att ge inspektörerna obegränsat tillträde, tycktes USA ha bestämt sig för att ersätta vår inspektionsstyrka med en invasionsarmé. Efter terrorattackerna mot New York och Washington den 11 september 2001 kunde man inte längre gå med på en återhållandets politik

– att stänga in Saddam Hussein där han var – och att låta FN kontrollera avväpningen genom inspektioner.

Mina medarbetare var alla skickliga yrkesmän och kom från olika delar av världen. Där fanns till exempel Dimitri Perricos som antagligen var världens mest erfarne vapeninspektör. Han var grek, till yrket kemist och hade mer än tjugo års erfarenhet av internationella inspektioner på kärnvapenområdet – i Irak, Nordkorea, Sydafrika och på många andra platser. Det var han som ledde arbetet. Muttusamy Sanmuganathan, kallad Sam, kom från Sri Lanka. Både Dimitri och Sam hade under många år arbetat i Wien tillsammans med mig, när jag var chef för Internationella atomenergiorganet, IAEA. Ewen Buchanan var skotte, vår presstalesman och vårt institutionella minne. Han hade under många år varit politisk expert och talesman för UNSCOM, den myndighet som tidigare hade haft hand om inspektionerna. Där fanns också Torkel Stiernlöf som hade varit stationerad i Bagdad och talade arabiska. Han skulle snart återvända till sitt arbete vid utrikesdepartementet i Stockholm efter sex intensiva månader som min särskilda medhjälpare. Slutligen fanns där Torkels efterträdare, Olof Skoog, som var ambassadör redan vid 35 års ålder och utlånad till mig.

Invasionen av Irak stod för dörren och här satt vi i FN-högkvarteret och skissade på hur Irak skulle kunna bli avrustat på ett fredligt sätt. Den militära upptrappning som hade börjat sommaren 2002 och som varit en av de viktigaste anledningarna till att Irak åter hade släppt in vapeninspektörer i landet, hade nu skapat en stark invasionsarmé som bara väntade på att sättas in.

I Säkerhetsrådet hade alla försök att nå en överenskommelse om vad man skulle kunna kräva av Irak under de närmaste veckorna misslyckats. Britterna hade föreslagit att Saddam Hussein skulle framträda i irakisk TV och förklara sig beredd att avrusta och samarbeta fullt ut med vapeninspektörerna. Denna deklaration skulle åtföljas av att Irak på mycket kort tid – kanske tio dagar – uppfyllde ett antal specifika avrustningsmål. (Detta tillvägagångssätt hade vissa likheter med de brittiska ansträngningar som tio månader senare skulle resultera i att Libyens överste Khadaffi gjorde ett uttalande där han sa att Libyen skulle ställa in alla försök att skaffa massförstörelsevapen och tillåta grundliga inspektioner.) USA och Storbritannien ansåg sig ha rätt att ta till vapen mot Irak om de fastställde att Irak inte efterlevde kraven.

Samtidigt som reglerna för UNMOVIC:s arbete enligt resolutionen från december 1999 fortfarande gällde och krävde ett handlingsprogram som täckte en första period på 120 dagar med inspektioner, hade USA, Storbritannien och Spanien utgått från en resolution som antagits i Säkerhetsrådet den 8 november 2002. Som de tolkade denna resolution gav den Irak endast en begränsad tid och en sista möjlighet att fullfölja avrustningen om man inte skulle drabbas av "allvarliga konsekvenser". I deras ögon hade denna begränsade tid nu löpt ut. Andra i Säkerhetsrådet ansåg att processen med vapeninspektioner krävde längre tid. De var på detta stadium inte beredda att sanktionera några "allvarliga konsekvenser" – ett väpnat ingripande. De flesta av Säkerhetsrådets medlemsstater ansåg att ett sådant beslut måste fattas gemensamt av Säkerhetsrådet och inte av enskilda medlemmar, som USA och Storbritannien hävdade.

Denna söndag hade USA:s president George Bush, Storbritanniens premiärminister Tony Blair och den spanske premiärministern José Maria Aznar träffats under en timme på ögruppen Azorerna mitt i Atlanten och formellt för sista gången vädjat till de motvilliga medlemsstaterna i Säkerhetsrådet att ställa sig bakom resolutionsförslaget om Irak. Blair hade betonat att de hade gjort en sista ansträngning för fred, men det verkade som om Bush redan nu talade om de välsignelser som skulle följa på ett väpnat ingripande.

De flesta iakttagare kände att ett krig nu var oundvikligt – och visst kom det. Även om också jag trodde att sannolikheten var mycket stor, var jag ändå in i det sista medveten om att oväntade händelser kunde inträffa. Jag kom ihåg hur irakierna efter konfrontationer hade sänt en not till IAEA i juli 1991, där de erkände att de hade prövat flera olika metoder för att anrika uran. I oktober 1998 hade Kofi Annan, FN:s generalsekreterare, lyckats tvinga fram en eftergift från Irak, och USA:s president, Bill Clinton, hade kallat tillbaka bombflygplan som redan var på väg för att bestraffa Irak för bristande samarbetsvilja. Om Saddam Hussein i den nuvarande situationen, som britterna föreslog, skulle hålla ett dramatiskt tal där han erbjöd sig att skyndsamt lösa ett antal frågor, skulle marsch- och flygorder mycket väl ha kunnat återkallas och vapeninspektionerna skulle istället ha intensifierats. Saddam höll faktiskt ett tal i sin sons TV-kanal, men det blev inte den dramatiska gest som situationen skulle ha krävt. I sitt tal förklarade han att Irak tidigare hade *haft* massförstörelsevapen och att man inte hade det nu längre.

När vi satt runt bordet på mitt kontor ringde telefonen. Det var USA:s biträdande utrikesminister John Wolf som ringde från Washington för att tala om för mig att det var dags att kalla hem våra vapeninspektörer från Irak. Man skulle inte komma med ytterligare varningar och han föreslog att vi skulle handla snabbt.

Förberedelser för att dra tillbaka vapeninspektörerna

Ända sedan slutet av februari hade vi förberett oss för den här situationen och hade under de senaste veckorna medvetet minskat antalet medarbetare i Irak. De helikoptrar vi chartrat hade redan flyttats därifrån av sina ägare. Vi hade ett flygplan som väntade i Bagdad och ett annat hade chartrats för att kunna hjälpa FN med att flyga ut personal som sysslade med humanitär hjälp. Jeepar och bussar fanns också tillgängliga för transporter om det skulle behövas.

I New York var klockan ungefär tre på eftermiddagen och hon var elva på kvällen i Bagdad. Om Miroslav Grerovic, som ledde vårt arbete i Bagdad, fick instruktioner direkt, skulle det första flygplanet med personal kunna lämna Bagdad nästa morgon. Jag var angelägen om att så fort som möjligt föra den personal som jag hade ansvar för i säkerhet. Jag var emellertid inte ensam ansvarig. Som generalsekreterare för FN hade Kofi Annan det högsta verkställande ansvaret för all personal som FN hade i Irak. Min kollega, Mohamed ElBaradei, chef för IAEA, hade ansvar för kärnvapeninspektörerna i Irak. Jag ringde till dem båda två. Mohamed ville inte skynda på processen. Han var angelägen om att tillbakadragandet inte skulle se ut som om vi flydde.

Även om generalsekreteraren inte behövde tillstånd från Säkerhetsrådet för att ge order om att kalla hem vapeninspektörerna, ville han informera rådet innan han gav instruktionerna. Han bestämde sig för att göra detta vid det möte med Säkerhetsrådet som var inplanerat till måndag förmiddag. Det innebar att tillbakadragandet inte skulle kunna ske förrän tisdag morgon. Jag var inte förtjust över dröjsmålet men jag utgick ifrån att Kofi Annan hade skäl att tro att förseningen inte skulle öka riskerna.

Säkerhetsrådet den 17 mars: en resolution om att ge klartecken för krig dras tillbaka

På måndagen den 17 mars fortsatte våra vapeninspektörer med sitt arbete i Irak. De övervakade destruktionen av två al-Samoud 2-missiler och därmed var antalet förstörda missiler uppe i sjuttiotvå stycken. De fortsatte en utfrågning i enrum av en forskare i biologi och antalet genomförda sådana enskilda utfrågningar var nu elva stycken. En grupp inspektörer besökte en fabrik för mejeriprodukter 140 kilometer norr om Bagdad och två anläggningar nordväst om Bagdad. Jag var orolig för att någonting skulle haka upp sig i arrangemangen för deras avresa på tisdagsmorgonen. Vi hade tidigare fått garantier från irakiernas sida, men jag kom ihåg att man hade tagit gisslan 1990.

Säkerhetsrådet sammanträdde klockan tio på förmiddagen. Till min förfäran fann jag att Kofi Annans tillkännagivande av tillbakadragandet av FN-personal från Irak inte stod först på dagordningen. Klockan var nu redan sex på morgonen i Bagdad och varje timme som beskedet från New York dröjde skulle göra förberedelserna för att lämna Bagdad allt svårare.

Tonen i Säkerhetsrådet var inte aggressiv eller bitter. Kampen var över. Möjligheterna för inspektion hade blockerats av USA, Storbritannien och Spanien och en resolution som indirekt godkände väpnad intervention hade blockerats av en majoritet av Säkerhetsrådets medlemsländer. Sammanträdet på Azorerna och alla telefonsamtal under helgen hade inte förändrat regeringarnas inställning. Storbritannien sa att det resolutionsförslag som man hade lagt fram i Säkerhetsrådet och som skulle ge en grund för väpnat angrepp nu inte skulle bli föremål för omröstning. Detta var ett tyst erkännande av att förslaget aldrig skulle ha kunnat gå igenom. Om ett förslag blivit föremål för omröstning och förkastats skulle det negativa utslaget ytterligare ha underminerat förslagsställarnas tvivelaktiga påstående att tidigare resolutioner i Säkerhetsrådet redan gav dem rätt att använda väpnat våld när dessa stater ansåg att Irak inte uppfyllde sina åtaganden.

Trots att Storbritannien och USA angav att orsaken till att man dragit tillbaka resolutionsförslaget var hotet om ett franskt veto – utan att ange att Kina och Ryssland skulle ha kunnat göra som Frankrike – hade en majoritet i Säkerhetsrådet faktiskt, om än inte formellt, vägrat att stödja en väpnad aktion. Storbritannien hävdade envist att även om chanserna till en fredlig lösning nu var mycket små, skulle Saddam fortfarande kunna göra något för att rädda situationen. USA upprepade att FN skyndsamt borde vidta åtgärder för att dra tillbaka sin personal.

Frankrike sa sig vara emot varje resolution som skulle godkänna ett väpnat ingripande och avvisade bestämt att enskilda medlemsstater skulle kunna använda vapenmakt utan rådets godkännande. Frankrike ville att UNMOVIC skulle presentera handlingsprogrammet för inspektionerna och att Säkerhetsrådet skulle mötas – kanske på ministernivå som Ryssland hade föreslagit – kommande onsdag för att godkänna programmet. En tidsgräns skulle sättas och när den hade gått ut skulle rådet utvärdera resultaten från inspektionerna. Mexiko sa att det för närvarande inte var berättigat att använda våld i Irak. Angola sa att man hade levt med krig och betonade att det var nödvändigt att i det längsta använda fredliga medel.

Kriget rättfärdigas med att Irak inte avrustat

I ett tal som sändes i TV på kvällen måndagen den 17 mars gav president Bush Saddam Hussein ett ultimatum: Saddam skulle inom 48 timmar lämna Irak tillsammans med sin familj. Vicepresident Cheney sa att ett erbjudande från Irak att nedrusta inte längre var något alternativ. Om Saddam Hussein sa han: ”Vi tror att han i själva verket har utvecklat kärnvapen på nytt.” Påståendet var lika kategoriskt som det var fel.

Utrikesminister Colin Powell var mer nyanserad. Vid en presskonferens den 17 mars sa han att USA hade börjat oroa sig för Iraks uppriktighet strax efter det att den nya resolutionen hade antagits i november 2002. Den deklaration på 12 000 sidor som Irak hade lämnat in en månad senare hade varit en ofullständig och icke sanningsenlig beskrivning av deras vapenprogram. USA hade lojalt samarbetat med vapeninspektörerna och hjälpt dem. Trots vissa förbättringar hade Irak emellertid inte erbjudit det slags samarbete man begärde av landet. Den resolution som USA, Storbritannien och Spanien nu hade bestämt sig för att inte lägga fram för omröstning, skulle ha givit Irak ytterligare en sista möjlighet, men den hade blockerats genom att Frankrike hotade med att lägga in veto. Trots att FN skulle förbli en betydelsefull organisation hade Säkerhetsrådet alltså den här gången inte bestått provet, ansåg USA.

Kanske var det bekvämt att skylla det diplomatiska misslyckandet på Frankrike, men det stod klart att en majoritet av Säkerhetsrådets medlemsstater vid den här tidpunkten var mot ett väpnat ingripande, även om ingen av staterna hade uteslutit att de skulle kunna gå med på det vid ett senare tillfälle. Det är ett märkligt påstående att rådet inte har bestått provet när ett förslag från en minoritet har tillbakavisats av en stark majoritet.

I Colin Powells uttalande fanns inga hänvisningar till att USA skulle anse sig ha rätt att ingripa mot Irak i förebyggande syfte. Den motivering han gav för ett väpnat ingripande var istället densamma som Storbritannien hävdade, nämligen att Irak inte hade uppfyllt sina förpliktelser enligt bindande resolutioner från Säkerhetsrådet att avrusta och att detta gav de enskilda medlemsstaterna i Säkerhetsrådet rätt att ingripa utan att det behövdes något gemensamt beslut i Säkerhetsrådet.

Med ett uttryck som även användes av andra talesmän för USA förklarade Colin Powell att diplomatins fönster höll på att stängas och att ”sanningens ögonblick” närmade sig. Väpnat ingripande är förvisso motsatsen till diplomati, men det står inte nödvändigtvis för sanning. Det ligger kanske mer i talesättet att ”krigets första offer är sanningen”. Jag tycker inte heller att det är träffande att ställa diplomati i motsats till sanning – att framställa diplomati som lögn eller illusion. Diplomatin använder ofta ett språk som uttrycker sig försiktigt om skillnaden mellan olika ställningstaganden för att minska de klyftor som måste överbryggas och för att göra en förlikning mindre svår. Men att ljuga ingår inte i diplomatin – i alla fall inte i god diplomati.

Den viktigaste sanning som USA:s talesmän hade i tankarna och som de förväntade sig skulle avslöjas genom kriget var utan tvekan lager med biologiska och kemiska vapen och andra förbjudna föremål samt människor och program som hade med dem att göra.

FN:s personal dras tillbaka. Handlingsprogrammet läggs fram för Säkerhetsrådet

Tisdagen den 18 mars ringde Dimitri Perricos till mig klockan 7 på morgonen och talade om att vårt första plan från Bagdad hade kommit till

Cypern och att det andra skulle anlända en liten stund senare. Allt hade gått bra! De hade till och med lyckats ta med känslig utrustning. Irakierna hade varit mycket hjälpsamma under hela operationen. Vilken lättnad! Våra inspektörer skulle nu stanna i Larnaca några dagar innan de fick resa tillbaka till sina hemländer. Eftersom de formellt var i vår tjänst tills deras kontrakt gick ut skulle de fortfarande vara tillgängliga i det ganska osannolika fallet att UNMOVIC ombads genomföra någon verifikationsfunktion under den kommande ockupationen. Jag tyckte det var skönt att vår personal var utom fara, men det kändes också tomt, som efter ett prov i skolan som man spänt sig för, och jag var besviken över att vi inte hade fått rimlig tid på oss att fullgöra det uppdrag som man hade gett oss. Jag hade tre år tidigare åtagit mig att bygga upp och leda den nya inspektionsorganisationen. Den hade blivit en välutrustad expertgrupp och alla var överens om att den hade gjort ett bra arbete som ett effektivt och självständigt redskap för Säkerhetsrådet – under tre och en halv månad. Under det starka militära tryck som USA och Storbritannien utövat hade våra irakiska motparter blivit nästan desperata i sina försök att lämna över material, söka efter bevis och finna personer som vi skulle kunna fråga ut. Jag kan inte påstå att vi var övertygade om att dessa ansträngningar skulle leda till avslöjanden och klargöranden som skulle tillfredsställa oss och världen, men vi var inne i en hoppfull fas.

Jag kände inte att det väpnade ingripande man ville göra låg i linje med vad Säkerhetsrådet hade bestämt fem månader tidigare. Säkerhetsrådet hade inte ställt upp någon tidsgräns på tre och en halv månad för inspektionerna. Hade vi nekats tillträde? Hade det förekommit någon katt-och-råtta-lek? Nej. Hade inspektionerna gått bra? Ja. De hade visserligen inte löst några av de återstående avrustningsfrågorna, men i mina ögon hade de gått alldeles för bra för att de nu skulle avslutas och göra ett krig berättigat. Medan irakierna hade blivit energiska – men inte särskilt framgångsrika – i sina försök att finna bevis på sin egen oskuld, hade USA blivit energiskt – men inte heller särskilt framgångsrikt – i sina försök att finna övertygande bevis på Iraks skuld.

Bush-administrationen hade länge kritiserat återhållandets politik (som senast grundats på resolutionen från december 1999 och som bestod av övervakning och inspektion, militära påtryckningar och sanktioner), eftersom den ansågs otillräcklig för att komma åt massförstörelsevapen i Irak. Nu hade man startat en snabb väpnad aktion för att stoppa spridningen av massförstörelsevapen. Man påstod att den var sanktionerad av Säkerhetsrådets resolution från november 2002 och förväntade sig att den skulle bli avgörande för att säkert se till att alla massförstörelsevapen i Irak utplånades.

Vad skulle ha hänt om USA:s regering hade varit villig att fortsätta den traditionella politiken?

Utan någon militär upptrappning från USA:s sida under sommaren 2002 skulle Irak antagligen inte ha accepterat att inspektionerna återupptogs. Men med denna upptrappning och vapeninspektörerna på plats är det tänkbart att en *måttlig* fortsatt upptrappning och fortsatt inspektion utan att inspektörerna nekades tillträde någonstans samt utfrågningar i stor skala av teknisk personal i Irak så småningom kunde ha visat att det inte fanns några massförstörelsevapen. Det skulle säkert ha varit svårt att övertyga både vapeninspektörerna och världen, i synnerhet USA. Men om det inte hade framkommit några positiva resultat, låt oss säga i juli 2003 när 120-dagarsperioden var slut, verkar det troligt att en majoritet i Säkerhetsrådet skulle ha varit beredd att godkänna ett väpnat ingripande, som med FN:s välsignelse då skulle ha kunnat börja efter sommarvärmen – och avslöjat att det inte fanns några vapen.

Jag ansåg vid den här tidpunkten att Iraks oförmåga och ovilja att bevisa att man inte hade några massförstörelsevapen var skäl till att inte lita på landet och inte häva sanktionerna. Eftersom samarbetet med vapeninspektörerna emellertid var mycket bättre än det hade varit under tidigare år, tyckte jag inte att man efter endast tre och en halv månad kunde avbryta inspektionerna och påstå att de misslyckats – och använda det som ursäkt för att börja krig.

I verkligheten handlade det inte om någon långsam upptrappning av en militär styrka, utan om en obarmhärtig ansamling av en fullskalig invasionsarmé. Eftersom Saddam Hussein inte hade ändrat sig och inte hade fattat något "strategiskt beslut", hade USA inte mycket att välja på – om man nu faktiskt hade velat ha det.

Var kriget förutbestämt?

Det har påståtts på skilda håll att Washington skulle ha fattat krigsbeslutet sommaren 2002 och att FN:s inspektioner endast tilläts fylla ut tiden tills militären var redo. En artikel i *International Herald Tribune* (den 4 september 2003) citerar *Washington Times* och hänvisar till "en militärrapport" till USA:s högsta militärledning som visar att president Bush i augusti 2002 godkände den övergripande krigsstrategin för Irak. I sinom tid kommer vi att få veta hur det förhöll sig, när politiker skriver memoarer och hemligstämplingen tas bort från dokument.

Jag tror, men det är bara spekulationer, att Bush-administrationen, på grund av terrorattackerna den 11 september 2001, sommaren 2002 beslöt sig för att vara redo att slå till i förebyggande syfte mot varje identifierad fiende som man fruktade kunde utgöra ett hot mot USA. Man såg Saddam Hussein som en personifiering av ondskan, någon som framgångsrikt hade motarbetat FN:s vapeninspektörers försök att finna och förstöra massförstörelsevapen, som eventuellt skyddade och samarbetade med internationella terrorister och som var en stenhård motståndare till fred med Israel. När presidenten nu hade förklarat krig mot terrorismen tror jag att man beslöt sig för att röja det upplevda hotet ur vägen i god tid före nästa presidentval. USA skulle ha militär kapacitet att göra det eftersom landets engagemang i Afghanistan höll på att minska och delvis övertas av NATO.

På vad sätt berörde detta FN och vapeninspektionerna? Vicepresident Dick Cheney sa i augusti 2002 öppet att inspektionerna i bästa fall var värdelösa. Hans åsikt delades antagligen av USA:s försvarsminister Donald Rumsfeld som enligt tidningscitat hävdade att verkligheten bakom inspektionerna var att "man har hittat saker inte genom att upptäcka dem [i Irak] utan genom avhoppare" (*Washington Post*, den 5 december 2002). Icke desto mindre skulle en amerikansk upptrappning ta viss tid och jag skulle tro att man ansåg att ingen större skada skulle ske om man engagerade FN i ett sista och antagligen gagnlöst försök att avrusta Irak. Om Irak vägrade att åter släppa in FN:s inspektörer skulle ett väpnat ingripande från USA kunna ses som något som inte bara försvarade USA:s säkerhet utan också genomdrev världsorganisationens krav. Om inspektörerna släpptes in igen och man återigen nekade dem tillträde till vissa anläggningar eller på annat sätt underlät att samarbeta, skulle en väpnad aktion av USA även nu gynna USA:s säkerhet och genomdriva FN:s krav. Om Irak skulle släppa in inspektörerna och lämna ifrån sig förbjudna vapen, så mycket bättre. Saddam skulle tyvärr sitta kvar, men det skulle vara en annorlunda Saddam Hussein.

I följande kapitel ska jag beskriva hur händelserna delvis utvecklade sig enligt ett förutsett scenario och hur de mot slutet spårade ur. Irak gick med på att inspektionerna återupptogs. En resolution som föreslagits av USA antogs enhälligt av Säkerhetsrådet i november 2002. Den ställde krav på Irak som, om de inte uppfylldes helt och hållet, skulle göra ett väpnat ingripande berättigat. Det har på sina håll antytts att USA önskade att inspektionerna skulle misslyckas och att man ska se det begränsade antal platser som USA:s underrättelsetjänst i november och december 2002 föreslog att UNMOVIC skulle inspektera mot den bakgrunden. Jag delar inte den åsikten. USA var vid denna tidpunkt mycket intresserat av inspektionerna och uppmanade oss att utvidga dem mycket snabbt och genomföra dem "aggressivt" – möjligtvis i förhoppning om, eller åtminstone med förväntan på att Irak skulle neka oss tillträde och därmed bryta mot resolutionen och öppna sig för "allvarliga konsekvenser".

Ur USA:s synvinkel blev utvecklingen under 2003 problematisk. Trots att vapeninspektörerna fann missiler som något överskred den tillåtna räckvidden och övervakade att de förstördes, fann de inga oredovisade massförstörelsevapen (WMD) och inte heller någon trovärdig förklaring till att de inte fanns. Irakierna knorrade men betedde sig någorlunda väl. De gjorde inte ens några allvarliga försök att förhindra inspektionerna av två presidentpalats – som antagligen i deras ögon var de mest känsliga platserna i Irak.

Den uppkomna situationen var kanske den värsta tänkbara från USA:s synpunkt: man hade inte uppnått avrustning, men man hade heller inte fått några goda skäl för att ingripa militärt. Det var inte så konstigt att en majoritet i Säkerhetsrådet och en stark folklig opinion i de flesta länder vägrade att acceptera att man grep till vapen och istället krävde mer tid för inspektionerna. Diplomatiska och politiska motsättningar uppstod mellan USA och en majoritet av FN:s medlemsstater, inom NATO och bland européerna. Intressant nog fanns det inga motsättningar mellan stormakterna när det gällde frågan om Irak skulle avväpnas eller ej, utan bara om hur man skulle uppnå det.

Jag tror att ansamlingen av en armé på nästan 300 000 man nära Irak och den annalkande varma årstiden gjorde att ett väpnat ingripande till slut blev oundvikligt. Man skulle inte ha kunnat dra tillbaka de väpnade styrkorna om det inte inträffat något mycket mer spektakulärt än det som faktiskt hände (till exempel att ungefär 70 missiler förstördes), inte heller skulle styrkorna ha kunnat stanna kvar sysslolösa i den allt hetare värmen och bara vänta på en anledning att invadera landet. De måste till slut anfalla.

Min slutsats var och förblir att den väpnade aktion som genomfördes var väntad men inte oåterkalleligt förutbestämd.

2

Inspektion: varför, hur, när?

Jag drar mig tillbaka från IAEA och får tid att fundera över internationella inspektioner

Efter sexton års arbete i Wien som chef för Internationella atomenergiorganet (IAEA) drog jag mig tillbaka i november 1997 och återvände till Stockholm. Större delen av min tid vid IAEA hade ägnats åt frågan om fredligt användande av kärnkraft, men jag hade också varit mycket engagerad i IAEA:s verksamhet med inspektioner och de problem denna verksamhet medförde – de överträdelser i Irak som inte hade upptäckts; hur vi på uppdrag av FN genomförde inspektioner efter Kuwaitkriget, något som hade varit mycket svårt; hur vi övervakade att kärnvapenprogrammet i Sydafrika avvecklades och hur IAEA upptäckte att Nordkorea hade mer plutonium än vad landet deklarerade, något som utlöste en kris.

Yrkesmässigt hade 1997 varit ett bra år: många fördrag hade slutits. Det gladde mig att det internationella regelverket stärktes och vidgades på kärnvapenområdet. Dessutom hade det stor betydelse att IAEA efter fyra års arbete antog ett tilläggsprotokoll för att stärka överenskommelserna i icke-spridningsavtalet (Nuclear Non-Proliferation – NPT).

Min hustru Eva hade lite tidigare under 1997, efter många års internationellt arbete i Genève och Bryssel, återvänt till Stockholm för att arbeta vid det svenska utrikesdepartementet. Våra arbeten hade tvingat oss att leva åtskilda under nästan tio år. Det var skönt att återvända till ett liv tillsammans. Som pensionär var jag fortfarande engagerad i kärnkraft och säkerhet, den globala miljön, kärnvapennedrustning och ickespridning. Eva hade utnämnts till ambassadör och hade hand om de ärenden på departementet som berörde Arktis och Antarktis. Vi sa på skämt att efter Sovjetunionens sammanbrott var detta den enda bipolaritet som fanns kvar i världen. Hon älskade sitt arbete. I ett fall berörde våra intressen varandra direkt: när det gällde Antarktis status som demilitariserad zon och rätten att företa inspektioner i detta område.

Att bygga upp internationellt förtroende med hjälp av inspektioner: Antarktisfördraget 1959 markerade början och icke-spridningsavtalet 1968 blev genombrottet

Nu hade jag tid att tänka och skriva om krigets och nedrustningens lagar. Varför hade suveräna stater uppfunnit internationell inspektion? Hur mycket intrång skulle olika stater kunna acceptera? Jag fortsatte att intresserat följa inspektionsprocessen både i Irak och i Nordkorea och förberedde mig på att skriva en bok om de erfarenheter jag fått vid IAEA i dessa båda fall.

Långt före andra världskriget hade det funnits fördrag som förbjöd användandet av vissa vapen eller stridsmedel. I Haagdeklarationen från 1899 förbjöds användande av så kallade dum-dumkulor (som plattas ut när de träffar människokroppen och orsakar fruktansvärda sår), användande av ”kvävande och giftiga gaser” och – under en fem år lång period – ”fällande av projektiler och sprängämnen från luftballonger eller med hjälp av andra liknande nya metoder”. Efter första världskriget, då gas ofta och med fruktansvärda resultat användes som vapen, förbjöd Genèvefördraget 1925 både gas och ”bakterier” som stridsmedel. Ingen av dessa överenskommelser hade någon kontrollapparat för att verifiera att de efterlevdes. Man utgick ifrån att alla överträdelser skulle märkas. Risken för vedergällning borde vara avskräckande och det kan mycket väl ha varit därför man inte använde gas i fält under andra världskriget.

Antarktisfördraget som slöts 1959 var ett viktigt steg för att begränsa motsättningarna mellan blocken. Inga militärbaser, manövrer eller utprovningar av stridsmedel skulle tillåtas i Antarktis. Man fick inte spränga atombomber. Vad som ur min synvinkel var speciellt intressant var att fördraget fastställde att alla delar av Antarktis, inklusive alla anläggningar, alltid skulle vara öppna för att kunna inspekteras av "observatörer". Denna bestämmelse var ett blygsamt första steg mot användandet av internationell inspektion i syfte att skapa förtroende för att inget skedde som stred mot ett demilitariseringsfördrag.

Icke-spridningsavtalet 1968 och inspektioner i Irak

Under kalla kriget avskräckte risken för ömsesidig förstörelse (mutually assured destruction – MAD) kärnvapenstater från att använda kärnvapen mot varandra. Den bästa garantin som andra stater hade för att dessa vapen inte skulle användas mot dem ansågs vara att de helt enkelt *inte hade dem*. Eftersom innehav – men inte användande – kunde vara hemligt, krävde detta ett system med inspektioner för att världen skulle kunna vara säker på att en stat, som påstod sig vara kärnvapenfri, inte en vacker dag skulle släppa en ovälkommen överraskning. Sådana inspektioner blev obligatoriska för de kärnvapenfria stater som skrev under icke-spridningsavtalet, och IAEA fick i uppdrag att sköta dessa inspektioner. Standardöverenskommelser slöts efter en modell som godkänts av de stater som var medlemmar. (Liknande tankegångar ledde fram till att man 1993 införde en konvention mot kemiska vapen som förbjöd framställning, lagring och användande av sådana vapen och som också upprättade ett system för inspektioner.) Trots att detta system representerade ett stort steg framåt, helt enkelt genom att det var det första globala systemet för inspektioner på plats och för att det banade väg för inspektioner på andra områden för vapenkontroll (till exempel mellan europeiska stater), visade det sig så småningom hur svårt det är att enligt systemet från 1968 utforma en rutin för inspektioner som kan accepteras av alla stater och samtidigt uppnår sitt syfte.

Om man vill ha ett kontrollsystem som ger största möjliga trygghet kan man utforma ett finmaskigt och inträngande nät, som ger inspektörerna rätt att bege sig nästan vart som helst, när som helst, och kräva att få se alla slags dokument. Ett sådant system har emellertid flera tänkbara nackdelar: det kan bli mycket kostsamt, det kan tvinga regeringar att öppna de mest skilda och känsliga anläggningar för inspektörerna och det kan ge många falsklarm. Under slutet av 1960-talet, en period då stater vakade mer svartsjukt över sin suveränitet än vad de gör i dag, var ett sådant system helt enkelt inte uppnåeligt. Därför blev systemet från 1968 ganska tandlöst. På den tiden hade inspektörerna inte rätt att åka omkring i ett land på jakt efter icke deklarerade installationer och aktiviteter. (Inte heller skulle det ha varit meningsfullt att försöka göra det utan underrättelseverksamhet från medlemsstaterna, och på den tiden hade man ännu inte upprättat några kanaler för sådana underrättelsetjänster.) Den stat som inspekterades hade dessutom rätt att neka enskilda inspektörer inresa och många utnyttjade den möjligheten. Så som kontrollsystemet var utformat, var det alltför svagt att säkerställa att hemliga anläggningar skulle upptäckas i ett slutet samhälle.

En annan svaghet var att det ursprungliga systemet var utformat med öppna industriländer i tankarna och syftade till att inga "betydande" mängder klyvbart material (fastslagit till tjugofem kilo uran 235 eller åtta kilo plutonium) avsedda för kärnkraftverk istället användes för militära ändamål. (Stater som Tyskland, Japan och Sverige skulle tekniskt sett ha kunnat tillverka kärnvapen.) Med tiden visade det sig att detta system var alltför svagt för att kunna garantera att hemliga installationer i ett slutet land blev upptäckta. Det visade sig tydligt när Iraks kärnvapenprogram, efter Kuwaitkriget, så småningom avslöjades, även om man där bara hade lyckas producera två och ett halvt gram uran med en genomsnittlig anrikningsnivå på fyra procent. Anrikning för att man ska kunna tillverka bomber måste nå upp till en nivå på 80 procent och däröver. Irakierna hade lärt sig *hur* man anrikar uran, men deras industriella kapacitet var fortfarande mycket svag.

Skyddsnätets tillförlitlighet ifrågasätts: Osirakincidenten 1981

1981 visade ett land tydligt att de inspektioner i övervakande syfte som genomfördes av IAEA i Irak inte ingav förtroende. I en spektakulär raid förstörde israeliska flygplan den irakiska forskningsreaktorn Osirak, som ännu inte hade tagits i bruk. Israel fördömdes av IAEA och i en resolution som enhälligt antogs av Säkerhetsrådet den 19 juni 1981 beskrevs handlingen som "ett allvarligt hot mot hela kontrollsystemet med säkerhetsanordningar".

USA, där Ronald Reagan då var president, anslöt sig till dem som röstade för ett fördömande av Israel. FN-ambassadören Jean Kirkpatrick förklarade USA:s röst genom att säga att "Israel hade underlåtit att lösa denna dispyt med fredliga medel". På samma gång visade Kirkpatrick i sitt långa tal ganska stor förståelse för Israels handlande. "Det är verkligen inte orimligt att hysa allvarliga tvivel på effektiviteten hos ickespridningsavtalets säkerhetssystem", sa hon och påpekade att kontrollsystemets inspektörer "inte är några poliser, de kan bara inspektera det som har deklarerats".

Trots att man ifrågasatte kontrollsystemets tillförlitlighet tog varken USA eller något annat land initiativ till att förstärka det under 1980-talet. Mer inträngande inspektioner skulle på den tiden ha stött på oöverstigliga hinder.

Även om det fanns misstankar mot Irak hade ingen regering eller underrättelsetjänst då konkreta bevis på att Irak hade hemliga anläggningar för att anrika uran och bygga vapen. Varken IAEA eller någon nationell underrättelsetjänst tycks ha känt till några sådana anläggningar. IAEA rapporterade fortfarande årligen att inspektionerna i Irak inte hade avslöjat att klyvbart material avletts. Detta var sant, men borde ha tolkats mot bakgrund av de begränsningar inspektörerna tvingades arbeta under. Staternas regeringar var säkert medvetna om det, men den stora allmänheten kan mycket väl ha invaggats i falsk säkerhet.

Kunde IAEA:s ledning ha gjort mer? Ja, man skulle oftare ha kunnat genomföra fler inspektioner vid de anläggningar som Irak hade deklarerat. (Man genomförde ganska få inspektioner för att spara på resurserna.) Man skulle ha kunnat granska media mer systematiskt för att få information och kanske funnit några artiklar som berörde Iraks illegala import. Kunde världens stater ha varit mer på sin vakt? Ja, de skulle ha kunnat ha starkare exportkontroll och bättre underrättelseverksamhet. Under kriget mellan Irak och Iran var många stater mer oroade av det fundamentalistiska Iran och antagligen inte angelägna om att ställa frågor som skulle ha kunnat försvaga Irak. Det är inte troligt att några av de åtgärder som organisationen kunde ha vidtagit skulle ha lett till några upptäckter, men de skulle möjligen ha kunnat leda till nyttiga kontroverser och varningssignaler.

Säkerhetsrådets system för inspektion, UNSCOM och IAEA, utformas i mars 1991

Det korta Kuwaitkriget lyckades med internationellt stöd och Säkerhetsrådets välsignelse driva ut Iraks armé och befria Kuwait. Kriget slutade med eldupphör som bekräftades av Säkerhetsrådets resolution 687 som antogs den 3 april 1991. Genom denna resolution upprättades ett system för inspektioner som krävde att Irak deklarerade alla lager av massförstörelsevapen liksom anläggningar och program för att tillverka dem. Deklarationerna skulle kontrolleras av en ny myndighet (UNSCOM) när det handlade om biologiska och kemiska vapen samt långdistansmissiler, medan IAEA skulle ha ansvaret för kärnvapenområdet. Irak fick ett starkt motiv att samarbeta: ingen stat skulle få importera olja från Irak förrän Säkerhetsrådet, efter inspektörernas rapporter, hade fastslagit att alla förbjudna föremål och program hade förstörts.

När resolutionen antogs var jag inte medveten om att det hade funnits delade meningar inom den första Bush-administrationen om IAEA skulle få ansvaret för kärnvapeninspektionerna eller ej. Det tycks som om en del personer med skäl pekade på att atomenergiorganet kunde sätta igång med inspektioner så gott som omedelbart och att om IAEA *inte* fick uppgiften skulle dess auktoritet och trovärdighet undergrävas. En del andra länder hade även stöttat förslaget att atomenergiorganet skulle få den rollen. De inom USA:s administration som motsatte sig IAEA:s roll kan kanske ha sagt att det vore önskvärt med en enda kraftfull myndighet för inspektioner, där man hade helt andra erfarenheter än från IAEA:s säkerhetssystem. Man kan mycket väl ha påmint sig ambassadör Kirkpatricks uttalande från 1981.

Det system för inspektioner som utformades efter Säkerhetsrådets resolution 687 (1991) skilde sig verkligen i hög grad från tidigare säkerhetsinspektioner. Framför allt skulle inspektörerna ha obegränsad tillgång till anläggningar och personer, inte bara till sådana anläggningar som deklarerats. Man övervägde att ge den nya myndigheten hjälp från olika staters underrättelsetjänster. De nya inspektörerna skulle kunna få hjälp av ögon i skyn, öron i vinden och kanske av spioner på marken. För att hindra Generalförsamlingens budgetkommitté att lägga näsan i blöt lyftes det nya systemets finansiering ut ur den normala FN-budgeten. Dessutom skulle den nya kommissionen lyda direkt under Säkerhetsrådet och därmed garanteras ett visst mått av oberoende från generalsekreteraren.

Personal och utrustning skulle medlemsstaterna bidra med på frivillig basis. Rekryteringen av inspektörer och annan personal behövde inte ske med bred geografisk spridning som inom resten av FN. Medlemsstaterna skulle tillhandahålla personal gratis, ett arrangemang som i praktiken skulle komma att underlätta nära "bindningar" mellan en del personal och de militära eller civila myndigheterna i de länder de kom ifrån. Arrangemangen gjorde att funktionen hos systemet blev beroende av de medlemsstater som aktivt ville bidra med underrättelser, personal och resurser. Detta gav UNSCOM många utmärkta tjänstemän och en del viktig kunskap från ländernas underrättelsetjänster, men gjorde också att organisationen blev beroende främst av USA och några andra länder. I det långa loppet försvagade detta allvarligt den legitimitet man hade tänkt att organisationen skulle få genom FN och den kom att anses till stor del vara fjärrstyrd från några få stater.

I det övervakningssystem som hade skötts av IAEA ansågs den information som under inspektioner kom från olika medlemsstater utgöra industri- och affärshemligheter. Även om informationen under vissa omständigheter kunde avslöjas för IAEA:s styrelse, fick den under inga omständigheter lämnas vidare till nationella underrättelsetjänster som tack för annan information. Vidare tolererades inte några band mellan inspektörer hos IAEA och de nationella myndigheterna i de land de kom från. Inspektörerna var anställda av den internationella organisationen. Detta mönster passade inte den utformning som Säkerhetsrådet hade i tankarna för inspektioner i Irak. Å andra sidan fanns det inga formella hinder för IAEA att genomföra inspektioner av olika slag: i de flesta länder genomfördes övervakning av att icke-spridningsavtalet efterlevdes; i några enstaka länder som Israel, Indien och Pakistan, som inte undertecknat avtalet, fanns icke övergripande bilaterala övervakningssystem; nu skulle det kunna skapas ytterligare ett annat slags inspektioner för Irak, direkt reglerade av Säkerhetsrådet. Inom IAEA ansåg vi det bäst att skapa en särskild aktionsgrupp inom organisationen för uppdraget i Irak.

Enligt Säkerhetsrådets resolution hade UNSCOM ansvaret för all transport- och marktjänst och skulle erbjuda "hjälp och samarbete" till IAEA:s generaldirektör. UNSCOM förväntades ha kopplingar till nationella underrättelseorganisationer och skulle – delvis tack vare de upplysningar man fick från underrättelsetjänsterna – kunna peka ut platser och anläggningar som IAEA borde inspektera, utöver dem som Irak hade uppgett.

Min svenske kollega, ambassadör Rolf Ekéus, utsågs till chef för UNSCOM. Han hade hela tiden en amerikansk ställföreträdare med nära anknytning till Washington, den förste var Robert Gallucci. Inom IAEA utsåg jag professor Maurizio Zifferero till chef för speciella arbetsgruppen för Irak. Han var italienare och en av mina tidigare ställföreträdare. Förutom lång chefserfarenhet hade han stora kunskaper om kärnbränslecykeln. Till honom knöts Dimitri Perricos, en av de dugligaste och mest erfarna medarbetarna från vår övervakningsavdelning. David Kay, en amerikan som inte var utbildad inspektör men som hade lätt för att skriva och rykte om sig att få saker gjorda, skulle ta hand om det administrativa arbetet.

Det blev en hel del slitningar då vi inom IAEA kände det som att UNSCOM ville tvinga oss att gå i dess ledband. Det kan ha varit en återspegling av att krafter i Washington hela tiden hade motsatt sig att IAEA skulle få en roll i inspektionerna. När jag upptäckte att UNSCOM var i full gång med att i New York anställa medarbetare till en inspektionsgrupp som IAEA skulle sända, kändes det som om UNSCOM:s uppdrag att ”hjälpa och stödja” höll på att ersättas av ett försök att ”påverka och styra”. Ännu mer allvarlig var skillnaden mellan de två organisationerna vad gällde sättet att bedriva inspektioner. UNSCOM tyckte att IAEA:s inspektörer i alltför hög grad liknade korrekta ämbetsmän, medan IAEA upplevde att en del av UNSCOM:s inspektörer agerade i värsta Rambo-stil.

Det faktum att grupperna inför varje inspektionsuppdrag samlades, fick en genomgång och sedan avrapporterade vid den amerikanska militärbasen i Bahrain gjorde, liksom deras uppträdande ute på fältet, att många inspektioner kom att likna militära operationer. Det var inte bara vårt intryck. FN-anställda som var i Bagdad för olika humanitära uppdrag kallade UNSCOM:s personal för ”cowboys”, och de senare svarade genom att kalla FN-personalen för ”nallekramare”. De hänförde antagligen också de flesta IAEA-anställda till denna kategori.

Dessa slitningar resulterade emellertid aldrig i minskad effektivitet. De gav bara en något dålig smak i munnen åt något som skulle ha kunnat vara ett trevligt och spännande samarbete.

IAEA:s inspektioner i Irak 1991

De första resultaten av kärnvapeninspektionerna var uppseendeväckande. Perricos, som ledde IAEA:s första inspektion den 15 till 21 maj 1991, har gett en detaljerad och färgstark framställning inför Institute for Science and International Security i Washington 2001. Inspektörerna hade på förhand fått reda på att en anläggning i Tarmiya kanske användes för att anrika uran med hjälp av centrifugering, men kunde konstatera att detta antagande var fel. Irakierna hävdade att anläggningen hade använts till kemiska processer, som galvanisering. Stället var förfallet. Inspektörerna tog hundratals fotografier. När de kom tillbaka till Wien med bilderna kunde de, med hjälp av amerikanska vetenskapsmän som hade varit med och utvecklat den första atombomben, förstå att anläggningen faktiskt hade varit avsedd för att anrika uran, men att man hade utnyttjat den föråldrade metoden med elektromagnetisk separation av isotoper (EMIS) som nästan femtio år tidigare hade använts under andra världskriget i USA:s Manhattan-projekt. I USA hade uppfinnaren döpt separatorerna efter sitt laboratorium vid University of California i Berkeley och kallat dem för *calutroner*. Vi fick senare höra att irakierna kallade sina separatorer för *bagdadtroner*.

Avslöjandet att Irak i hemlighet hade anrikat uran utan att bli avslöjat skakade världen. IAEA:s styrelse höll med mig om att det var nödvändigt att skärpa övervakningssystemet. Nu blev det också politiskt möjligt, något som det knappast hade varit tidigare.

Vid informella överläggningar i Säkerhetsrådet den 15 juli 1991 frågade den sovjetiske ambassadören Yuli Vorontsov om jag var säker på att det irakiska anrikningsprogrammet inte hade fredliga syften. Jag svarade att det inte var troligt att ett u-land skulle lägga ner flera miljarder dollar på att anrika uran till kärnkraftverk när det fanns gott om billig anrikad uran på världsmarknaden och när man faktiskt inte hade några kärnkraftverk. Innebörden i mitt svar var att vi misstänkte att Irak hade för avsikt att skaffa sig kärnvapen. Jag påpekade också i en skrivelse till IAEA:s styrelse att man inte kunde lita på att de tre anrikningsprogram som Irak då hade erkänt sig ha var framtagna för fredliga ändamål.

David Kays roll

Innan rapporterna i juli 1991 framlades för Säkerhetsrådet och IAEA:s styrelse hade redan en andra dramatisk IAEA-inspektion genomförts. Zifferero lämnade det pågående inspektionsarbetet för att delta i ett möte i Säkerhetsrådet och utsåg David Kay att ta över som chefsinspektör i gruppen. Med hjälp av viktiga underrättelseuppgifter lyckades Kay och hans grupp i slutet av juni 1991 lura sina irakiska övervakare och komma fram till en lastbilsparkering. Där såg de ett antal lastbilar som var lastade med calutroner. Inspektörerna iakttog modigt lastbilarna och höll på att fotografera lasten när irakierna började skjuta i luften. En delegation på hög nivå – med mig själv, chefen för UNSCOM Rolf Ekéus och Yasushi Akashi, chef för FN:s nedrustningsavdelning – skickades av Säkerhetsrådet till Bagdad för att protestera mot skottlossningen. Vi visade fotografierna för irakierna och tvingade dem att medge sitt anrikningsprogram. Två veckor senare deklarerade Irak att man med flera olika metoder hade försökt att anrika uran. Det var ett genombrott i kartläggningen av deras kärnvapenprogram.

Trots det var det inte förrän under den sjätte inspektionen som IAEA genomförde som ett team, återigen med David Kay som chefsinspektör, tack vare mod, skicklighet och underrättelseuppgifter den 23 september lyckades finna ett papper som beskrev det planerade irakiska kärnvapenprogrammet och tog papperet med sig ut ur Irak. Det var ett avgörande bevis för att Irak planerade att skaffa kärnvapen. Under andra delen av den inspektionen lyckades man finna och ta hand om en hel del viktiga dokument, men blev under flera dagar kvarhållna av irakierna på en parkeringsplats. Genom att under de här spända dagarna klokt nog ständigt hålla kontakt med världspressen kunde David Kay och Bob Gallucci få irakierna att inte begå övergrepp mot inspektörerna.

När gruppen kom tillbaka till Wien hade vi den 4 oktober ett möte för hela personalen i styrelserummet och jag gav David Kay IAEA:s hedersutmärkelse ”som erkännande av framstående ledarskap, beslutsamhet och mod under IAEA:s sjätte inspektion i Irak”. Några dagar senare la jag, med Kay vid min sida, fram rapporten om dessa händelser inför Säkerhetsrådet.

David Kay, som var skicklig och självsäker (och som sommaren 2003 blev chef för den av USA utsända övervakningsgruppen i Irak), måste ha känt sig mer besläktad med UNSCOM:s ”cowboys” än med IAEA som han tjänstgjorde för. Därför blev jag inte så förvånad när han i januari 2003 skrev en artikel i *Washington Post* där han utmålade sig själv som inspektör för UNSCOM – något han aldrig hade varit. Det förvånade mig mer att han i samma artikel sa att ”det var ett hopplöst företag att leta efter 'rykande pistoler'”. Hans anseende från 1991 hade ju trots allt grundats på att han funnit två utmärkta ”rykande pistoler”: lastbilarna lastade med kärnvapenutrustning och dokumenten som slutgiltigt visade att Irak försökte genomföra ett kärnvapenprogram.

Tyvärr var den uppskattning som jag och IAEA under 1991 visade Kay inte ömsesidig, och under mer än tio år tog Kay alla tillfällen i akt att kritisera IAEA och mig. Han har inte ens dragit sig för att påstå att Mohamed ElBaradei och jag sagt saker som vi aldrig yttrat.

I ett fall insåg jag 1991 att både David Kay och UNSCOM hade bättre instinkt än jag: nämligen vad gällde betydelsen av att leta fram relevanta dokument. Jag hade inget emot försöken att leta, men jag menade att vi var i Irak för att leta efter vapen, och att dokument inte är vapen. Den stora samling dokument som Kay la beslag på det året visade emellertid att letandet kunde vara mycket givande – förutsatt att man hade fått bra underrättelseuppgifter om var man skulle leta. Dokumenten förde oss inte till några vapenlager, inte till några vapen alls för den delen, men de var viktiga och slutgiltiga bevis på att Irak hade ett kärnvapenprogram.

Men när irakierna väl hade lärt sig läxan efter Kays framgång 1991 tror jag att letande som inte byggde på exakta upplysningar, vare sig det gällde ministerier eller andra platser, skulle vara totalt meningslöst. Det kan ju inte vara särskilt svårt att hitta perfekta gömställen för dokument och disketter.

I en annan fråga tyckte jag, och tycker fortfarande, att min uppfattning var klokare. Jag anser att inspektörer ska undvika att förödmjuka dem de inspekterar. En Rambo-attityd från inspektörerna retar mer än den skrämmer. Inspektion är inte ett sätt att föra krig med andra metoder. Inspektörer är inte del av en ockupationsstyrka och bör varken skjuta eller skrika för att få komma in. Många inspektörer har talat om för mig att efter kriget 1991 i Irak släppte vetenskapsmän och tekniker ifrån sig mycket mer information när man talade lugnt med dem än när de blev burdust behandlade. Därmed vill jag inte påstå att någon av metoderna har stora utsikter att lyckas skaffa fram information i en brutal polisstat, där avslöjanden skulle kunna innebära att vittnet torteras och dödas.

David Kay blev som ett rött skynke för irakierna och när han hade lämnat IAEA skickade Iraks FN-ambassadör i New York ett brev till FN:s generalsekreterare där det antyddes att Kay hade varit spion åt USA och "på ett dramatiskt sätt hade avskedats av IAEA". Hänsyftningen på att han skulle ha blivit avskedad var ungefär lika osann som de antydningar Irak skulle göra om mig tio år senare. Långt ifrån att avskeda Kay hade jag tvärtom gett honom en belöning och rekommenderat honom till hans nya uppdrag. Jag sände ett svarsbrev till generalsekreteraren där jag informerade honom om att

> Kay blev inte avskedad av IAEA. Kay slutade helt och hållet på egen begäran vid IAEA den 15 januari 1992 för att bli generalsekreterare vid Uranium Institute ... en tjänst som mr Kay sökte långt före september 1991, när hans namn genom media blev känt i hela världen på grund av händelsen på parkeringsplatsen i Bagdad ...

Kay hade alldeles säkert kontakter med den amerikanska underrättelsetjänsten i samband med de inspektioner han ledde. Det ingick i det stöd som var inbyggt i programmet för inspektionerna. Men på den tiden ansåg jag inte att han var amerikansk "agent". Han hade inte kommit från IAEA:s grupp av professionella inspektörer utan hade sysslat med att utvärdera ganska oskyldiga biståndsprojekt, om än med nukleär anknytning. Jag kan ha haft fel, men jag trodde inte att en amerikansk underrättelseorganisation skulle slösa bort en agent – inte ens en deltidare – på en sådan tjänst.

Det är svårt för mig att bedöma hur mycket inflytande Kays ständiga kritik av IAEA, UNMOVIC och mig personligen har haft under årens lopp. Jag tror att inflytandet var mycket litet på USA:s utrikes- och energidepartement, där man väl kände till IAEA och mig och där man tre gånger har stöttat mig när jag blivit omvald som generaldirektör. Inte förrän kort före de upphetsade debatterna i mars 2003 (se kapitel 10) hade någon företrädare för USA kritiserat IAEA för de inspektioner som gjordes på uppdrag av Säkerhetsrådet. David Kay arbetade emellertid i Washingtons underrättelse- och militärsfärer, och jag tvivlar inte på att hans åsikter och berättelser förstärkte rösterna i de läger som redan tidigare var skeptiska mot inspektioner i allmänhet och IAEA:s i synnerhet. Efter att ha varit en första klassens inspektör hade Kay fått uppfattningen att en militär ockupation av Irak var enda sättet att bli av med Iraks massförstörelsevapen.

Han visste inte hur framgångsrika inspektionerna och sanktionerna hade varit när de stöddes av militära påtryckningar.

Inspektioner i Irak 1992–98

Inspektionerna pågick i Irak ända till december 1998, då alla inspektörer drogs tillbaka efter en höst fylld av försök från Iraks sida att motarbeta verksamheten. Strax därefter genomförde USA och Storbritannien bombattacker mot Irak.

Alla inspektioner från 1992 till slutet av 1998 hade gett oss goda inblickar i Iraks vapenprogram, men vi hade inte gjort några betydelsefulla fynd av undangömda vapen. Under denna period utvecklades tekniken och redskapen mycket, inte minst genom att man började ta miljöprover så att till och med mycket små partiklar som man fann vid anläggningar, på utrustning eller i luften kunde ge oss besked om det tidigare hade funnits nukleärt, kemiskt eller biologiskt material där.

Jämfört med 1991 var detta för IAEA:s del, där jag var ansvarig, en ganska händelselös period. Vi fick vår beskärda del av irakisk omedgörlighet, men drabbades i mycket mindre grad än UNSCOM av deras fientliga inställning. I början av perioden säkerställde IAEA att allt klyvbart material avlägsnades från Irak och flögs till Ryssland. IAEA övervakade dessutom att många stora anläggningar som hade använts i det irakiska vapenprogrammet förstördes. Det mesta av detta var klart mot slutet av 1992. Våra kärnfysiker och andra experter kunde så småningom få en fullständig bild av Iraks vapenprogram och den infrastruktur som hade byggts upp, och av hur Irak hade fått den tekniska kunskap som behövdes för att anrika uran genom centrifugering, vilket var den teknik de hade tänkt utveckla.

I den rapport som lämnades till Säkerhetsrådet den 8 oktober 1997, och som jag var ansvarig för, förklarade IAEA att den ”tekniskt sammanhängande bilden" av Iraks tidigare kärnvapenprogram hade rullats upp och att det inte fanns några betydande skillnader mellan den och Iraks senaste deklaration. Men, tillade IAEA, "viss osäkerhet är oundviklig i en landsomfattande teknisk verifikationsprocess som syftar till att bevisa frånvaron av föremål och aktiviteter som inte är svåra att dölja". Regeringarna var också 1997 överens om att det inte fanns några fortsatta viktiga nedrustningsfrågor att besvara vad gällde kärnvapen, bara några mindre detaljer att klara upp.

För UNSCOM var däremot hela denna period en ständig kamp. Liksom IAEA övervakade man nedmonteringen och förstörelsen av mycket av den infrastruktur som hade ansetts vara förknippad med Iraks olika vapenprogram. Kommissionen såg också till att missiler förstördes och under en djärv operation deltog man i att förstöra stora mängder kemiska stridsmedel. Man påstod faktiskt att fler vapen förstördes under övervakning av inspektörerna än vad som hade förstörts under Kuwaitkriget. Jag är emellertid inte medveten om att man någonsin fann några betydande mängder vapen eller nukleärt material undangömt, alltså på platser som inte hade deklarerats. På grund av den otillräckliga redovisningen från irakiernas sida kan man samtidigt inte utesluta att det vid slutet av 1998 fortfarande existerade icke deklarerade missiler samt kemiska och biologiska stridsmedel.

Hussein Kamels avhopp 1995

I augusti 1995 hoppade en av Saddam Husseins svärsöner, general Hussein Kamel, av till Jordanien, en händelse som fick dramatiska konsekvenser. Kamel var Iraks industriminister och tidigare chef för landets Military Industrial Corporation (MIC), som hade ansvaret för Iraks alla vapenprogram. Under förhör i Jordanien hävdade han att alla kemiska och biologiska vapen hade förstörts på hans order 1991. Detta uttalande var visserligen betydelsefullt, men utan några bevis som styrkte det kunde det inte betraktas som trovärdigt. Något som var viktigare var att Iraks regering valde att låta UNSCOM och IAEA få tillgång till en stor mängd dokument som handlade om förbjudna vapenprogram, dokument som man påstod att Kamel hade gömt undan på sin egendom, ett ställe som media kallade för "Hönsgården".

Det är fortfarande något mystiskt med affären Kamel. Det är möjligt att regimen fruktade att Kamel skulle avslöja mycket om förbjudna vapenprogram och därför skyndade sig att lägga skulden för att ha dolt informationen på honom. Vem som än ska klandras gjordes minst två viktiga avslöjanden som också bekräftades genom denna affär. Det ena var att Irak faktiskt placerat biologiska stridsmedel i vapen och inte bara utvecklat ett program för offensiva biologiska stridsmedel (något som UNSCOM redan tidigare fastslagit). Det andra var att Kamel i augusti 1990 hade gett order om ett snabbprogram för att tillverka kärnvapen där man använde klyvbart material från bränslet till forskningsreaktorer som stod under IAEA:s övervakning. Programmet hade misslyckats. Även om dessa avslöjanden var viktiga för kunskap om och förståelse för Iraks program och vad man hade gjort tidigare, resulterade de inte i att man upptäckte och förstörde nya vapen.

I februari 1996 övertalades Kamel att återvända till Irak, där regimen utkrävde hämnd genom att mörda honom.

Bedrägeri och undanflykter. Iraks katt-och-råtta-lek

Ett program för kärnvapentillverkning följer sin egen industriella och fysiska logik, och de spektakulära upptäckterna under det första halvåret som inspektionerna pågick hjälpte IAEA att kartlägga Iraks kärnvapenprogram och utplåna det mesta av det innan 1992 var slut. Kartläggningen av de program som låg under UNSCOM:s ansvarsområde, i synnerhet de biologiska vapenprogrammen, visade sig, beroende på Iraks ansträngningar att dölja och förhala, bli en svårare uppgift att lösa. Det är inte konstigt att förhalningarna fick UNSCOM och världen att tro att regimen försökte gömma och behålla förbjudna vapen.

Motståndet mot öppenhet och inspektioner visades på olika sätt. Ett av de tidigaste var att lämna ofullständiga eller felaktiga uppgifter, vilket fick Säkerhetsrådet att kräva ”fullständiga, slutgiltiga och kompletta deklarationer”. När nya deklarationer förkastades eftersom de var otillräckliga och den ena ”slutgiltiga” deklarationen efter den andra lämnades in – något som hände när det gällde biologiska stridsmedel – blev situationen nästan komisk. En annan form av motstånd riktades mot övervakning från luften, i synnerhet mot flygningar av amerikanska U 2-

plan i UNSCOM:s tjänst. Det hände också att flygsäkerheten i helikoptrar riskerades när irakiska eskortörer hindrade att man tog fotografier. Vid andra tillfällen protesterade man mot fjärrstyrda kameror vid missilfabriker.

Visst motstånd riktades mot amerikansk och brittisk personal hos UNSCOM. I november 1997 ledde detta till en kris då UNSCOM drog tillbaka nästan all personal från Irak och bara lämnade kvar en handfull personer i Bagdad.

Tillträde förbjudet: de känsliga platserna, 1996

Det allvarligaste motståndet tog sig uttryck i att inspektörerna av en eller annan anledning vägrades tillträde till olika platser och anläggningar som irakierna bedömde som känsliga – till exempel ministerier och byggnader som tillhörde det speciella republikanska gardet eller olika säkerhetsorganisationer. Ibland framfördes även invändningar mot inspektioner under den muslimska vilodagen.

1996 bad Säkerhetsrådet UNSCOM:s chef Rolf Ekéus att besöka Bagdad för att se till att man fick tillträde till alla de anläggningar som UNSCOM hade valt ut för inspektion. Efter överläggningar mellan Ekéus och Iraks vice premiärminister, Tariq Aziz, gjorde de den 22 juni ett gemensamt uttalande. Irak åtog sig att ge ”omedelbart, ovillkorligt och obehindrat tillträde till alla anläggningar som UNSCOM eller IAEA skulle vilja inspektera” och UNSCOM åtog sig att ”i sitt arbete visa full hänsyn mot Iraks legitima *säkerhetsintressen*”.

Irak gick med på detta eftersom båda sidor hade kommit överens om att intensifiera arbetet för att kunna påskynda den dag när kommissionen kunde rapportera att Irak hade uppfyllt sina åtaganden. Säkerhetsrådet skulle därmed kunna häva de ekonomiska sanktionerna. Som framgår av Ekéus rapport till Säkerhetsrådet den 24 juni 1996, hade Iraks åtagande underlättats en smula genom att Ekéus hade visat förståelse för att Irak var känsligt när det gällde inspektioner av anläggningar som de ansåg var viktiga för deras suveränitet och nationella säkerhet. Han gav Aziz beskedet att han trodde att Iraks oro skulle stillas om ordföranden utfärdade ”modaliteter [förhållningsregler] för inspektion av sådana platser”, som han trodde var ganska få. Cheferna för inspektionsgrupperna skulle få instruktion att följa speciella tillvägagångssätt som tog hänsyn till Iraks legitima oro i fråga om landets säkerhet, medan de samtidigt skyddade UNSCOM:s rättigheter.

Kärnpunkten i dessa ”modaliteter”, som skulle tillämpas på ”känsliga platser”, var att inspektörerna skulle låta ”en rimlig tid” förflyta innan de gick in på platser de uppsökte, så att irakierna kunde se till att någon högt uppsatt myndighetsperson kom dit för att ”samverka med gruppen under inspektionen av den känsliga anläggningen”. Inte mer än högst fyra inspektörer skulle få tillträde till platsen, och de skulle försöka vara där så kort tid som möjligt.

Denna lösning välkomnades inte alls av USA och några andra medlemmar av Säkerhetsrådet, man ansåg att den begränsade inspektörernas rättigheter så som de hade fastslagits av Säkerhetsrådet. Det var säkert också så irakierna betraktade instruktionen. För att undvika en kris som skulle ha kunnat leda till ett väpnat ingripande hade Ekéus i själva verket i viss mån trampat Säkerhetsrådet på tårna. Klokt nog hävdade han att rent formellt var ”modaliteterna” bara ett internt redskap som han hade utfärdat i egenskap av verkställande chef. Problemet var att varje eftergift när man uppfyllde en resolution från Säkerhetsrådet var ett steg i en farlig riktning. Annars var det svårt att förstå att det skulle vara en katastrof om inspektörerna tvingades vänta en timme (eller ibland längre) för att kunna gå in i en anläggning. Det är sant att småsaker, som provrör, disketter och dokument, skulle kunna flyttas och gömmas undan medan inspektörerna väntade. Lager med förbjudna vapen eller utrustning för att tillverka sådana vapen skulle emellertid inte kunna flyttas lika snabbt.

”Butlermodaliteterna” och en pm om presidentpalats

Ekéus ”modaliteter” fungerade i många fall mycket bra, men vid ett antal tillfällen blev det problem. Det berättas inom UNSCOM om ett egendomligt fall där inspektörerna efter många krav fick tillträde till en anläggning som påståtts vara känslig, och till slut gick in i en byggnad på området bara för att finna att ingen mindre än vice premiärminister Tariq Aziz satt där och ivrigt bolmade på sin cigarr. Ibland var det också svårt att förstå varför det hade varit så många timmars bråk om hur många inspektörer som skulle få gå in i en byggnad som sedan visade sig vara tom. Det verkar inte som om man fann någonting viktigt och vapenrelaterat vid någon av de många inspektionerna i byggnader som tillhörde det speciella republikanska gardet, säkerhets- eller underrättelseorganisationer.

Det var kanske inte orimligt att misstänka att de militära enheter som var speciellt gynnade av Saddam Hussein skulle ha varit de som med störst sannolikhet hade förbjudna vapen. Men man kan fråga sig i hur många fall urvalet av känsliga anläggningar för inspektion byggde på upplysningar från underrättelsetjänsterna och verkliga misstankar om att man där skulle kunna finna förbjudna föremål.

Under denna period drog UNSCOM, under ledning av den amerikanske inspektören Scott Ritter, igång en kampanj för att avslöja "organisationen för döljandet", det vill säga hur Irak organiserade sig för att gömma vapen, dokument och data. Tanken bakom denna kampanj tycks ha varit att om man inte kunde finna vapnen men istället visa exakt hur irakierna organiserat sitt motstånd mot inspektionerna, så skulle man kunna fastställa att landet brutit mot resolutionen. Denna sida av verksamheten omfattade samarbete med underrättelseorganisationer och avlyssning av irakisk kommunikation. Många av inspektionerna liknade små militära operationer. En artikel i *New Yorker* den 9 november 1998 med rubriken "Scott Ritters privata krig" gav oss en livlig beskrivning av detta.

Sommaren 1997 hade den australiensiske ambassadören Richard Butler efterträtt Rolf Ekéus som chef för UNSCOM, men kommissionens väg var fortfarande mycket knagglig. Både UNSCOM och världen tolkade Iraks uppträdande som bevis för att landet dolde vapen. Denna reaktion var begriplig när man på videoupptagningar kunde se hur mappar flyttades och dokument brändes upp medan inspektörerna tvingades vänta.

I slutet av oktober 1997 informerade Iraks regering Säkerhetsrådet om flera beslut man fattat, bland annat att man inte längre tänkte befatta sig med inspektörer av amerikansk nationalitet som arbetade för UNSCOM. Det ledde självklart till en kris. Både UNSCOM och IAEA ställde in alla inspektioner.

Intressant nog var Iraks åtgärder, både vid det här tillfället och under en kris ungefär ett år senare, riktade mot UNSCOM och inte mot IAEA.

I oktober 1997 klargjorde man för IAEA att Irak inte hade några invändningar mot att arbeta tillsammans med amerikanska medborgare i IAEA:s inspektörsgrupper. "All IAEA-personal, inspektorer och experter kommer som vanligt att vara välkomna." Relationerna till IAEA var mindre spända. Vid den här tidpunkten hade IAEA gjort klart att det inte återstod många frågor att lösa kring Iraks förmodade kärnvapen. Om den åtskillnad som Irak gjorde var motiverad av att man ville driva in en kil mellan de två organisationerna eller av det faktum att IAEA hade färre amerikaner i sina grupper och inte deltog i Scott Ritters aggressiva kampanj vet jag inte, icke desto mindre beslöt IAEA att handla gemensamt med UNSCOM.

Tack vare intensiv diplomatisk aktivitet (i synnerhet av Ryssland) och militära påtryckningar från USA löstes krisen. Vid ett besök i Bagdad i december 1997 tog Richard Butler åter upp frågan om inspektioner av känsliga platser. Han lyckades få irakierna att göra vissa eftergifter i fråga om modaliteterna, till exempel om antalet inspektörer som fick komma in i en känslig anläggning och om att förkorta den tid de måste vänta innan de blev insläppta. På en punkt vägrade emellertid irakierna att ge efter, nämligen inspektioner av platser som tillhörde presidenten. I februari 1998 hettade det till och generalsekreterare Kofi Annan skickade en teknisk övervakningsgrupp för att fastställa den exakta storleken och omkretsen av åtta sådana platser som irakierna hade förklarat inte fick besökas. Efter det och sedan han rådgjort med medlemmar i Säkerhetsrådet reste Kofi Annan till Irak och träffade president Saddam Hussein och vice premiärminister Tariq Aziz.

Dödläget fick ett slut och en promemoria undertecknades den 23 februari 1998. Inspektörerna skulle få tillträde till åtta nu exakt definierade platser tillhörande presidenten. När UNSCOM inspekterade dessa anläggningar var man emellertid tvungen att respektera inte enbart legitima irakiska farhågor om landets suveränitet och säkerhet utan också dess "värdighet". Ett speciellt tillvägagångssätt utformades där en grupp högre diplomater skulle följa med inspektörerna som förkläden. Och inspektionerna fick det något värdigare namnet "tillträden".

Slut på inspektionerna; Desert Fox; UNSCOM och spioneri

Efter en period av töväder under våren 1998 hårdnade klimatet igen. En grupp internationella experter på biologiska stridsmedel kom i juli fram till att det inte gick att verifiera Iraks deklaration om landets program för biologiska vapen och det blev diskussioner angående fynd av det kemiska medlet VX. I början av augusti beslöt revolutionsrådet och Bathpartiets högsta råd att stoppa samarbetet med UNSCOM och IAEA tills Säkerhetsrådet hade hävt sanktionerna, omorganiserat UNSCOM och flyttat kommissionen till Genève eller Wien. Beslutet fördömdes enhälligt av Säkerhetsrådet, både i början av september och i början av november.

Under tiden verkade det som om diskussioner i New York om en "omfattande översyn" hade väckt förhoppningar i Irak om att man skulle slippa sanktionerna, vilket i november ledde till signaler om att man åter ville samarbeta fullt ut. Innan Säkerhetsrådet satte igång med en sådan översyn ville rådet få höra att samarbetet verkligen var tillfredsställande – det var emellertid en försäkran som UNSCOM inte var berett att ge. I december 1998 lämnade Richard Butler en kontroversiell rapport till Säkerhetsrådet som gick ut på att Irak i själva verket *inte* hade samarbetat så som man lovat. Han insåg att USA och Storbritannien skulle inleda bombningar och gav order om att den personal hos UNSCOM som sysslade med inspektioner skulle dras tillbaka. De evakuerades i all hast från Bagdad, men övrig FN-personal i Irak stannade kvar.

Den 17–20 december genomdrev USA och Storbritannien operation Desert Fox, och skickade ungefär hundra kryssningsmissiler mot hundra mål i Irak. Den 19 december förklarade Iraks vicepresident Taha Yassin Ramadan att UNSCOM:s uppdrag var avslutat.

Trots bombningarna var Iraks regering kanske inte helt missnöjd. Effekterna av sanktionerna, som hade försvagat Iraks ekonomi under första hälften av 1990-talet och gjort att befolkningens levnadsstandard sjunkit kraftigt, hade gradvis kompenserats genom FN:s olja-för-mat-program. Detta tillät Irak att sälja allt större mängder olja och importera allt större mängder mat och andra produkter som godkänts av FN:s sanktionskommitté. Irak ville säkerligen slippa sanktionerna och själv kunna bestämma över sin import och sin ekonomi. Varje gång regimen hade gjort något som den betraktade som en eftergift i fråga om inspektionerna, hade det varit som reaktion på moroten som hölls upp framför landet: möjligheten att UNSCOM skulle förklara avrustningen avslutad och att Säkerhetsrådet därmed kunde häva sanktionerna.

När Saddam Hussein lyssnade till uttalanden från USA skulle han emellertid mycket väl ha kunnat börja tvivla på att det verkligen skulle hjälpa att samarbeta med inspektörerna och istället trott att USA inte skulle tillåta att sanktionerna hävdes förrän han själv hade försvunnit från scenen. Om det var så, varför skulle man då bry sig om att samarbeta med vapeninspektörerna? Ja, varför skulle man inte kunna leka katt-och-råtta och retas med FN och med USA? När inspektörerna hölls utanför landets gränser efter operation Desert Fox, sades Tariq Aziz ha uttryckt stor tillfredsställelse: Det fick räcka med att vara utsatt för sanktioner. Att dessutom tvingas ha vapeninspektörer hade varit för mycket. Hur framgångsrika hade USA och Storbritannien varit? Genom att bomba Irak för att tvinga fram bättre samarbete med vapeninspektörerna hade man åstadkommit att inspektionerna upphört. De skulle fortfarande kunna övervaka landet från luften men gå miste om all information från marken.

Vid denna tidpunkt började Iraks regering antagligen känna ett svagt hopp om att sanktionerna så småningom skulle upphöra av sig själva eller hävas. De hade varit på plats sedan 1990, men omfattande illegal försäljning av olja gjorde att landet kunde importera allt som dess elit och de som stödde regeringspartiet behövde, plus viss militärutrustning. I resten av världen började den allmänna opinionen protestera mot sanktionerna. De skadade inte regeringen, sa man, utan bara det irakiska folket – inte minst barnen.

Några händelser i New York under första hälften av januari 1999 måste också ha glatt regimen i Bagdad. Plötsligt gavs stor publicitet åt rykten om att UNSCOM hade varit infiltrerat av spioner från olika länders underrättelsetjänster, i synnerhet från USA och Storbritannien. De hade varit medlemmar av inspektionsgrupperna och kunnat (skrev man) skicka information till hemländernas spionorganisationer om militära mål och om hur den irakiska ledningen flyttade omkring – båda sakerna var mycket bra att veta med tanke på kommande bombningar. Enligt rapporter i media hade underrättelsetjänsterna åkt snålskjuts på UNSCOM. Man hade haft med elektronisk avlyssningsutrustning vid UNSCOM:s aktiviteter, i inspektörsgrupperna och vid installationer för fjärrkontroll.

Det var underförstått och accepterat i Säkerhetsrådet att UNSCOM skulle kunna ta emot upplysningar från olika länders underrättelsetjänster för att man lättare skulle kunna kartlägga och utplåna program för massförstörelsevapen. Men de här rapporterna tycktes peka på att olika aktiviteter hade skett i UNSCOM:s namn men helt utanför dess kontroll. Man antydde till och med att UNSCOM inte hade fått all den information som samlats in och som mest tycktes ha handlat om säkerhetsanordningar och skyddet av Saddam Hussein. Både Richard Butler och hans företrädare, Rolf Ekéus, förnekade att de någonsin skulle ha tillåtit några aktiviteter som inte syftade till att främja UNSCOM:s uppdrag, nämligen att utplåna massförstörelsevapen.

När jag läste alla dessa rapporter från outtröttliga amerikanska, undersökande journalister tvivlade jag inte på att i alla fall det mesta av det var sant. Jag insåg att den allmänt accepterade utgångspunkten var att underrättelsetjänsterna skulle "dela med sig" av sin information till inspektörerna för att hjälpa dem med deras uppdrag. Så småningom kom begreppet "dela med sig" att betyda att underrättelsetjänsterna fick ta del av all den information från UNSCOM som de ville ha, medan den information som de fick genom att "åka snålskjuts" kanske inte alltid hade "delats" med UNSCOM.

Publiciteten om hur underrättelsetjänsterna betett sig skadade UNSCOM allvarligt. Många betraktade organisationen som ett instrument till största delen styrt av USA, snarare än ett redskap för Säkerhetsrådet. Scott Ritters beskrivningar i intervjuer (och senare i böcker) om amerikansk dominans av UNSCOM och om sitt eget omfattande samarbete med USA:s och Israels underrättelsetjänster fick stort genomslag, även om de till viss del förnekades av Richard Butler och Rolf Ekéus. Det skrevs artiklar där man antydde att UNSCOM var dött. Den irakiska regimen, som länge hade anklagat UNSCOM, kände att den hade fått sina misstankar bekräftade.

De fem permanenta medlemmarna i Säkerhetsrådet var inte överens om vilken väg man skulle ta. Många ansåg att UNSCOM var så misskrediterat att verksamheten skulle upphöra. Andra ansåg att UNSCOM:s aggressiva beteende – som till och med USA vid olika tillfällen hade försökt dämpa – hade kommit att motverka sina egna syften, och att det borde skapas något slags "UNSCOM light", där missilinspektionerna anförtroddes åt FN:s nedrustningsavdelning och inspektionerna av kemiska stridsmedel åt den nya organisation som hade inrättats i Haag enkom för sådant arbete. Andra påpekade svårigheterna med att skapa något nytt och börja om från början.

Fransmännen ansåg att allt nu med största sannolikhet hade gjorts för att upptäcka gamla vapen, och att FN borde övergå till en övervakande fas för att förhindra att Iraks vapenprogram väcktes till liv på nytt. Fransmännen påpekade också att man borde fundera på att häva sanktionerna. Ryssarna lämnade in ett informellt handlingsprogram som innehöll många idéer som låg mycket nära den franska ståndpunkten. USA ville varken häva sanktionerna eller avskaffa UNSCOM, men verkade vara öppet för att övergå från nedrustning till övervakning. Inför denna förvirring beslöt Säkerhetsrådet i slutet av januari att inrätta tre expertgrupper, alla ledda av Brasiliens FN-ambassadör, Celso Amorim, som då var ordförande i Säkerhetsrådet.

På mycket kort tid skrev ambassadör Amorim och hans expertgrupper tre rapporter, varav den första handlade om avrustning. Gruppen konstaterade att ”större delen av Iraks förbjudna vapenprogram har eliminerats” och antydde att närvaron av inspektörer var det effektivaste sättet att försäkra sig om att Irak inte behåller, skaffar eller bygger förbjudna vapen. Gruppen ansåg att inget system kunde ge hundraprocentig säkerhet och föreslog att man skulle koncentrera sig på återstående högprioriterade uppgifter. Man kunde ägna sig åt allt från rutinmässig övervakning till mycket påträngande inspektioner. Expertgruppen sa att all information borde bedömas ”uteslutande på grund av dess trovärdighet och relevans i förhållande till uppgiften” och att kommunikationen med underrättelsetjänsterna enbart skulle gå i en riktning, även om det erkändes att viss dialog var nödvändig. Rapporten krävde effektivitet men varnade för onödiga konfrontationer. Regelverket för UNSCOM skulle kunna finnas kvar, men i en något ”förnyad” form.

Iraks regering förkastade nästan omedelbart dessa tankar och sa att inspektörerna inte skulle kunna återvända om inte sanktionerna hävdes. Nu följde långa förhandlingar i Säkerhetsrådet. Under tiden slutade Richard Butler och en del av UNSCOM:s personal. De många experter som regeringarna hade bidragit med som inspektörer behövde inte sägas upp, de hade bara kommit för att uträtta ett bestämt uppdrag och hade sedan rest hem igen.

Inte förrän i december 1999 kunde Säkerhetsrådet anta den nya resolutionen 1284, som på de viktigaste punkterna följde expertgruppens rekommendationer.

UNMOVIC blev det "förnyade" UNSCOM. Medan systemet från 1991 inte hade medgett att sanktionerna kunde hävas förrän alla förbjudna vapenprogram hade utplånats totalt, var denna nya resolution även öppen för möjligheten att man kunde suspendera sanktionerna "om Irak samarbetade på alla områden", så att viktiga återstående nedrustningsuppgifter kunde lösas.

I min lugna vrå i Stockholm hade jag glatt mig över ambassadör Amorims expertgrupps rapport och det gjorde jag även över den nya resolutionen. Jag tyckte att man väl tagit tillvara många av de punkter vi hade arbetat efter inom IAEA under de gångna nio åren:

- Inspektörerna skulle rekryteras brett och bli internationella tjänstemän som skulle vara lojala enbart mot FN. Det var härmed underförstått att man inte längre huvudsakligen skulle rekrytera gratis personal från ett fåtal stora länder.
- UNMOVIC skulle ha en tydlig identitet som FN-organ och skulle därför inte fjärrstyras från något land. Därmed kunde organisationen utveckla och behålla internationell legitimitet.
- Det var inte tal om några system för att byta information från inspektioner mot information från underrättelsetjänster.
- Inspektionerna måste vara effektiva och kunna vara mycket påträngande, men man skulle undvika onödig konfrontation.
- UNMOVIC skulle ha alla rättigheter och förmåner som UNSCOM hade haft.

I januari 2000 började generalsekreterare Kofi Annan se sig om efter någon som han skulle kunna nominera som chef för UNMOVIC.

Jag var nyfiken på vem det skulle kunna bli.

3

Ut ur kylskåpet rakt i stekpannan

En turistresa till Antarktis i januari 2000

På det enkla hotell där vi bodde i Chelten, i Patagonien, kunde man ta emot telefonsamtal men inte ringa ut. Den 19 januari 2000 kom det ett meddelande till hotellet där man bad mig att ringa upp den svenska utrikesministerns sekreterare eller svenska ambassaden i Buenos Aires – men jag kunde inte ringa ut. Hotellpersonalen kunde inte räkna ut vad det skulle kosta. Jag erbjöd mig att betala tio dollar – en rund summa – för ett snabbt samtal till Buenos Aires. Nej. Tjugo dollar? Nej. Jag gav upp och gick till telefonstationen för att skicka ett fax där jag talade om för Stockholm när jag var tillgänglig för inkommande samtal nästa dag.

Vi hade bytt ut vintern i Stockholm mot sommaren i Antarktis och en avstickare till Patagonien på väg dit. Min hustru, Eva Kettis, arbetade på det svenska utrikesdepartementet där hon hade ansvaret för Arktis och Antarktis. Hon ville med egna ögon se vad det var man talade om vid konferensbordet. Jag hade hört mycket om hur vackert det var i Antarktis så jag följde gärna med henne.

Faxet fungerade och nästa morgon fick jag ett telefonsamtal där jag fick reda på att FN i New York ville att jag skulle bli chef för den nya inspektionsorganisationen för Irak, United Nations Monitoring, Verification and Inspection Commission (UNMOVIC), kommissionen för övervakning, verifiering och inspektion. Den svenska utrikesministern hoppades att jag kunde åta mig uppdraget. Jag sa att jag var skeptisk. Fanns det ingen annan som kunde göra det? Skulle jag kunna ta emot ett samtal från statssekreteraren vid det franska utrikesdepartementet som gärna ville förklara? Visst, det kunde jag göra mot slutet av dagen, efter vår utflykt ...

Vi tog en lång, vacker promenad till det imponerande Fitzroyområdet. Solen sken. Skogen var vacker och vägen fin till Lagua de los Tres. Föregående år hade jag gått igenom en stor ryggoperation och tyckte det var underbart att jag nu kunde gå till fots sju och en halv timme utan att det gjorde ont.

När vi kommit tillbaka till Chelten efter utflykten tog jag emot samtalet från den franske statssekreteraren vid Quai d'Orsay i Paris, Gerard Errera. Han hade varit fransk nedrustningsambassadör i Genève och dessutom en utmärkt ledamot i styrelsen för IAEA. Jag kände honom väl.

Han förklarade hur svårt det hade varit att få Säkerhetsrådet att enas om en ny chef. Han trodde att jag möjligen kunde vara den person som alla kunde enas om. Det skulle gälla ett eller ett och ett halvt år. Jag var fortfarande skeptisk. Nog måste det väl finnas många andra? Jag njöt av att vara pensionär och kunna göra utflykter med min hustru. Jag nämnde några andra namn. Skulle de inte kunna komma tillbaka till mig om de inte hittade någon annan? Tja, jovisst.

Jag diskuterade situationen med Eva. Jag tyckte att vi hade levt åtskilda alltför många år när jag arbetade för IAEA i Wien och hon i Genève och senare i Bryssel. Hon var nu djupt engagerad i sitt arbete och glad över att ha mig hemma som pensionär. Jag skötte hushållet medan hon skötte polarregionerna – i den mån Sverige hade något inflytande.

Till min förvåning förkastade Eva inte tanken totalt. Hon visste att jag, då jag drog mig tillbaka från IAEA 1997, hade tyckt att Irak var en oavslutad historia. Hon visste dessutom att jag hade trott att en mindre aggressiv variant av vapeninspektioner än den som UNSCOM hade ägnat sig åt skulle ha kunnat ge bättre resultat. Om jag ville försöka kunde hon förstå det. Vi lämnade ämnet och hoppades att frågorna skulle lösa sig. Hade inte en av historiens mest berömda fransmän, de Gaulle, sagt att kyrkogårdarna är fulla av oersättliga män? (Hans generation hade inte upptäckt att kyrkogårdarna också är fulla av oersättliga kvinnor.)

Lördagen den 22 januari tog vi en buss till ett trevligt samhälle som hette El Calafate (blåbäret). Vår grupp hade svikits av det flygbolag som skulle ha tagit oss till Ushuaia, världens sydligaste stad, så nu köade vi på turistbyrån för att få reda på vad som skulle hända. En ung dam ropade upp mitt namn och jag trodde att Eva och jag hade haft tur och tillhörde dem som skulle få platser på flyget. Nej, sa den unga damen, det var någon som hette Kofi Annan som ville att jag skulle ringa upp honom. Den unga damen hade ingen aning om att Kofi Annan var generalsekreterare för FN, men andra personer som stod i kön visste precis vem det var och tittade nyfiket efter Eva och mig då vi för andra gången gick för att söka upp en lokal telefonstation.

Kofi Annan letade fortfarande efter en chef för UNMOVIC. Jag kände till flera av de namn som hade avslagits. Rolf Ekéus, som hade varit chef för UNSCOM mellan 1991 och 1997, hade gått med på att man föreslagit honom. Det förvånade mig att Rolf ville göra ett andra försök, men hur som helst blev han förkastad av någon av de permanenta medlemmarna i Säkerhetsrådet. Jag var säker på att USA hade velat ha Rolf. Hade irakierna övertalat Ryssland eller Frankrike att lägga in veto, eller ansåg dessa länder att UNSCOM under Ekéus (och i ännu högre grad under Butler) hade blivit alltför USA-dominerat? Jag visste inte. De inspektioner som utförts av IAEA hade varit mindre förödmjukande, men jag tvivlade på att irakierna skulle gilla mitt namn. De var rasande över att vi inte hade rekommenderat att man skulle avsluta kärnvapendossién, trots att alla var överens om att det inte återstod några väsentliga kärnvapenfrågor som var obesvarade.

Jag började känna en spännande utmaning, men den dominerande känslan var ändå olust. Jag hade slagit mig till ro och avslutat min karriär. Jag hade tänkt ägna mig åt utflykter och åt att skriva en bok om IAEA:s ansträngningar i Irak och Nordkorea. Jag lyckades ringa Kofi Annan som förklarade att de fortfarande inte hade några andra namn än mitt, att arbetet inte var lätt och att han ville veta om jag inte trots allt kunde acceptera uppdraget. Jag sa att jag fortfarande var skeptisk, men att det inte var uteslutet om de verkligen inte kunde hitta någon annan.

Vi fick inga platser på flyget, men efter en lång bussfärd kom vi fram till Ushuaia och det chartrade ryska forskningsfartyg, *Akademik Joffe,* som skulle föra oss och ett par hundra andra turister till Antarktis. Vi hade tur med vädret och kunde njuta av det fantastiska landskapet, fåglarna, miljontals pingviner, sälar och valar.

Skulle jag tacka ja till att bli chef?

Den 26 januari lyckades Rolf Knutsson vid Kofi Annans kansli kontakta mig via radiotelefonsystemet INTELMAR och förklarade att generalsekreteraren var på väg till Moskva och att han nu måste få veta om jag kunde tänka mig att bli chef för UNMOVIC. Han sa att de inte hade några andra namn och att de visste att nomineringen av mig skulle få enhälligt stöd i Säkerhetsrådet.

All right, sa jag.

Varför hade jag gått med på att börja arbeta igen? Jag hade en stark känsla av att även om UNSCOM hade gett prov på stor skicklighet i fråga om analyser och "tapperhet i fält", hade ändå dess attityd med "inspektörer i krig" och dess anknytning till västerländska underrättelseorganisationer både motverkat sitt syfte och varit misskrediterande. Man hade lyckats reta upp och provocera irakierna utan att skapa mer klarhet. Jag hade många gånger fått höra av våra vapeninspektörer att de trodde att IAEA fick mer information tack vare den mer återhållsamma, professionella FN-stilen. Det skulle vara frestande att pröva det tillvägagångssättet med UNMOVIC.

En annan orsak till att jag accepterade var att det helt enkelt är svårt att säga nej när FN:s generalsekreterare säger att man är det enda namnet som de kan komma överens om och när man mycket väl känner till uppgiften. En tredje orsak var att jag kände mig frisk och stark och att jag tycker om att göra saker. Dessutom trodde jag att det bara skulle gälla ett år eller kanske ett och ett halvt.

När generalsekreteraren hade rådgjort med Säkerhetsrådet utnämnde han mig och det bestämdes att jag skulle träda i tjänst den 1 mars 2000.

Forskningsfartyget var en mycket bra plats när man behövde tänka utan att bli störd av telefonen, eftersom det var mycket svårt att ringa dit. När jag kommit tillbaka till Stockholm ringde USA:s utrikesminister, Madeleine Albright, upp mig personligen, gratulerade mig och lovade mig USA:s fulla stöd. Jag fick också ett varmt uppmuntrande meddelande från Storbritanniens premiärminister Blair.

Intressant nog hade det dykt upp en artikel i en svensk tidning där det stod att jag antagligen var det allra sämsta möjliga valet som chef för UNMOVIC. Artikelns författare, Per Ahlmark, hade ungefär tjugofem år tidigare varit biträdande statsminister i Sverige under två år, och han kallade fortfarande sig själv "före detta biträdande statsminister". Folk trodde att det var något gammalt groll mellan honom och mig. Nej, vi hade varit goda vänner på den tiden och jag hade nästan inte träffat honom sedan dess. Detta var den första av många elaka och förolämpande artiklar som Ahlmark publicerade över hela världen, inklusive i *Wall Street Journal*. När han citerade saker som han påstod att jag hade sagt till David Kay och när han skrev att Kay borde ha fått Nobels fredspris för sina inspektioner i Irak, gissade jag att Kay varit generös mot honom med både idéer och material. När journalister i Stockholm bad mig kommentera Ahlmarks artikel sa jag bara att det var viktigare för mig att jag hade Säkerhetsrådets förtroende än Ahlmarks.

Ankomst till New York

Jag kom till FN den 28 februari för ett inofficiellt besök och fördes upp till trettioförsta våningen i sekretariatsbyggnaden där jag skakade hand och hälsade på hela UNMOVIC:s personal. Jag upptäckte till min förskräckelse hur litet utrymme var och en av de anställda hade. På eftermiddagen hade jag ett halvtimmeslångt informellt samtal med generalsekreterare Annan som jag hade träffat många gånger tidigare när jag arbetade för IAEA. Som alltid tyckte jag att han var vänlig och klok. Han var väl underrättad om hela Irakaffären. Hans kontor är ganska blygsamt men har en vacker utsikt över East River med en enorm Pepsi-Cola-skylt som en färgglad dekoration på andra sidan.

Nästa dag, den 1 mars, gjorde jag ett kort besök hos generalsekreteraren, men den här gången var det officiellt. Jag besökte också Säkerhetsrådets ordförande, som denna månad var ambassadören från Bangladesh, Iftekhar Ahmed Chowdhury. Jag lovade honom att jag skulle hålla kontakt med alla medlemmarna i Säkerhetsrådet och inte bara med de fem stormakterna, P-5.

Nu var jag chef för UNMOVIC och flyttade in på mitt kontor. Min särskilda rådgivare Torkel Stiernlöf hade rummet bredvid och Olivia Platon, min sekreterare, satt vid ett stort skrivbord utanför mitt rum. Med fast hand, ett glatt leende och mycket skratt höll hon ordning på mig och alla andra och på alla papper. Charles Duelfer, en amerikan som hade varit vice chef för UNSCOM, hade slutat. Jag hade ringt till honom från Stockholm och sagt att jag visste att han hade handskats mycket bra med situationen sedan Butler slutade, men att jag ansåg att kommissionen behövde börja om från början och jag hade rekommenderat honom att sluta. Det gjorde han och jag gjorde ett utkast till ett uppskattande tackbrev från generalsekreteraren till honom. Ett par dagar efter min ankomst åt vi lunch tillsammans. Visserligen hade jag bett Duelfer att säga upp sig från FN:s inspektionskommission, men han var mycket kompetent så därför gladde det mig då han utsågs till chef för USA:s övervakningsgrupp i Irak när David Kay slutade där i januari 2004, utan att ha funnit några av de massförstörelsevapen som han hade talat om för allmänheten att de skulle finnas.

Naturligtvis höll jag första dagen ett möte med hela min personal. Många specialister som hade varit utlånade gratis till UNSCOM av olika regeringar hade redan slutat och de kvarvarande experterna och den administrativa personalen uppgick till kanske femtio personer.

Det hölls en presskonferens. Jag sa att Irak var benäget att betrakta inspektionerna som en bestraffning man ville minimera. Irakierna borde istället se inspektionerna som en möjlighet till att uppnå trovärdighet som de borde maximera. Världen skulle aldrig tro på vad Irak sa, men den skulle tro på inspektörerna. Jag sa också att uppgifter från olika underrättelseorganisationer kunde vara nyttiga, men att de måste granskas kritiskt. Det förekom ganska mycket desinformation. Vi skulle välkomna information från underrättelsetjänsterna men det skulle på det hela taget vara en enkelriktad kommunikation. Som svar på en fråga sa jag att ingen organisation kunde skydda sig helt och hållet mot infiltration, men om jag upptäckte att någon arbetade för en utomstående organisation skulle jag omedelbart avskeda honom eller henne.

En del av UNMOVIC som jag inte behövde organisera var kommissionsrådet, College of Commissioners. I resolution 1284 (1999) hade man bestämt att generalsekreteraren skulle utse experter med lämpliga kvalifikationer som skulle träffas regelbundet, gå igenom organisationens arbete och ge professionella råd och vägledning till ordföranden också angående de rapporter som han skulle framlägga för Säkerhetsrådet. Många ansåg att detta var avsett att kontrollera den nye ordföranden. Jag upplevde det alltid som en bra grupp där man kunde testa sina idéer. Några av medlemmarna, till exempel de från USA, Storbritannien, Ryssland och Kina, kom från centrala ministerier. Andra, som de från Frankrike och Tyskland, var oberoende experter. En del var experter inom ett visst område, som biologi eller missiler, men alla var väl insatta i vad som skett under tidigare inspektioner i Irak. Det var en utmärkt grupp. Vi förmådde den att inte använda tolkar och att inte föra några formella protokoll, och därmed blev diskussionerna livliga och nyttiga. Dessa diskussioner hjälpte oss ibland att förstå vilka frågor våra rapporter skulle kunna framkalla från olika regeringar. Jag drog stor nytta av gruppen och kände mig säkrare på mig själv då jag visste att jag hade dess stöd. Sam, eller mr Muttusamy Sanmuganathan, var gruppens sekreterare och såg till att dess medlemmar var välinformerade om allt relevant som hände och om alla dokument.

Resolution 1284 stadgade att ordföranden inför Säkerhetsrådet skulle framlägga en organisationsplan för UNMOVIC inom fyrtiofem dagar efter det att han trätt i tjänst. Detta betydde den 15 april. Medan jag fortfarande var kvar i Stockholm hade flera regeringar skickat råd och skisser för hur den nya myndigheten borde se ut. USA:s representanter, biträdande statssekreterarna Robert Einhorn och David Welch hade avhållit sig från att ge mig några detaljerade råd, och hade helt enkelt sagt att jag själv borde göra upp organisationsplanen ”utan otillbörliga påtryckningar från några medlemsnationer”. Avdelningschefen för nedrustningsfrågor i FN, Jayantha Dhanoapala, hade varit vänlig nog att komma till Stockholm och han hade haft med sig en nyttig dossié som han och hans personal hade gjort i ordning inför starten av UNMOVIC.

Irakierna visade inga tecken på att de skulle komma att acceptera några inspektioner inom den närmaste framtiden, så jag och mina kollegor kunde koncentrera oss på organisationsplanen, skaffa mer personal och utbilda den samt börja klarlägga vilka nedrustningsfrågor som kvarstod.

Organisation och administration kan kanske låta tråkigt och jag kan inte påstå att det tillhör de arbetsuppgifter jag tycker bäst om. Jag vet emellertid att om man ska uppnå resultat måste man ha kompetent personal, någorlunda ordning och bra mänskliga relationer. En nationell regering kan kritiseras av den politiska oppositionen som bevakar och angriper ministrar och departement på grund av deras arbete. Internationella organisationer har få naturliga fiender, men de har mer än hundra medlemsstater som är deras chefer och som granskar vad de gör.

De representanter för olika regeringar som hade träffat mig i Stockholm hade gett mig många goda råd angående strukturen i UNMOVIC:s organisation. Jag var uppmuntrad av att USA sa att UNMOVIC borde vara tekniskt och inte politiserat. Jag förstod naturligtvis att orsaken till att andra stater hade föreslagit att det borde göras vissa kontroller av ordföranden berodde på att UNSCOM:s sekretariat och ordförande, enligt deras uppfattning, i alltför hög grad stått under USA:s inflytande.

Jag var fast besluten att ge UNMOVIC den oberoende FN-profil som det talades om i den brasilianske ambassadören Amorims rapport som hade banat väg för resolutionen. Vi skulle lyssna till alla, men enbart gå Säkerhetsrådets ärenden. Det underlättades av att en liten del – 0,8 procent – av intäkterna från försäljning av olja från Irak under programmet olja-för-mat skulle användas till våra utgifter. Denna inkomst var beroende av oljepriserna och av hur mycket olja Irak pumpade upp, men det skulle kunna bli upp till hundra miljoner dollar om året, något som vi trodde skulle räcka till och med när vi var i full gång. Vi skulle på många sätt behöva hjälp från olika regeringar – till exempel från deras underrättelseorganisationer, med satellitbilder, viss avancerad utrustning och expertråd – men vi skulle inte behöva gratis personal eller normal utrustning, till exempel flygplan, helikoptrar och kommunikationsutrustning. Vi började med att skissa en formell organisationsplan och göra praktiska arrangemang.

- Vi accepterade inte ett förslag som vi fått där ordföranden skulle ha en assistent från var och en av de fem permanenta medlemsstaterna i Säkerhetsrådet. Vad skulle ha hänt om de fem ”assistenterna" inte hade varit överens? Nikita Chrusjtjov hade en gång begärt att FN:s sekretariat skulle delas upp i en trojka. En tredjedel från Öststaterna, en tredjedel från väst och en tredjedel från alliansfria länder. Detta skulle ha gjort att sekretariatet ständigt hade drabbats av olika veton. Ändå hade man den här gången föreslagit ett slags pentarki. Om det hade tillämpats hade det medfört politisering och paralysering.

- Vi tog bort tjänsten som vice ordförande eftersom den alltid hade varit en direktkanal till myndigheterna i Washington.
- Vi talade om för *alla* delegationer – utom för Iraks – att vi tänkte anställa personal som var kompetent vad gällde biologiska och kemiska vapen och missiler och att vi skulle uppskatta om de uppmanade personer att söka tjänst hos oss. Vi skulle emellertid också ta emot ansökningar som inte kom genom några regeringskanaler.
- All personal skulle ha kontrakt med FN och avlönas av oss. Vi skulle utbilda all personal och ha en förteckning över specialister som kunde inkallas och bli kontrakterade för att tjänstgöra i inspektionsgrupper i Bagdad eller i högkvarteret i New York.
- Även om man hade föreslagit oss att vi skulle börja om från början och inte behålla någon professionell personal från UNSCOM, bestämde vi oss för att satsa på både förnyelse och kontinuitet. Tidigare UNSCOM-personal som var mycket kompetent och som skulle kunna bidra med sitt expertkunnande och sina erfarenheter kunde stanna kvar om de ville.
- Vi skulle ständigt ha ett stort antal personer boende i Bagdad så att de kunde organisera flera parallella inspektioner varje dag.
- Vi skulle inte använda oss av den så kallade "grind"-lokalen (Gateway) vid den amerikanska militärbasen i Bahrain, där UNSCOM:s inspektörsgrupper hade samlats för genomgångar och avrapporteringar före och efter inspektioner.
- Vi skulle be ett antal stater om hjälp från deras underrättelseorganisationer, särskilt i fråga om information som kunde leda inspektörerna till anläggningar där man misstänkte att det fanns massförstörelsevapen. Detta skulle emellertid huvudsakligen vara en envägskommunikation. I princip skulle alla inspektionsresultat förbli konfidentiella eller rapporteras till Säkerhetsrådet.

- Endast en speciell tjänsteman och ordföranden skulle få ta emot upplysningar från underrättelsetjänsterna. När sådana upplysningar skulle användas under en inspektion måste chefen för den operativa avdelningen och chefen för inspektionsgruppen delta enligt överenskommelse med den som stått för informationen.
- Vi skulle i stor utsträckning använda oss av satellitbilder, både sådana vi själva köpt och sådana vi fått från olika regeringar.
- Vi skulle inte använda oss av elektronisk avlyssning.

Personalen

Principen om ”förnyelse och kontinuitet” hade vi stor nytta av. Tack vare den fick vi Rachel Davies, en engelska som hade varit anställd vid UNSCOM, som utmärkt ledare av informationsavdelningen som hade hand om hela databasen och allt vårt arbete med olja-för-mat-programmet. Hon var en glad kvinna med fenomenalt minne och hon befriade mig från de allra flesta problem på de områdena. John Scott var i princip pensionerad från FN:s juridiska avdelning och från UNSCOM, men han stannade kvar som konsult. Han och jag kände varandra från vår gemensamma studietid vid Cambridge University på 1950-talet. Vi hade båda deltagit i de seminarier som hölls av professor Hersch Lauterpacht, som senare blev domare i Haag. Alice Hecht, belgiska och sedan länge anställd vid FN, kom också från UNSCOM. Hon kände till alla de administrativa knepen – och personerna – i den byråkratiska djungeln och visste i vilka trådar hon skulle dra när det behövdes. Hon fick hjälp av Nina Pinzon från Colombia som fick personifiera de hårt arbetande administrativa mirakelmänniskor utan vilka stora organisationer skulle falla ihop.

När organisationsplanen hade godkänts utan några förändringar av Säkerhetsrådet började vi anställa i stor skala. Vi tog in sökande till New York för intervjuer och skickade ut grupper på två eller tre högre medarbetare för att intervjua kandidater i Wien, Paris, Bangkok, Dacca, Sydney och Buenos Aires. Medan UNSCOM hade tvingats ta många medarbetare från länder som var beredda att låna ut dem gratis kunde vi rekrytera fritt och fick en geografiskt mer balanserad sammansättning.

Med undantag för Jordanien var det inget arabland som nominerade några kandidater. Jag antog att det betydde att de trodde det skulle irritera Irak att se arabiska bröder bland inspektörerna, och att de tog hänsyn till denna förmodade irakiska invändning.

Utbildning

En ryss, Nikita Smidovich, fick ansvaret för utbildningsprogrammet. Han hade varit en av UNSCOM:s mest erfarna och framgångsrika vapeninspektörer. UNSCOM hade aldrig haft tid att utbilda sina inspektörer – personal som tillhandahållits av regeringarna hade tagits direkt från sina hemmabaser till genomgångarna i ”grinden” i Bahrain och sedan till utbildning på fältet. Den resolution som låg till grund för UNMOVIC krävde däremot uttryckligen att inspektörerna skulle utbildas. Vi beslöt att hela vår personal skulle få en månadslång grundutbildning som omfattade Säkerhetsrådets mål, tidigare inspektioner i Irak, teknik och utrustning som användes under inspektionerna och vad som hade blivit känt och vad som fortfarande var okänt inom de olika vapenområdena. Vi genomförde dessutom simulerade inspektioner. Några föreläsningar handlade om Iraks geografi, politiska historia, kultur och landets religioner. UNMOVIC:s belackare brukade kalla sådana ämnen för ”fjompiga sensitivitetskurser”. Vi genomförde många grundutbildningskurser och kortare avancerade kurser och var noga med att hålla dem i olika länder. Jag höll själv föreläsningar vid alla de större kurserna. Under en av dem försökte jag med några adjektiv fånga hur jag ansåg att vapeninspektörerna borde vara i sitt arbete:

Drivande och dynamiska – men inte aggressiva och arga
Bestämda – men korrekta
Påhittiga – men inte vilseledande
Ganska flexibla – men inte mjuka
Lugna – men ganska otåliga
Vänliga – men inte kamratliga
Respektfulla mot dem de handskades med – men också se till att bli respekterade

Jag påminde dem också om den erfarenhet jag har haft från förhandlingar – ett lättsamt tonfall eller ett skämt ibland kan lätta upp en nervös stämning.

Mina råd till framtida vapeninspektörer skilde sig mycket i tonen från det peptalk som man i *New York Times* skrev att den kände UNSCOM-inspektören Scott Ritter hade hållit för sin grupp:

> Ni arbetar för mig, så varenda en av er är en alfa-hund. När vi beger oss till en anläggning kommer de att veta att vi är där, och därför ska vi lyfta på svansen och pinka på deras väggar – det är ungefär det vi gör. Så när vi lämnar en anläggning kommer de att förstå att de blivit inspekterade.

Efter en föreläsning som jag hållit vid en utbildning i Ottowa i juni 2001 skrev den irakiska tidningen *al-Thawra*: ”Vi säger till Hans Blix att det amerikanska och sionistiska språk han talar är mycket tydligt och att Irak inte kommer att acceptera honom och aldrig kommer att acceptera hans spioner.” Jag förstod då att irakierna läste alla mina föreläsningar och inte gillade allt de såg.

Förberedelser för kommande inspektioner

Ibland undrar jag hur vi skulle ha klarat det om Irak hade bjudit in oss att påbörja inspektioner sommaren 2000. Vi hade ännu inte någon utbildad ny personal och bara ett mycket begränsat grepp om dossiéerna. Trots att vi inte gjorde några inspektioner hade vi händerna fulla. Vi organiserade grupper för att ta reda på vilka frågor som var obesvarade i de olika vapenkategorierna. Vad kunde återstå? Det krävdes mycket sökande i UNSCOM:s enorma arkiv och vi blev tvungna att omorganisera databasen för att kunna hämta relevanta data och få plats med nya. Andra analyserade anläggningar som redan hade blivit besökta och jämförde dem med nya satellitbilder. Vilka anläggningar skulle vi prioritera? Några tog reda på var man utan förseningar kunde skaffa den utrustning vi behövde. De åkte till FN:s enorma förråd i Brindisi i södra Italien för att ta reda på vad som skulle kunna levereras snabbt, allt från jeepar till portabla radiotelefoner.

En del arbetade ut rutiner för hur man skulle ta biologiska och kemiska prover – inte oväsentligt när det gällde att samla in bevis. Andra arbetade fram säkerhetsföreskrifter för hanteringen av farligt material. Juristerna skissade upp regler för hemligstämpling. Man tog fram en handbok som systematiskt beskrev alla de rättigheter och skyldigheter som Säkerhetsrådet i olika resolutioner under nästan tio år hade gett inspektionsmyndigheterna. Det fanns mycket att göra och alla var för det mesta på gott humör. Medan UNSCOM:s relationer med resten av FN-sekretariatet och generalsekreterarens trettioåttonde våning hade varit pressade, i synnerhet under Butlers tid, var våra relationer utmärkta. Vi fick hjälp och goda råd från erfarna högre tjänstemän, exempelvis Kofi Annans kabinettschef Iqbal Riza, chefen för nedrustningsavdelningen, Jayantha Dhanapala, och ställföreträdande chefen för den politiska avdelningen, Danilo Turk. Vi behövde inte presenteras för folket från IAEA. Det var självklart att vi skulle ha nära kontakt och samarbeta med Mohamed ElBaradei och Jacques Baute, den erfarne chefen för IAEA:s aktionsgrupp för Irak.

Från år 2000 till den 11 september 2001: basaren i Irak

Bara för att Säkerhetsrådet 1999 antog resolution 1284 betydde det inte att man var helt överens om vilken politik som skulle föras gentemot Irak. Det hade funnits fyra nedlagda röster: Kina, Frankrike, Malaysia och Ryssland. Man var angelägen om att inspektionerna skulle återupptas och samtidigt upplevde man en viss "trötthet" på sanktionerna. Ändå hade man inte hittat några rimliga alternativa metoder som skulle kunna sätta press på Irak så att de började samarbeta med vapeninspektörerna. De senaste bombningarna av USA och Storbritannien hade bara resulterat i att inspektörerna kördes ut.

Resolutionen var tydligen tänkt som ett komplement till men inte en ersättning för resolution 687 (1991). Enligt resolutionen från 1999 kunde sanktioner suspenderas men inte hävas, och detta som belöning för samarbete som visats genom "framsteg" i fråga om "väsentliga" – istället för alla – återstående nedrustningsfrågor. Trots det protesterade den irakiska regeringen mot den nya resolutionen och sa att den var en fälla. Man hävdade att USA skulle se till att om sanktionerna upphävdes tillfälligt skulle de aldrig varaktigt hävas. Dessutom skulle Irak efter att sanktionerna suspenderats enligt resolutionen underkastas ”effektiva ekonomiska och andra operativa åtgärder”. Vilka var dessa åtgärder och vilka var de ”väsentliga” återstående frågorna? Irak vidhöll att det inte fanns några massförstörelsevapen och således inga avrustningsfrågor.

Under år 2000 slog sig Irak ner i den globala politiska basaren med en attityd av ”vänta och se och småprata”. Inspektörerna var borta. Sanktionerna fördömdes av en bred världsopinion och hur som helst hade de blivit mindre besvärliga; de höll på att urholkas. Isoleringen hade reducerats. Fler utländska flygplan landade. Affärsmän kom till Bagdad. Inkomsterna från olja-för-mat-programmet gav många miljarder dollar och enorma inköpsorder placerades så att de gjorde maximal politisk nytta – eller fungerade som bestraffning. Ibland fördömde irakierna tanken på förnyade inspektioner. I juli 2000 sa Iraks utrikesminister, mr Mohammed Saeed al-Sahaf (som senare blev känd över hela världen som Iraks informationsminister, den som samtidigt som USA-tanks rullade in i Bagdad beskrev det förestående nederlag som koalitionens inkräktare skulle lida), att UNMOVIC ”skulle ta amerikanska, brittiska och israelitiska spioner tillbaka till Irak”. Vid andra tillfällen gav irakierna intryck av att man kunde tänka sig ”paketlösningar” för normalisering, där det ingick sådana element som avskaffande av de zoner med flygförbud som upprätthölls av USA och Storbritannien. Vapeninspektörerna skulle kunna släppas in på nytt men sanktionerna skulle hävas så fort detta skedde. De skulle få komma in under begränsad tid och inte få besöka presidentpalatsen.

Fransmän och ryssar tycktes anse att vissa eftergifter var nödvändiga om resolutionen över huvud taget skulle kunna förverkligas och inspektörerna få återvända. De föreslog att man på ett tidigt stadium skulle göra en överenskommelse om vilka ”ekonomiska och administrativa åtgärder” som skulle vidtas då sanktionerna tillfälligt upphävdes, så att irakierna fick en god morot. På liknande sätt ville de att UNMOVIC – utan att som resolutionen förutsatte först genomföra en period med inspektioner och bedömningar – skulle specificera vilka man ansåg vara de ”väsentliga återstående frågorna”. De var vidare angelägna om att generalsekreteraren skulle upprätta en ”dialog” med irakierna för att få bollen i rullning. Ett nytt memorandum med överenskommelser som omfattade ett antal frågor skulle kunna vara ett instrument för de nödvändiga förlikningarna.

Vid ett möte som jag den 22 augusti hade med utrikesminister Madeleine Albright och den nationella säkerhetsrådgivaren Sandy Berger förklarades att resolutionen enligt USA:s åsikt inte borde "skrivas om".

I oktober 2000 och, som vi ska se nedan, också i januari 2001 tycktes inte Storbritannien vara främmande för tanken på förslag som hos irakierna kunde väcka förhoppningar om att sanktionerna skulle hävas inom sex månader.

Före terrorattackerna den 11 september var det under 2001 två saker som påkallade uppmärksamhet. Den ena var omdaningen av systemet med sanktioner, den andra var dialogen mellan Iraks regering och generalsekreteraren.

I en rapport som släpptes i januari 2001 varnade USA:s avgående försvarsminister William S. Cohen för att Irak trots allt hade byggt upp infrastrukturen för att framställa vapen och kanske i hemlighet hade börjat producera kemiska och biologiska stridsmedel. En talesman vid det brittiska utrikesdepartementet sa att Storbritannien delade misstankarna (det var ingen nyhet) angående fabriker som hade återuppbyggts efter de allierades bombningar 1998, men att de inte hade *några vägande bevis eller belägg* som styrkte anklagelserna. Det tillades att eftersom FN:s inspektörer hade lämnat Irak i december 1998 hade "världssamfundet inga möjligheter att bekräfta sådana misstankar". Vid ungefär samma tidpunkt sa biträdande utrikesminister Peter Hain till Reuters: "Det gäller att få tillbaka vapeninspektörerna dit och sanktionerna upphävda, och det skulle kunna ske inom 180 dagar efter det att inspektörerna har släppts in igen."

Den 3 och 4 april 2001 besökte jag president Bushs nya nationella säkerhetsrådgivare Condoleezza Rice och den nye utrikesministern Colin Powell. Båda två höll fast vid att Irak måste acceptera resolution 1284. Ingen av dem gav några tecken på en hårdnande attityd från USA:s sida. Colin Powell sa att man såg över politiken i syfte att fokusera på frågan om massförstörelsevapen och hejda urholkningen av sanktionerna. Båda två försäkrade mig att USA stödde UNMOVIC och Colin Powell sa att han skulle titta på frågan om amerikansk hjälp med underrättelseuppgifter.

I mars 2001 hade Joan B. Kroc Institute for International Peace Studies publicerat en studie om ”Smarta sanktioner” i Irak. Den sammanföll med ett allmänt sökande efter så kallade ”smarta sanktioner” som skulle kunna påverka beslutsfattare utan att skada allmänheten. Många sa att resultatet i Irak hade varit det omvända. Institutets studie verkar ha stått modell för USA:s försök att reformera sanktionssystemet, något som den 29 november 2001 ledde till att Säkerhetsrådet antog resolution 1382. Medan USA måste överge tanken på att spärra Iraks gränser mot smuggling, undanröjde resolutionen USA:s och Storbritanniens skyldighet att i FN:s sanktionskommitté tvingas rösta mot en stor del av Iraks import som tycktes önskvärd från humanitär synpunkt. Genom en mycket lång, uttömmande lista blev allt som inte var uttryckligen förbjudet att importera nu tillåtet och det tunga arbetet att granska alla kontrakt lades på UNMOVIC och IAEA. Rachel Davies och hennes informationsavdelning tog med en liten utökning av personalen och stor skicklighet hand om det. Det var en betydelsefull reform, men som jag såg det hade systemet med sanktioner under flera år varit en mekanism för att förhindra export till Irak av sådant som kunde ha militär användning snarare än ett sätt att tvinga Irak att gå med på vapeninspektioner.

Denna slutsats drog jag på grund av lite statistik som jag hade hittat:

- 1990, när man första gången införde sanktionerna, hade värdet av Iraks import uppgått till 7,6 miljarder dollar.
- Under vart och ett av åren 1991, 1992, 1993, 1994, 1995 och 1996, när sanktionerna var som mest effektiva, hade värdet av Iraks import sjunkit till 1 miljard dollar.
- År 1997, när Irak fick lov att sälja olja och importera mat under programmet olja-för-mat, hade värdet av importen uppgått till 4,2 miljarder dollar.
- 1999 var värdet av importen 8,52 miljarder dollar och 2000 var det 13,7 miljarder dollar.

Naturligtvis hade oljepriserna gått upp och statistik kan vara vilseledande. Men jag tyckte att siffrorna visade att sanktionerna under första hälften av 1990-talet hade knäckt landets ekonomiska och industriella ryggrad och medfört stor fattigdom. År 2000, när det inte längre fanns någon gräns för hur mycket olja Irak kunde exportera, tjänade däremot sanktionerna mer som en kontroll av, inte som ett hinder för, laglig import.

Terroristattackerna mot New York och Washington den 11 september 2001

Terroristattackerna den 11 september 2001 drabbade USA som en jordbävning. Aktionen genomfördes av en lös grupp terrorister men förde världens enda supermakt till randen av ett krig. Med tanke på att terroristerna inte hade använt annat än sin flygkunskap och inte tyngre vapen än kartongknivar för att kapa planen och ta kontroll över passagerarna väckte aktionen omedelbart frågan vad som skulle hända om terrorister eller ”skurkstater” skulle få tillgång till massförstörelsevapen. En slutsats var att om USA hade anledning att misstänka några sådana hot måste landet slå till först, i förebyggande syfte. Då man inte kände till några hotande terroristorganisationer bortsett från al-Quaida, var det många som riktade blicken mot en gammal omedgörlig ond stat – Saddams Irak. Alla hade kommit fram till att han inte längre hade något kärnvapenprogram, men avhoppare och satellitbilder talade om återuppbyggnad av en del anläggningar och nya forskargrupper. Även om man inte kände till några band mellan den ganska sekulariserade Bathregimen och al-Quaida, försäkrade man att Saddam icke desto mindre hade haft kontakt med terrorister. Sättet att se på omvärlden hade förändrats, inte minst i USA och inom den nya Bush-administrationen. Så sent som den 15 januari 2004 rapporterades USA:s vicepresident Cheney, då han talade om hotet av en terroristattack mot USA, ha sagt att striden, liksom det kalla kriget, skulle kunna pågå i generationer och att man behövde mobilisera stridskrafter på ett nytt sätt, något som skulle kräva fler baser utomlands så att USA snabbt skulle kunna utkämpa ett krig var som helst i världen.

Den 10 januari 2002 reste jag till Washington. Inställningen hade verkligen förändrats. Colin Powell skilde mellan den bilaterala vägen i Irakfrågan och den multilaterala. FN stod för den senare. Han tvivlade på att den nuvarande regimen i Irak någonsin skulle foga sig i Säkerhetsrådets resolutioner. Han berömde emellertid UNMOVIC för dess roll och dess arbete. Statssekreteraren för nedrustningsfrågor, John Bolton, sa att UNMOVIC skulle behöva stöd från alla de fem permanenta medlemmarna av säkerhetsrådet, P-5, i synnerhet i en inledande fas efter det att Irak hade släppt in inspektörerna igen. Irak skulle försöka utverka eftergifter och han uteslöt inte möjligheten av en ny katt-och-råtta-lek.

Statssekreterare Douglas Feith i försvarsdepartementet undrade om det inte fanns risk att vissa vapeninspektörer i sitt arbete lärde sig hur man bäst skulle dölja material och dokument för inspektörer. I mitt stilla sinne undrade jag om han menade att man bara borde ha amerikaner, britter och några få andra nationaliteter, och det slog mig att Irak hade lärt sig tekniken för anrikning av uran av tyska ingenjörer.

Condoleezza Rice sa att hon inte trodde att Saddam skulle vara främmande för att använda eller sälja massförstörelsevapen. För närvarande var det högsta prioritet för USA att ta itu med al-Quaida, men förhoppningsvis skulle världens ledare och länder också rikta blicken mot Saddam. Kriget i Afghanistan hade varit en nyttig demonstration, något som presidenten redan tidigt hade förstått. Liksom Colin Powell sa hon att hon inte trodde att Saddam skulle göra det man begärde av honom – fast det skulle naturligtvis vara bra om han gjorde det.

Den 28 januari 2002 höll president Bush sitt årliga tal till nationen där han talade om Irak, Iran och Nordkorea som ”ondskans axelmakter”.

Generalsekreterarens dialog

Dialogen mellan FN:s generalsekreterare och Iraks regering hade vuxit fram ur en tro hos ledningen för Bathpartiet i början av år 2000 att den hade övertaget och skulle kunna få till något slags paketuppgörelse, som bland annat satte stopp för sanktionerna. Även om tanken på en paketlösning stöddes av fransmännen och ryssarna, överskattade irakierna konsekvent sin styrka. USA och Storbritannien accepterade aldrig tanken, eftersom de ansåg att vilken paketlösning man än föreslog skulle den antagligen ytterligare späda ut den kompromiss de hade gått med på i resolution 1284. Fransmännen ansåg att detta kanske var nödvändigt för att irakierna skulle släppa in inspektörerna igen.

Utan tvivel kände Kofi Annan press från u-länderna, däribland de flesta arabländerna, att få slut på dödläget. Han kunde emellertid inte öppna en dialog ”utan förhandsvillkor”, som den irakiska sidan hade föreslagit. Han måste naturligtvis från början ha Säkerhetsrådets bindande resolutioner som utgångspunkt. Från hans sida handlade dialogen främst om att få Irak att acceptera inspektioner, något som krävdes i resolutionerna. Från Iraks sida handlade det främst om att försöka använda frågan om inspektioner som en hävstång för att göra vinster på andra områden, till exempel i fråga om sanktionerna. Klokt nog nöjde sig Kofi Annan till stor del med att för sin del lyssna till irakiernas långa föreläsningar om sina problem.

Efter en session med Iraks utrikesminister al-Sahaf i februari 2001 tillfrågades denne av pressen om UNMOVIC och sa då att det var ett ”icke-begrepp”. Och Blix? Han var en ”detalj inom detta icke-begrepp”. Journalisterna vände sig till mig för att få en kommentar och jag sa att jag såg det som en befordran eftersom de tidigare hade kallat mig spion.

Ett år senare, den 7 mars 2002, ägde en andra session i dialogen rum. Denna gång leddes den irakiska delegationen av den nye utrikesministern, Naji Sabri, som sades ha blivit befordrad av Saddams yngre och nu mer inflytelserike son, Qusay. Sabri var mer älskvärd än vad hans högljudde och föga civiliserade företrädare hade varit (och ibland till och med rolig), men han var knappast mindre propagandistisk. Man förväntade sig att irakierna inte skulle hålla lika många och långa föreläsningar den här gången utan också visa en smula flexibilitet, kanske till och med i fråga om inspektioner. De hade inget emot att jag satt med vid samtalen med Kofi Annan. Generalsekreteraren för Arabförbundet, Amr Moussa, som också var närvarande vid mötet, hade besökt president Saddam Hussein i januari och talat med honom om vapeninspektioner. Saddam hade förklarat att inspektionerna var en skymf.

Under samtalen fick jag tillfälle att förklara hur vi hade organiserat UNMOVIC och hur vi betraktade vår uppgift. Jag betonade att trovärdiga inspektioner låg både i Iraks och i FN:s intresse. Slappa inspektioner hade ingen trovärdighet. Det som slog mig var hur bittra irakierna tycktes vara – eller i alla fall ville verka vara. Jag fick inget intryck av bristande uppriktighet, snarare av människor som levde i en helt annan tankevärld.

Offentliga diskussioner i USA och i Storbritannien våren 2002

Vid den här tidpunkten hade möjligheten av ett väpnat angrepp på Irak börjat diskuteras i USA. I ett vittnesmål inför USA:s kongress den 1 mars sa Robert Einhorn, tidigare biträdande statssekreterare för icke-spridning, att knappast någon i hela världen skulle kunna tro på uttalandet av Saddam Hussein i ett brev den 7 februari till den turkiske premiärministern: "Vad gäller massförstörelsevapen befinner sig Irak, som inte längre har några sådana vapen och inte har några avsikter att tillverka sådana, i främsta ledet bland dem som är angelägna om att vår region är fri från massförstörelsevapen."

Einhorn sa vidare att "han såg ett växande samförstånd i Washington om det nödvändiga i att få ett 'regimskifte' i Irak, om så skulle behövas med hjälp av vapenmakt". Han påpekade att president Bush hade begärt att inspektörerna skulle få återvända, men det spekulerades i att syftet enbart var att skaffa en grund för ett väpnat angrepp om Bagdad, som man väntade sig, skulle vägra att släppa in inspektörerna.

Även i Storbritannien var debatten livlig. I en intervju med NBC den 5 april sa premiärminister Tony Blair om Saddam Hussein: "Vi vet att han har lager med *stora mängder kemiska och biologiska stridsmedel.* Vi vet att han har försökt skaffa sig möjlighet att framställa kärnvapen." Detta var bara två och en halv månad efter det att utrikesdepartementet hade sagt att det inte fanns några säkra bevis. Sättet att tänka höll på att förändras. Iraks utrikesminister, Naji Sabri, sa att britterna kunde skicka en grupp brittiska experter till Irak för att leta reda på de föremål som de påstod existerade. Efter ett veckoslutsbesök hos president Bush i Texas sa den brittiske premiärministern i parlamentet den 10 april: "Det är ännu för tidigt att ta till vapen ..." och vidare att Saddam skulle kunna undvika USA:s och Storbritanniens vrede genom att låta FN:s vapeninspektörer obehindrat återvända till Irak. Det är svårt att inte tro att president Bush hade samma uppfattning – man borde försöka lösa saken med vapeninspektioner.

Den 16 april 2002 rapporterade Walter Pincus i *Washington Post* att försvarsminister Donald Rumsfeld hade talat om inspektörerna och hävdat att "när de fann någonting var det för det mesta resultatet av att de fått tips om något genom att en avhoppare hade gett dem en vink". Pincus rapporterade vidare att biträdande försvarsminister Paul Wolfowitz i januari hade begärt att CIA skulle göra en utredning om mitt agerande som chef för IAEA mellan 1981 och 1997. Jag anade att min tidigare anställde David Kay hade sitt finger med i detta. När frågor ställdes om utredningen bagatelliserade försvarsdepartementet saken och sa att jag hade deras fulla förtroende. I en annan artikel rapporterade Walter

Pincus den 15 april att CIA kommit fram till att jag som chef för IAEA hade genomfört inspektioner "fullt ut inom givna ramar". Några befattningshavare hade sagt att Wolfowitz hade "gått i taket" för att rapporten om mig inte gav tillräcklig ammunition för att underminera mig och FN:s program för vapeninspektioner. Ännu mer intressant var Pincus rapport om att Wolfowitz och hans civila kollegor inom försvarsdepartementet fruktade att nya inspektioner skulle kunna "skjuta deras planer på en militär aktion för att avlägsna Hussein från makten i sank". Han citerade en tjänsteman som sagt att "hökarnas mardröm är att inspektörerna släpps in, att de inte är särskilt energiska och att de inte hittar någonting. Då kommer de ekonomiska sanktionerna att hävas och USA kommer inte att kunna agera."

Dialogen under maj

Nästa avsnitt av dialogen mellan FN och Irak ägde rum i New York den 1–3 maj 2002. Naji Sabri hade avslutat mötet i mars med att ställa nitton frågor till FN och nu gav jag sakliga svar på dem som handlade om vapeninspektioner. Jag inledde emellertid med att säga att den irakiska sidan i mars hade velat ge intryck av att det största problemet i relationerna mellan Irak och FN var hur Irak återigen skulle kunna få förtroende för Säkerhetsrådet. Jag sa att det var att underskatta problemet. Det fanns en annan sida: att Irak måste samarbeta med UNMOVIC och med IAEA på ett sådant sätt att FN och världen fick förtroende för uppgiften att alla massförstörelsevapen i Irak hade utplånats.

Vid detta möte fanns två nya prominenta medlemmar i den irakiska delegationen med: general Amir Al-Sa'adi, som från och med nu blev min motpart, och Jaffar Dhia Jaffar, båda högutbildade intellektuella och båda presenterade som presidentrådgivare. Jaffar var en framstående kärnforskare som Saddam hade kastat i fängelse och sedan släppt fri och låtit leva i utbyte mot tjänster. Mohamed ElBaradei, jag och våra experter träffade Al-Sa'adi, Jaffar och deras kollegor i en "teknisk underkommitté". Jaffar hade kommit sent till New York eftersom han försenats i Amman på grund av att hans amerikanska visum dröjde och bagaget hade kommit bort på vägen. Det sades att han under resan hade kontaktats av en underrättelseagent som talat om för honom att hans bagage hade kvarhållits för att genomsökas, och som dessutom hade frågat om han var beredd att hoppa av. Vare sig det är sant eller ej var han arg och han anklagade våldsamt ElBaradei och mig för att vi inte 1998 hade gett Irak ett "friskintyg" i fråga om kärnvapen. Trots att jag förstod honom – det fanns inte kvar några avrustningsfrågor 1997 och 1998, bara mindre problem – tror jag inte att han förstod att det inte skulle ha hjälpt till att häva sanktionerna om vi stängt kärnvapendossién, eftersom andra dossiéer fortfarande hade många obesvarade frågor.

Jag blev inte förvånad när irakierna försökte tvinga fram eftergifter för att gå med på återupptagna inspektioner. "Paketlösningen" levde fortfarande, även om den sedan länge var överspelad – om den någonsin hade varit möjlig. Nu ville de ha något slags garantier för att hotet om angrepp skulle hävas om de gick med på inspektioner. På så sätt skulle närvaron av inspektörer på samma gång vara ett slags skydd. De visste att Kofi Annan inte hade någon makt i den frågan och att det var föga troligt att Säkerhetsrådet skulle ge efter.

Av större praktisk betydelse var att de innan några inspektioner kunde börja ville ha reda på vilka avrustningsfrågor vi fortfarande, efter åtta år med inspektioner och förklaringar, ansåg var öppna. Vi ville inte gå med på att diskutera den frågan utan insisterade på att följa det tillvägagångssätt som Säkerhetsrådet hade bestämt. Det hade inte gjorts några inspektioner i Irak på nästan fyra år. Inte förrän efter en viss tids inspektioner skulle vi kunna gå vidare och fastställa vilka avrustningsfrågor som var öppna – gamla eller nya – och vilka bland dem som var "väsentliga frågor". Irakierna försökte i själva verket begränsa omfattningen av inspektionerna innan de ännu hade gått med på dem. Vi försökte få till stånd samtal om de praktiska arrangemangen för återupptagna inspektioner. Frågor om rätt att få tillträde, om överflygningar med helikopter och så vidare, hade tidigare orsakat många kontroverser. Eftersom våra rättigheter hade slagits fast i många resolutioner och andra direktiv var detta ingenting vi kunde förhandla om. Istället ville vi pricka av en lång rad frågor och försäkra oss om att vi var överens om dem så att vi inte redan första dagen av återupptagna inspektioner skulle hamna i kontroverser.

Även om den irakiska sidan måste ha oroat sig för den fortsatta öppna diskussionen i USA om ett väpnat ingripande mot Irak, vet vi inte hur mycket av detta som rapporterades vidare till Saddam Hussein. I juni, strax före nästa omgång av dialogen, fanns det inga tecken på en mer flexibel inställning. Tvärtom.

Det är helt klart att fler saker jag sagt hade retat dem. En hade att göra med min uppfattning om att vi behövde mer *bevis* (till exempel dokumentation) från irakiernas sida som visade vad som hade hänt med de olika vapenförråden. Vi hade fått höra att det inte fanns några fler dokument. Jag tvivlade på att det var sant. Just vid denna tidpunkt förklarade irakierna att de i Bagdad hade hittat lastbilslaster med statliga arkiv som de stulit i Kuwait 1990 och att de var villiga att lämna tillbaka dem till Kuwait. Jag kunde inte låta bli att under ett informellt möte med Säkerhetsrådet påpeka att de kanske kunde hitta andra dokument som handlade om vapen. Mitt påpekande resulterade i ett ilsket brev den 10 juni från Iraks utrikesminister till generalsekreteraren där jag anklagades för att ”blockera möjligheterna till framsteg”. Dessutom, skrev ministern, ”är de kvarvarande avrustningsfrågorna snarare av akademiskt och historiskt intresse och har mycket lite att göra med den nuvarande situationen”.

I ett annat brev till Kofi Annan den 17 juni, före juliöverläggningarna, fortsatte Naji Sabri att förespråka ”en övergripande lösning” där framför allt de ”olagliga sanktionerna” skulle hävas. Ordet ”inspektion” var tydligen alltför grovt för att användas. Istället ville han inom ramen för den övergripande lösningen utveckla ”en formel för öppenhet för att bemöta all oro hos FN angående fastställandet av sanningshalten i påståendena från USA”.

Som en goodwillgest granskade vi i Wien några avrustningsfrågor under våra ”samtal i den tekniska underkommittén”. Vår motpart uppskattade våra grundliga analyser, men återgäldade inte detta genom att vilja diskutera ett enda av de många praktiska arrangemang som vi pekade på – till exempel flygningar in i Irak, helikopteroperationer, bostäder för tjänstemän som skulle stationeras i Basra och Mosul. Jag hade hävdat – och de hade inte protesterat mot detta – att återupptagna inspektioner borde få en ”flygande start”, men de förhalade fortfarande och koncentrerade sig uteslutande på sina försök att begränsa inspektionernas omfattning. Jag hade också antytt att ”en ny allmän deklaration” som spred ljus över eller löste några av de frågor som tidigare hade tyckts olösta, skulle kunna skapa styrfart åt processen om den stöddes av trovärdiga bevis. Jag tror att detta var första gången som tanken på en ny deklaration framfördes. Föga anade jag då att det fem månader senare skulle resultera i en dossié på ungefär 12 000 sidor – tyvärr utan att det förde oss ett enda steg framåt.

I media hade man börjat antyda att Irakfrågan höll på att bli politiskt allt hetare och att de kommande samtalen i Wien skulle kunna få vågskålen att väga över, antingen mot krig eller mot fred. Hundratals journalister väntade en trappa ner på oss med kameror och mikrofoner. När vi avslutade samtalen i Wien den 2 juli 2002 hade vi emellertid inte gjort några framsteg. Kofi Annan kunde inte gärna bestämma ett datum för en ny session och bidra till ett felaktigt intryck, nämligen att dialogen förde någonstans, och eftersom jag inte hade sett någon vilja från irakiernas sida att diskutera praktiska arrangemang för inspektionerna var inte heller jag villig att gå med på att bestämma ett datum för vidare separata möten i den "tekniska underkommittén". Istället skrevs ett uttalande som sa så lite som möjligt: generalsekreteraren skulle fortlöpande hålla kontakt med Säkerhetsrådet och den irakiska delegationen skulle rapportera till sin regering. Man hade kommit överens om att hålla kontakt "inklusive fortsatta diskussioner om tekniska frågor".

När utrikesminister Naji Sabri återvände till Bagdad sa han att det stod klart att jag hade böjt mig för påtryckningar från USA. Genom att vägra föra meningsfulla diskussioner om vad man hade uppnått med hjälp av inspektioner sedan maj 1991 hade jag blockerat samtalen om att inspektörerna eventuellt skulle återvända till Irak. Tio dagar senare försökte han emellertid vinkla samtalen i Wien på ett mer positivt sätt. Då han informerade ambassadörer i Bagdad utökade han den rika floran av sägner i den gamla staden genom att säga att i Wien "fick man ett genombrott" och att generalsekreteraren skulle ta upp frågan om Irak i Säkerhetsrådet. Man hade till och med vissa förhoppningar vad gällde inspektionerna, även om "chefen för UNMOVIC tvekade i fråga om att acceptera Iraks förslag, något som tycks bero på påtryckningar från USA ...". Han förväntade sig fortsatta kontakter på den politiska och tekniska nivån. Några dagar senare, den 24 juli, citerades han i den Londonutgivna arabiska tidningen *al-Hayat* där han sa att vapeninspektörernas återkomst skulle knytas till andra element i Säkerhetsrådets resolutioner och måste göras med utgångspunkten att "jakten avslutades under förra århundradet".

Iraks ståndpunkt var förbryllande. Talet om väpnat angrepp blev alltmer högljutt i USA. Mitt under mötena i Wien publicerade *New York Times* en artikel om en invasionsplan som Pentagon hade gjort för Irak. Även om ingen hänvisade till den under samtalen hade alla läst den och den var som ett slag i ansiktet som borde ha fått den irakiska ståndpunkten att mjukna. Ändå envisades man från Iraks sida med att bara acceptera återupptagna inspektioner som en del av en "övergripande lösning". Var Saddam Hussein inte välinformerad, eller var Iraks uppträdande helt enkelt budgivning i basaren? Man hade uppenbarligen ett behov av en garanti som gick ut på att om inspektionerna återupptogs skulle det i gengäld inte bli något väpnat angrepp. Om irakierna inte hade någon tilltro till att UNMOVIC skulle bli annorlunda än vad UNSCOM hade varit, kan de kanske också ha velat få garantier för att UNMOVIC inte skulle förse USA:s underrättelsetjänst med något som skulle kunna vara användbart under tänkbara framtida anfall. I en intervju i Belgien den 24 juli berörde Naji Sabri båda dessa ämnen. Han måste emellertid ha förstått att USA aldrig skulle ge några garantier för att de inte tänkte anfalla och även om jag var fast besluten att inte låta UNMOVIC bli missbrukat, kunde jag ju inte ge några hundraprocentiga garantier.

I två brev från Sabri till generalsekreteraren i början av augusti 2002 försökte irakierna förmå honom att skicka mig till Bagdad för "fortsatta samtal". Även om de lockade med möjligheten att diskutera "praktiska arrangemang" byggde ändå förslaget fortfarande på förutsättningen att vi måste komma överens om vilka nedrustningsfrågor som var öppna innan inspektörerna kunde komma tillbaka. Eftersom Säkerhetsrådet för egen del hade behållit det slutgiltiga beslutet om vilka som var de "väsentliga" kvarvarande avrustningsfrågorna – istället för att göra beslutet till en fråga som Irak och UNMOVIC skulle kunna komma överens om – gick det inte att acceptera det föreslagna tillvägagångssättet. I många olika yttranden från irakierna sades det negativa svaret ha kommit från mig och det skulle ha orsakats av USA:s påtryckningar på mig. De hade helt fel. Min uppfattning var att de hade blockerat samtalen i Wien och helt enkelt envisats med ett oacceptabelt tillvägagångssätt. De kunde behöva svalka sig en smula och bli lite ivrigare på att få dit inspektörerna innan vi träffades för nya samtal. I ett brev från Irak skrev man att man kände till att jag reste till Washington varannan vecka för överläggningar med utrikesdepartementet. I själva verket hade jag inte varit där sedan den 18 juni och det skulle visa sig att mitt nästa besök inte skulle ske förrän den 4 oktober.

Tonfallet angående inspektioner hade hårdnat. I en intervju i Bagdad den 27 augusti 2002 skyllde Iraks vice premiärminister Ramadan den negativa reaktionen från New York på att den nye "spionen" – det var jag – hade fått direktiv från USA. "Vi har bekräftat", sa han, "inte bara nu utan under många år att det inte finns några massförstörelsevapen i Irak och att inspektionskommittéerna, som egentligen är spionkommittéer, har fullföljt alla sina uppdrag i Irak. Det finns inte kvar någonting i ämnet avrustning."

Detta skulle bli ett förlorat tillfälle för Irak. Om de helt enkelt hade gått med på inspektioner och rett ut alla praktiska arrangemang skulle de ha fått en något mildare behandling än den som Säkerhetsrådet bestämde sig för ett par månader senare. Från min synpunkt var det slutliga resultatet positivt.

4

Inspektioner, ja, men hur?

Sensommaren: invasion i förebyggande syfte eller fredliga inspektioner?

Perioden från mitten av augusti till mitten av september 2002 var som en sjudande brygd med många ingredienser, strömningar och motströmningar. Vad tyckte jag själv? Den 18 augusti påpekade en journalist som intervjuade mig för BBC att det fanns starka tecken på att USA skulle agera militärt mot Irak, utan hänsyn till debatten om inspektioner. Hur såg jag på läget och på den inbjudan jag fått att resa till Bagdad? Skulle det bli några inspektioner?

Jag sa att om irakierna drog slutsatsen att en invasion var oundviklig skulle de också kunna dra slutsatsen att det inte var någon idé med inspektioner i förväg. Mitt intryck var emellertid att den oro för att irakierna kanske hade massförstörelsevapen som fanns i världen var viktig och att det kunde spela stor roll om de gav inspektörerna fritt tillträde. Vad väntade jag mig att finna i Irak? ”Jag utgår inte ifrån att irakierna har behållit några massförstörelsevapen”, sa jag. ”Samtidigt skulle det utan tvekan vara naivt av mig att förutsätta att de inte har gjort det ... Därför är det viktigt med inspektioner på plats.” Hade jag någon aning om vad irakierna skulle kunna ha? ”Tja, vi lyssnar på ... olika underrättelseorganisationer, men de ger oss inga konkreta bevis och det kommer att bli vår uppgift att besöka olika platser för att på ort och ställe se om det finns någonting eller ej."

I september 2002 offentliggjorde Bush-regeringen *Den Nationella säkerhetsstrategin för Amerikas Förenta Stater*. Den gav stöd för idén om föregripande anfall ("preemptive action"). I dokumentet, som tydligt var påverkat av terroristangreppet mot USA ett år tidigare, slog man fast att:

> Vi måste vara beredda att hejda skurkstater och deras skyddslingar, terroristerna, innan de kan hota med eller använda massförstörelsevapen mot USA och våra allierade och vänner ...

och vidare:

> ... USA kan inte längre enbart lita till en reaktiv hållning, som vi tidigare har gjort ... vi kan inte låta våra fiender slå till först ...

För att göra föregripande handlingsalternativ möjliga kommer vi att:

- Bygga upp bättre, mer integrerade underrättelsetjänster som i tid kan förse oss med exakt information om hot, varhelst sådana kan dyka upp.
- Samarbeta nära med våra allierade för att göra en gemensam bedömning av de farligaste hoten och
- fortsätta att omdana våra militära styrkor för att garantera vår förmåga att genomföra snabba och exakta operationer och uppnå bestämda resultat.

I tal som USA:s vicepresident Cheney höll den 26 och 29 augusti propagerade han öppet för en invasion av Irak i föregripande syfte snarare än fredliga inspektioner. I det första av sina tal sa han:

> Om vapeninspektörerna återvänder skulle vi inte få några som helst garantier för att han [Saddam] kommer att foga sig efter FN:s resolutioner. Tvärtom finns det stor risk för att det skulle invagga oss i falsk trygghet eftersom vi kanske skulle tro att Saddam på något sätt var "tillbaka i sin låda".

Vicepresidenten tyckte tydligen att avhoppare var en bättre källa till information. Han sa att de upplysningar som han hade fått från Saddams avhoppade svärson och de dokument man hade hittat på dennes 'hönsgård' "borde kunna fungera som en påminnelse för oss om att vi ofta fått veta mer som resultat av avhopp än vad vi fått reda på genom systemet med inspektion".

Han nämnde inte att general Hussein Kamel under utfrågningen i Amman 1995 hade sagt att han 1991 givit order om att alla massförstörelsevapen skulle förstöras. Han förbigick också att man nästan inte hade funnit några vapen vid anläggningar som inte deklarerats. Istället sa Cheney: "Med andra ord råder det inget tvivel om att Saddam nu har massförstörelsevapen ..."

Det märktes tydligt att hans tänkesätt hade påverkats av terrorattackerna mot USA. Han framförde två argument som sedan ofta skulle dyka upp i den offentliga debatten: "tiden är inte på vår sida" och "risken med overksamhet är mycket större än risken med handling".

I fråga om föregripande anfall sa han: "Om USA skulle ha kunnat föregripa den 11 september hade vi gjort det, det är det inte tu tal om. Skulle vi kunna föregripa en annan, ännu mycket mer förödande attack, kommer vi att göra det, det är det inte heller tu tal om."

Vad beträffar reaktionerna bland araberna "på gatan" efter en sådan handling använde han en formulering som ofta har citerats (och som i sig var ett citat av ett uttalande som man kan anta att han instämde i): "På gatorna i Basra och Bagdad kommer säkert glädjen att välla fram på samma sätt som den gjorde när folkmassorna i Kabul hälsade amerikanerna."

Under en resa till Europa första veckan i september åkte jag först till Bryssel, hälsade sedan på den tyske utrikesministern Joschka Fischer i hans kampanjbuss då han var ute på valkampanj och träffade till sist premiärminister Tony Blair i London. Vid den här tidpunkten verkade alla vara positiva till inspektion istället för invasion. Under mina långa samtal med Fischer fick jag intrycket att den tyska regeringen, liksom de flesta andra, var övertygad om att Irak hade kvar massförstörelsevapen men att man även fruktade att en amerikansk invasion i Irak skulle kunna göra hela regionen instabil.

Det brittiska utrikesdepartementet talade om att ge Saddam Hussein en tidsgräns inom vilken han måste gå med på inspektioner. Innebörden av en tidsgräns tycks ha varit att ett militärt ingripande skulle ske om FN:s krav inte beaktades. I förordet till en rapport från september 2002 förespråkade premiärminister Blair att man skulle börja med inspektion:

> Inspektörerna måste åter släppas in för att kunna utföra sin uppgift ordentligt och om han [Saddam] vägrar, eller om han gör det omöjligt för dem att utföra sina uppgifter, så som han tidigare har gjort, då måste det internationella samfundet agera.

Det var inte bara europeiska röster som manade till försiktighet, det gjorde också många i Amerika, till exempel Brent Scowcroft, nationell säkerhetsrådgivare till den förste president Bush. Inom några timmar efter det att vicepresidenten hade talat, sa talesmannen för USA:s utrikesdepartement, Richard Boucher: "Vi gör vårt yttersta ... för att få tillbaka FN:s vapeninspektörer in i Irak."

Det var nästan som om USA:s administration gjorde en dygd av att tala med olika röster. Tidigare utrikesminister Henry Kissinger lär ha sagt att allt tal i Washington om krig ökade chanserna för att Saddam skulle gå med på övergripande inspektioner och att det "inte utan ett krigshot" skulle gå att avslöja allt genom inspektioner. Det var en intressant iakttagelse: avskräckning genom diskussion. Försvarsminister Donald Rumsfeld sa den 27 augusti i Kalifornien att "presidenten har inte fattat något beslut angående Irak ... Det pågår en diskussion, en debatt, en dialog i vårt land och i världen, precis som sig bör."

När Rumsfeld antydde att administrationen inte hade någon brådska med att bestämma om man skulle göra ett militärt ingripande eller ej, skulle man ha kunnat tro att presidenten faktiskt hade fattat ett beslut att inte ingripa militärt på detta tidiga stadium.

Hade Blair övertalat president Bush att låta FN agera under en period medan militären – som ännu inte var redo för invasion – ökade trycket? Kanske hoppades några inom USA:s administration att Irak skulle avvisa de återupptagna inspektionerna, eller att irakierna, om de gick med på dem, skulle störa inspektionerna och därmed göra ett militärt ingripande berättigat. Den stora frågan är om USA redan på detta tidiga stadium hade satt en tidsgräns inom vilken inspektionerna – i USA:s ögon – borde ge resultat för att man inte skulle starta invasionen. När? Innan den varma årstiden började i Irak, i april?

Tisdagen den 12 september talade både FN:s generalsekreterare och USA:s president inför FN:s Generalförsamling. Kofi Annan talade först och ägnade sig åt dagens brännande ämnen. Han talade bland annat om den multilaterala frågan och sa: ”Om man väljer att följa en multilateral väg eller om man förkastar den får inte bara bero på vad som är politiskt lämpligt. Det får konsekvenser som sträcker sig långt bortom det direkta sammanhanget.”

Han varnade även för att ett militärt ingripande i föregripande syfte – eventuellt under förevändning att man vill förhindra spridning [av massförstörelsevapen] – kanske inte skulle kunna få legitimitet utan stöd från FN.

> Enligt stadgarnas artikel 51 har alla stater rätt till självförsvar om de angrips. Men när stater i övrigt bestämmer sig för att använda maktmedel för att handskas med mer omfattande hot mot internationell fred och säkerhet, finns inget substitut för den unika legitimitet som FN skänker.

I fråga om Irak sa han: ”Försöken att förmå Irak att foga sig i Säkerhetsrådets resolutioner måste fortsätta.” Det var nödvändigt att vapeninspektionerna accepterades. ”Om Iraks trots fortsätter, måste Säkerhetsrådet fullgöra sina skyldigheter.”

President Bush påminde Generalförsamlingen om hur Saddam Hussein år efter år hade trotsat organisationen. Han fortsatte att utveckla massförstörelsevapen och utgjorde ett hot mot FN:s auktoritet. Om den irakiska regimen ville ha fred måste den omedelbart avsvärja sig, visa upp och avlägsna eller förstöra alla massförstörelsevapen. Presidenten bedyrade att USA skulle arbeta tillsammans med FN:s Säkerhetsråd och han sa att världen måste agera genomtänkt och beslutsamt om Irak återigen trotsade Säkerhetsrådet. Det var ett kraftfullt tal och det fick ett positivt mottagande. Vi noterade att det bara var ett enda ord som saknades. Inspektion.

Efter president Bushs tal drog de allra flesta slutsatsen att USA hade bestämt sig för att följa den multilaterala vägen. Andra var inte lika övertygade. Man talade om en ny resolution angående inspektioner och många varnade för att USA skulle belasta den med så många svåra krav att Irak inte kunde göra något annat än att säga nej. Och detta skulle kunna användas för att rättfärdiga ett militärt ingripande.

Söndagen den 15 september bad Kofi Annan att jag skulle komma till FN och träffa honom. Han talade om för mig att han trodde att irakierna skulle förklara att de gick med på att inspektörerna kom tillbaka, och han ville snabbt ha samtal i Bagdad eller i Wien angående de praktiska arrangemangen. Bra, sa jag och tillade att jag ville att samtalen skulle hållas i Wien. Vi borde inte rusa iväg till Bagdad och därmed väcka förhoppningar hos omvärlden om att irakierna helhjärtat hade gått med på inspektionerna, bara för att senare tvingas säga att de villkor man ställde upp inte var acceptabla. Då skulle det se ut som om det var vi som hindrade inspektionerna. Vi skulle inte resa till Irak och erbjuda dem de fördelar inspektionerna medförde, förrän de hade gått med på alla de praktiska arrangemang som var nödvändiga för oss: fullständigt och fritt tillträde, rätt att landa med flygplan och en mängd andra saker. Jag talade om för Kofi Annan att jag visste att USA ville slippa ”modaliteterna för känsliga anläggningar” som Ekéus hade infört, liksom den överenskommelse som gällde tillträde till presidentpalats. I USA:s ögon var båda sakerna inskränkningar i det tillträde som inspektörerna borde ha. Jag kunde godta åsikten att ”modaliteterna” inte var bindande, men jag kunde inte göra något åt en överenskommelse som Säkerhetsrådet hade godkänt.

Måndag den 17 september på eftermiddagen fick Kofi Annan ett officiellt brev från Naji Sabri med beslutet ”att FN:s vapeninspektörer tilläts återvända till Irak utan att det ställdes några villkor”. Det stod att detta var ett nödvändigt ”första steg för att försäkra om att Irak inte längre hade några massförstörelsevapen” och viktigt för att få en ”övergripande lösning” på frågan om sanktioner och andra problem. Iraks regering var redo att diskutera ”de praktiska arrangemangen som måste vidtas för att inspektionerna skulle kunna återupptas omedelbart”. Brevet refererade till vädjanden från FN:s generalsekreterare, från Arabförbundets generalsekreterare och andra, men inte till USA:s militära påtryckningar och diskussionerna om krig. Jag kände mig lättad över att Kofi Annan tydligen hade påverkat dem att uttryckligen nämna de praktiska arrangemangen.

På tisdagsmorgonen ringde jag till Iraks ambassadör vid FN, Mohammed Aldouri, och föreslog att vi skulle träffas direkt så att vi kunde dra nytta av att de som från irakiernas sida var ansvariga för våra inspektioner befann sig i New York. Det gällde i synnerhet general Hussam Amin, chef för National Monitoring Directorate, den irakiska organisation som hade hand om inspektionerna. Samma eftermiddag hade vi ett positivt samtal på mitt kontor. Jag gav dem en lista över de praktiska arrangemang som vi hade velat diskutera i Wien och eftersom de inte hade kommit till mötet förberedda på sådana samtal kom vi överens om att träffas i Wien under den vecka som började den 30 september. Detta gav dem – och oss – lite tid till förberedelser. Den eftermiddagen titulerade general Amin mig "ers excellens" – ingen dålig befordran efter att först år 2001 ha kallats en "detalj inom ett icke-begrepp" av utrikesminister al-Sahaf och "spion" av vicepresident Taha Yassin Ramadan.

Torsdagen den 19 september avgav jag en informell rapport för Säkerhetsrådet om våra förberedelser fram till nu. När kunde vi börja i Bagdad? Om cirka två månader, sa jag och det visade sig vara bra gissat. Hela situationen påminde om när ett flygplan står på startbanan och piloten går igenom checklistan för att försäkra sig om att han är klar att lyfta. Lyckligtvis hade vi haft lite längre tid på oss och naturligtvis hade vi förberett oss för det här ögonblicket. Vi kunde omedelbart sätta igång med att chartra flygplan och helikoptrar, köpa utrustning och så vidare. Eftersom vi hade väntat två och ett halvt år och lagt ner så mycket möda på utbildningen hade vi nu all den personal vi behövde. De gick emellertid inte i våra korridorer och väntade. De måste ordna med att kunna lämna sina normala arbeten, och det skulle ta lite tid.

Storbritannien och USA hade vid den här tidpunkten ingenting emot att våra diskussioner med Irak om de praktiska arrangemangen inte var inplanerade omedelbart. De höll på att förbereda en ny resolution från Säkerhetsrådet i fråga om inspektioner, och den var vi tvungna att i vederbörlig ordning ta med i beräkningen då vi gjorde praktiska arrangemang. Det visste jag, och tänkte framlägga alla nya arrangemang för Säkerhetsrådet för att man där skulle fatta beslut om dem.

Diskussionen om en ny resolution angående inspektioner fortsatte i korridorerna. Irakierna lät förstå att de var emot den och antydde att de skulle kunna dra tillbaka inbjudan till förnyade inspektioner om villkoren förändrades. Jag skulle tro att de särskilt fruktade en klausul som tillät väpnat ingripande i händelse av omedgörlighet eller en tidsgräns inom vilken Säkerhetsrådet måste bli övertygat om att det inte fanns kvar några olösta nedrustningsfrågor. En del stater ansåg att det inte behövdes någon ny resolution, utan tyckte att vi skulle kunna agera med utgångspunkt från de resolutioner som redan fanns. Jag var personligen positiv till en ny text, och det gjorde jag ingen hemlighet av. Jag tyckte det skulle vara rimligt om vi, med tanke på att vi började på nytt i ett läge som var mycket mer passande för irakierna än det som hade rått när resolution 1284 antogs ett år tidigare, nu fick ett nytt instrument att sätta upp mot eventuell ny katt-och-råtta-lek.

Under veckan den 23 till 27 september fick vi veta mer om innehållet i den påtänkta nya resolutionen, och mot slutet av veckan fick jag ett utkast som nästan fick håret att resa sig. Det såg mer ut som ett dokument från USA:s försvarsdepartement än som något som skissats i FN. Liksom USA:s initiativ år 2001 angående ”smarta sanktioner” hade byggt på en studie från en privat institution, tycktes detta utkast bygga på en studie från Carnegie Endowment for International Peace, som i april 2002 hade hållit ett seminarium om inspektioner i Irak och som i augusti framlagt en skrift om ”nya tillvägagångssätt”. I vanliga fall hade jag stor respekt för denna institution, men den här gången kunde jag inte hålla med om deras förslag.

Den välmenta ambitionen bakom studien tycks ha varit att undvika krig genom att finna en kompromiss mellan dem som förespråkade väpnad invasion och ockupation av Irak och dem som ville se en fortsättning på det existerande systemet med inspektioner från FN. Resultatet hade blivit något som kallades ”tvingande inspektioner”. Bland deltagarna hade funnits militära experter och före detta inspektörer från UNSCOM. Jag blev förvånad över två punkter i sammandraget från seminariet i april:

- ”UNMOVIC är en svag inspektionsorganisation som måste stärkas eller ersättas.”
- ”En multilateral *täckmantel* skulle ge legitimitet och få internationellt stöd. I detta avseende är resolutionerna från Säkerhetsrådet viktiga och enhet mellan P-5 är av avgörande betydelse.” (Min kursivering.)

Jag var förbryllad. Rolf Ekéus, före detta chef för UNSCOM, hade varit en framträdande medlem av gruppen, men han hade också varit kandidat för att bli chef för UNMOVIC. Han ska enligt ett citat ha sagt att "en stor brist hos resolution 1284 är det svagare inspektionssystemet, och därför borde den förkastas". Hade han varit villig att bli ordförande för en kommission som han inte tyckte var tillräckligt stark och i vars inspektionssystem han kunde finna sådana fel? Och hade han varit villig att hjälpa till att hålla igång "en multilateral täckmantel" som gav legitimitet? Hade inte både Amorim-rapporten och några bestämmelser i resolution 1284 ansett att det var nödvändigt att stärka den internationella legitimiteten hos inspektionsmyndigheten genom att betona en bred internationell rekrytering av personal istället för att hämta dem från stater som var beredda att låna ut dem gratis? Hade inte orsaken till att man ersatte UNSCOM istället för att förlänga organisationens mandat varit att den förlorat sin internationella legitimitet just genom att den i alltför hög grad blivit en "multilateral täckmantel"? Ekéus hade också bidragit till studien med ett specialkapitel där han förespråkade att inspektörerna skulle få "stöd" från olika underrättelseorganisationer. Han hade rapporterat att UNSCOM med hjälp av stödjande regeringar hade installerat "vissa avlyssningsarrangemang i landet till hjälp för inspektionerna" och att det varit frestande för de stödjande regeringarna att använda systemet i "icke avsett" syfte. Mellan den 5 och 15 januari 1999 hade medier i USA faktiskt skrivit mycket om sådana aktiviteter och i en intervju med Ekéus själv hade man i svenska tidningar den 29 juli 2002 kunnat läsa om hur denna elektroniska avlyssning hade spårat ur och hur UNSCOM hade blivit en "multilateral täckmantel".

I ett tidigt utkast till det som ungefär sex veckor senare blev resolution 1441, hittade jag följande punkter som jag hade starka reservationer mot:

- "Alla permanenta medlemmar i Säkerhetsrådet kan rekommendera UNMOVIC och IAEA vilka anläggningar som bör inspekteras, vilka personer som bör utfrågas ... och vilka data som bör samlas in och *få rapport om resultaten*" (min kursivering).
- "Alla permanenta medlemmar i Säkerhetsrådet kan begära att få vara representerade i vilken inspektionsgrupp som helst och där ha samma rättigheter och skydd som andra inspektörer i gruppen.

- UNMOVIC och IAEA ”skall förses med *regionala baser och operationsbaser i hela Irak*” (min kursivering).
- UNMOVIC och IAEA ska ha rätt att upprätta ”zoner med flyg- och körförbud, undantagszoner och/eller transitkorridorer på marken och i luften (som ska upprätthållas av FN:s säkerhetsstyrkor *eller av medlemsstater*)” (min kursivering).

Jag frågade mig vad som skulle hända om de representanter för P-5 som fanns med i inspektionsgrupperna under uppdragen inte var överens. Det var samma problem som med den pentarki som någon (fast inte USA) föreslagit skulle finnas i UNMOVIC:s sekretariat. Tydligen skulle P-5 ha rätt att ”rekommendera” anläggningar som skulle inspekteras, hur inspektionerna skulle gå till och så vidare och därefter få rapporter. Dessutom tycktes det vara meningen att FN:s ”säkerhetsstyrkor” skulle kunna utökas med styrkor från medlemsstaterna – däribland tydligen även från andra länder än P-5. Detta var verkligen inte det uppdrag jag hade varit villig att leda, och jag kunde inte föreställa mig att de fem stormakterna skulle gå med på det.

Med detta utkast i bagaget tog jag planet till Wien för att diskutera praktiska arrangemang med irakierna.

Praktiska arrangemang

Samtalen i Wien pågick under två dagar, måndagen den 30 september och tisdagen 1 oktober. Återigen var platsen utanför Wiens internationella centrum fyllt av TV- och radiofolk. Det var förvånande att se hur stort intresse allmänheten visade frågor som obehindrade inspektioner av ”känsliga anläggningar”, var våra flygplan skulle landa i Bagdad osv. Media började ana att inspektioner var alternativet till krig.

Innan det formella mötet började på måndagsmorgonen gav Mohamed ElBaradei och jag den irakiska delegationen – general Amir Al-Sa'adi, general Hussam Amin och ambassadör Saeed Hassan – ett kortfattat papper där vi föreslog att Irak skulle avstå från att begära tillämpning av ”modaliteterna” och den överenskommelse där man enats om inspektioner av platser som tillhörde presidenten. Samtalen blev besvärliga men inte otrevliga. Den huvudlinje vi hade bestämt oss för var att de förfaringssätt som tillämpats av UNSCOM och som tidigare hade fungerat bra skulle tillämpas även i framtiden.

Jag hade varit orolig för att irakierna med hänvisning till olika säkerhetsskäl skulle insistera på att våra flygplan måste landa ungefär hundra kilometer från Bagdad, så som UNSCOM:s plan hade tvingats göra. Vi fann emellertid en lösning som gick ut på att vi vid flygningar in i och ut från Irak skulle använda Bagdads stora internationella flygplats och att våra helikoptrar skulle använda Rashid-flygplatsen. Det fungerade också riktigt bra. Däremot hade vi en del problem med andra frågor. Det var svårare att bli av med Ekéus och Butlers "modaliteter" för inspektionerna av känsliga anläggningar, men vi lyckades, hjälpta av de starka politiska och militära påtryckningar som fanns i bakgrunden. Således fanns det inte kvar några fredade platser och det var bara de områden som tillhörde presidenten som var föremål för en speciell inspektionsordning. Vi kunde inte göra annat än framföra vårt förslag att dessa ställen skulle betraktas på samma sätt som andra. Det fanns även några andra punkter där vi inte lyckades få grönt ljus, till exempel övervakningsflygningar, utfrågningar utan "övervakare" och säkerhetsgarantier när vi befann oss i zoner med flygförbud.

Några av de punkter som framfördes av den irakiska sidan gjorde mig häpen. I denna spända situation hade irakierna föreslagit att de övervakare som utanför ordinarie arbetstid följde med inspektörerna skulle få övertidsersättning av UNMOVIC. De sa att detta skulle göra övervakarna mer "entusiastiska". Jag sa att det var irakiernas sak att se till att övervakarna var entusiastiska.

När vi kommit tillbaka till New York rapporterade vi torsdagen den 3 oktober för Säkerhetsrådet. Medlemmarna blev nöjda med resultatet och bad om ett skriftligt dokument med alla de beslut vi kommit fram till. Vi gjorde i ordning ett sådant och eftersom vi inte hade gjort en sådan prydlig lista i Wien, skickade vi över dokumentet till irakierna för bekräftelse. På några få punkter var de svar vi senare fick inte helt tillfredsställande, i synnerhet när det gällde operationer i zoner med flygförbud, utfrågningar, övervakningsflygningar och regionala kontor.

Irakierna ansåg nu att alla de praktiska arrangemangen hade klargjorts och att inspektionerna borde kunna börja omedelbart – och framför allt att de skulle börja inom de redan existerande resolutionernas legala ramar och inte under något nytt system. Vi var ännu inte klara att skicka iväg personal och utrustning. Dessutom var vi medvetna om de pågående förhandlingarna om en ny resolution. Det skulle vara besvärligt att påbörja inspektionerna under ett system bara för att efter en kort tid finna att det måste modifieras på grund av en ny resolution. Ännu värre skulle det vara om irakierna förkastade det nya systemet då vi var mitt uppe i inspektionerna.

Utvecklingen av resolutionsförslaget; en diskussion i Washington

När Mohamed ElBaradei och jag hade rapporterat för Säkerhetsrådet på förmiddagen den 3 oktober kom ambassadörerna från de fem stormakterna, P-5, till mitt kontor på eftermiddagen för att tala om resolutionen. Jag bekräftade att jag tyckte att en ny resolution var naturlig för att börja ett nytt kapitel och att den skulle kunna hjälpa oss att slippa förnyad katt-och-råtta-lek. Nästa dag bjöds vi in till utrikesdepartementet i Washington. En stor skara ledande personer var närvarande vid mötet där: Colin Powell, Condoleezza Rice och Paul Wolfowitz plus officerare som general Peter Pace, biträdande chef för det militära högkvarteret, Joint Chiefs of Staff, folk från nationella säkerhetsrådet och från vicepresidentens kansli. Jag kom tillsammans med Dimitri Perricos och min närmaste man, Jarmo Sareva, en stabil finsk diplomat som hade efterträtt Olof Skoog. Gruppen från IAEA bestod av Mohamed ElBaradei och chefen för hans aktionsgrupp, experten på nukleära frågor Jacques Baute, den juridiska rådgivaren Laura Rockwood, och chefen för New York-kontoret, Gustavo Zlauvinen.

Colin Powell bad mig framlägga min syn på hur inspektionssystemet skulle kunna stärkas. Jag välkomnade de ansträngningar man gjorde och kom med några kommentarer och förslag:

- Inspektörernas rättigheter under nuvarande system kunde inte sägas vara svaga, och de borde stadfästas. Som exempel nämnde jag att inspektörerna kan gå in i säkerhetsstyrkornas högkvarter och i ministerierna. Ändå hade man – i alla fall sedan 1994 – nästan enbart funnit information och inte mycket vapen. Trots avhoppare och satelliter var alla deras eventuella hemligheter väl skyddade.

- Vi välkomnade nya bestämmelser som skulle hjälpa oss att undvika en upprepning av irakiernas katt-och-råtta-lek och leda till att vi kunde skaffa trovärdig information.
- Legalt sett skulle vi kunna sätta igång inspektionerna utan någon ny resolution, men det skulle vara mer praktiskt att vänta tills vi visste om en ny text skulle komma att kräva ytterligare praktiska arrangemang. Den skulle också kunna avgöra några frågor som vi inte hade lyckats reda ut i Wien.
- Det var viktigt med ett samförstånd i Säkerhetsrådet. Att genomföra inspektioner då halva Säkerhetsrådet var för och halva emot skulle vara mycket illa.
- Det skulle vara värdefullt med en klausul som signalerade kraftfullt ingripande i de fall då irakierna var omedgörliga. Irak reagerade inte utan kraftfulla ihållande påtryckningar och skakade helt enkelt av sig ekonomiska sanktioner.
- Jag ställde frågan varför man från Iraks sida hade bett oss om minst femton minuters fördröjning innan inspektörerna kunde gå in i ”känsliga anläggningar” – ett krav som vi hade avvisat. Var femton minuter tillräckligt lång tid för att gömma vapen? Eller var det en fråga om värdighet?
- Vi skulle uppskatta om presidentpalatsen jämställdes med andra platser.
- Vi ogillade tanken på att ha med oss säkerhetseskort under inspektionerna. Om det inträffade incidenter mellan beväpnade irakiska enheter och beväpnad eskort kunde det fungera som en snubbeltråd och tvinga regeringarna att ingripa. Det skulle bli fråga om ett slags ockupation till hälften utan någon egentlig makt. Det var bättre att ha styrkor i regionen men utanför Iraks gränser.
- Jag var positiv till – och hade själv framfört – tanken på en ny deklaration. Hela systemet byggde på begreppet ”de deklarerar, vi verifierar”, inte bara ”de öppnar dörrarna och vi letar”. Om de fortfarande hade någonting undangömt, skulle de kanske kunna hitta en ny ”hönsgård” full med dokument – men hade de några massförstörelsevapen? Al-Sa’adi hade förnekat det och sagt att de i så fall skulle vara självförstörelsevapen.
- Vi behövde få fri tillgång till personer och rätt till utfrågningar i

enrum men det skulle vara problematiskt att ta emot avhoppare på vårt kontor i Bagdad: hur skulle vi få dem ut ur landet därifrån?

- Liksom alla andra stater kunde även P-5 staterna i Säkerhetsrådet redan nu ge inspektörerna ”rekommendationer” i fråga om anläggningar som borde inspekteras eller personer som borde utfrågas, men inspektörerna borde bara rapportera tillbaka till Säkerhetsrådet, inte till enskilda medlemsstater. Underrättelseverksamhet skulle vara en envägskommunikation.
- Det var oklokt att ha med ”representanter” för P-5 i FN:s inspektionsgrupper, för det skulle innebära att ställningstagandet i resolution 1284, där man hade försökt stärka FN-identiteten hos inspektionsgrupperna, förkastades. Representanter för de fem stormakterna skulle antagligen skicka hem rapporter om de anläggningar de besökte. UNSCOM hade varit alltför nära knutet till de regeringar som stödde organisationen, och till slut hade man förlorat sin FN-identitet och sin legitimitet.
- Det stod Säkerhetsrådet fritt att bestämma vilken modell för inspektioner man ville ha. I juni 1950 hade man rekommenderat att medlemsstaterna skulle ställa militära styrkor till förfogande i ett gemensamt kommando under befäl av USA för att utkämpa Koreakriget (resolution 84). Säkerhetsrådet kunde naturligtvis ge inspektionsuppdraget till P-5 men i så fall skulle inspektionerna inte ha FN-karaktär.

Även Mohamed ElBaradei betonade vikten av ett enat Säkerhetsråd om man skulle lyckas få Irak att samarbeta och vidare att det krävdes en FN-identitet om man ville bevara legitimiteten. Den diskussion som följde blev kärv och Condoleezza Rice och Paul Wolfowitz fällde en del ganska hårda ord. Den senare frågade mig om jag inte trodde att Irak hade massförstörelsevapen. Jag svarade att jag hade läst det senaste dokument som den brittiska regeringen hade publicerat – det där man hävdade att Irak skulle kunna skaffa fram massförstörelsevapen på fyrtiofem minuter. Jag ansåg att det var ett intressant dokument men jag hade märkt att det överallt hänvisade till att ”underrättelsetjänsten antyder” eller ”underrättelsetjänsten säger”. Det framlades inga bevis.

Efter detta sammanträde talades Colin Powell, Condoleezza Rice,

Mohamed ElBaradei och jag vid ensamma en stund. Colin Powell antydde att USA skulle kunna lämna ytterligare upplysningar från underrättelsetjänsten om de kunde känna sig säkra på att informationen inte missbrukades. Det skulle underlätta om man hade större representation inom UNMOVIC. Jag sa att vi tydligt skulle redovisa hur vi behandlade de upplysningar vi fick från USA, men att vi inte kunde tillåta oss att bli CIA:s förlängda arm. Jag undrade om han förstod att om jag anställde en amerikan vid mitt kontor för att ha hand om underrättelsetjänsten skulle alla genast säga att "nu tar USA över UNMOVIC". Kanske undrade han om jag förstod hur värdefull en sådan närvaro skulle vara för Pentagon.

Det var som alltid ett civiliserat, professionellt samtal. Efteråt följde Colin Powell med oss ner till gatuplanet och gav några kommentarer till de församlade journalisterna. Jag tog adjö och klev in i en stor Volvo som den svenske ambassadören Jan Eliasson hade skickat för att hämta mig till hans residens där vi skulle ta en drink. När jag åkte därifrån tänkte jag att Powell antagligen tänkte vänligt om mig den dagen. Inte nog med att jag åkte därifrån i en Volvo, som var hans favoritbil, jag hade dessutom kommit med några tunga argument mot flera punkter i det resolutionsförslag som måste ha bekymrat utrikesdepartementet. De flesta av dessa argument framfördes antagligen senare av olika medlemmar i Säkerhetsrådet, men jag bidrog till processen.

Colin Powell i New York den 17 oktober, Igor Ivanov i Moskva den 22 oktober

Nästan två veckor efter det stora mötet i Washington var Colin Powell i New York och bad mig att träffa honom på Hotel Waldorf Astoria. De signaler jag då hade fångat upp från pressen och från olika personer var mycket blandade. En del sa att USA bara låtsades vara intresserat av FN och att de redan hade sina krigsplaner klara. Andra sa att resolutionsförslaget gick framåt. Jag tyckte inte att de ökade militära påtryckningarna och en beredskap för väpnat ingripande nödvändigtvis uteslöt en fredlig lösning. Om det var det som USA ville ha skulle det behövas kraftfulla inspektioner. Det resolutionsförslag som vi hade diskuterat i Washington hade varit extremt och det var tveksamt om det ens skulle ha kunnat få stöd av en majoritet inom Säkerhetsrådet. Efter vad jag hade hört om de fortsatta förhandlingarna hade USA släppt de absurda och ogenomförbara klausulerna om att FN:s inspektioner skulle ledas av fem permanenta medlemsstater i Säkerhetsrådet. Jag hade också hört att man var beredd att leva med en suddig klausul om konsekvenserna av bristande tillmötesgående, eftersom den ansågs tillräcklig för dem att agera unilateralt om de skulle bedöma att det behövdes.

Jag promenerade från FN-byggnaden till hotellet och träffade Colin Powell i enrum under en halvtimme. Han sa att USA menade allvar med att de önskade en lösning utan väpnat ingripande och betonade för mig hur viktigt det nu var att vi förstärkte våra inspektionsplaner och tillvägagångssättet. USA skulle hjälpa oss på alla sätt landet kunde. Jag förklarade för honom hur långt vi hade kommit i våra förberedelser, men var noga med att inte lova någon snabb ökning av antalet inspektörer utöver vad vi hade planerat.

Några dagar efter samtalet med Powell var jag i Moskva på en konferens om icke-spridning och jag blev inbjuden att träffa utrikesminister Igor Ivanov. Han hade kanske ännu inte fått det senaste resolutionsförslaget som diskuterats, men jag märkte att han reagerade ännu starkare än jag hade gjort på den tidiga versionen av förslaget. Jag höll med om många av hans synpunkter, men påpekade också några bestämmelser och villkor som jag trodde skulle kunna underlätta – precis som jag hade gjort då jag talade med amerikanerna i Washington.

Besök i Vita Huset den 30 oktober 2002

På morgonen måndagen den 28 oktober hade Mohamed ElBaradei och jag en genomgång med Säkerhetsrådet om praktiska aspekter på det då helt nya utkastet till den nya resolutionen. Jag sa att kravet på en ny deklaration och den bestämmelse som skulle ge oss tillträde till presidentpalats på samma villkor som andra anläggningar var välkomna. Jag hade vissa reservationer och var lite tveksam inför några andra villkor. Varför föreskriva att vi skulle välja ut de bästa tillgängliga experterna som inspektörer? Gjorde vi inte redan det? frågade jag. Jag tänkte för mig själv att denna harmlösa, till och med överflödiga föreskrift, måste ha varit resultatet av ett förslag från någon som var övertygad om att

UNSCOM:s system att skaffa gratis experter från de stora västerländska staterna var överlägset FN:s system att rekrytera med bred geografisk spridning. Jag tänkte inte slåss om denna föreskrift, men den retade mig. Hade vi ett FN-system för inspektion eller utgjorde FN en täckmantel för västerländska operationer?

På måndagskvällen ringde Colin Powell till mig för att tala om resolutionen och tyckte att jag skulle träffa presidenten. På tisdagen var alltsammans organiserat: Mohamed ElBaradei och jag skulle träffa president Bush i Washington på onsdagen. I Vita Huset är man under president Bush mycket morgontidig, så klockan 8.30 hämtade en bil oss på hotellet och körde oss ända fram till Västra flygeln. Den här gången behövde jag inte gå igenom alla de utstuderade säkerhetsprocedurer som normalt är nödvändiga då man kommer in på det här området.

De andra medlemmarna i vår grupp skulle ansluta sig senare och fick vänta. Under tiden fördes Mohamed och jag först till vicepresident Cheney, som var den som förde ordet under större delen av mötet och som gav intryck av att vara en kraftig och självsäker – till och med väl självsäker – VD. Han sa att när han talade om världen i stort utgick han alltid från USA:s säkerhetsintressen. Han fastslog att om inspektionerna inte gav några resultat kunde de inte hålla på för alltid och han sa att USA var berett att "misskreditera inspektionerna till förmån för nedrustning". Ett ganska uppriktigt sätt att säga att om vi inte snart hittade de massförstörelsevapen som USA var övertygat om att Irak hade (fast de inte visste var) skulle USA vara berett att säga att inspektionerna var meningslösa och ta itu med nedrustningen på annat sätt. Jag påpekade att vi var medvetna om att det fanns begränsningar för vad man kan uträtta med inspektioner och att det utan detaljerade upplysningar från underrättelsetjänsten är svårt att hitta sådant som dolts under marken eller i mobila enheter. Men man kan icke desto mindre kontrollera fabriker, militära installationer, komma in överallt och övervaka landet. Det framgick tydligt att detta möte inte var avsett för att utbyta synpunkter. Kanske var det bara meningen att informera oss.

Därifrån gick vi för att träffa presidenten som hälsade vänligt på oss. Bush uppträdde mycket annorlunda jämfört med vicepresidentens avmätta hållning, både när han talade och rörde sig. Han gav ett pojkaktigt intryck, rörde sig ledigt och ändrade ofta ställning i stolen. Han förklarade att USA verkligen ville ha fred. Med viss självironi sa han att i motsats till vad man påstod var han inte någon vild och dumdristig texasbo som hade bestämt sig för att föra USA i krig. Han skulle låta Säkerhetsrådet diskutera en resolution – men inte länge. Han nämnde Nationernas Förbund. Han sa att USA hade förtroende för mig och för ElBaradei och skulle ge oss allt stöd. Jag svarade att vi uppskattade stöd från USA och ansåg att ett sådant stöd var väsentligt om vi skulle kunna lyckas. Samtalet var inte särskilt matnyttigt men det var nog heller inte meningen. Snarare trodde jag att det var avsett som en demonstration – i synnerhet som Cheney, Rice och Wolfowitz tillkallats vid sidan om Powell – av att USA, åtminstone för stunden, var inne på den multilaterala linjen och ärligt försökte gå i takt med FN. Det bekräftade att USA stod bakom oss just nu, trots vad Cheney och andra inom administrationen hade sagt om FN och om inspektionerna. Efter vårt besök sa Vita Husets talesman Ari Fleicher att presidenten betonade att USA ville samarbeta med inspektörerna för att försäkra sig om att de kunde genomföra avrustningen av Saddam Hussein. En tjänsteman ska enligt nyhetsbyrån AP den dagen ha sagt att "administrationen rättar sig efter Blix och lätttar på sina krav att irakiska vetenskapsmän som har arbetat med olika vapenprogram ska utfrågas utanför landet. Man skulle i den nya versionen gärna se sådana utfrågningar, men inte insistera på dem." I själva verket hade USA:s inställning inte förändrats i denna fråga. Vid något tillfälle fastslog Colin Powell att bestämmelsen var en tillåtelse, inte en förhållningsorder. Knappast på någon annan punkt förelåg det emellertid så tydliga skillnader mellan USA och oss som på denna.

När vi hade varit hos presidenten gick vi till Condoleezza Rices kontor och där lämnade Powell och Cheney oss. Till att börja med var det bara Rice, hennes ställföreträdare, Mohamed och jag. Här blev det verkligen en diskussion. Hon sa att hon förstod att vi måste behålla vår legitimitet från FN och att detta även låg i USA:s intresse. Hon tycktes till och med förstå våra synpunkter att informationen i princip bara skulle gå åt ena hållet när det gällde underrättelsetjänsterna. Hon talade om att USA hade många idéer om hur vi borde sköta vårt jobb och hur vi skulle kunna få "hjälp". En av dessa idéer oroade oss: hon sa att USA nu hade bestämt sig för att överlämna det svåra uppdraget att avrusta Irak till FN; därför fanns det ett behov av en "grundläggande samstämmighet om hur det skulle gå till", kanske genom en brevväxling i fråga om vissa praktiska arrangemang. Jag svarade inte på detta förslag. Jag tänkte att medan det kunde finnas arrangemang, till och med skriftliga, mellan oss och regeringar som stödde oss (till exempel om att de skulle låna ut utrustning, till exempel U 2-planen) så var en grundläggande överenskommelse en helt annan sak. Vår grundläggande instruktion var Säkerhetsrådets resolutioner och de kunde inte utökas med några bilaterala överenskommelser. Det gjordes faktiskt försök från USA:s sida att senare nå överenskommelser om hur vi på bästa sätt skulle fortsätta vårt uppdrag, men som jag kommer att visa avvisade vi många av dem och gjorde aldrig några sådana överenskommelser.

När vi fyra hade haft ett ganska nyttigt samtal kom Wolfowitz och våra kollegor som hade följt med oss från New York och fyllde upp den nationella säkerhetsrådgivarens lilla kontor. Frågan om att ta vetenskapsmän ut ur Irak för att fråga ut dem kom åter på tapeten. Wolfowitz sa att det skulle vara som att dra någon inför rätta: irakierna fick helt enkelt finna sig i att vi tog ut folk ur landet. Jag sa att jag misstänkte att folk inte var villiga att lämna sitt land eftersom de visste att släktingar som lämnades kvar kunde drabbas av hämnd. Menade han att vi skulle kräva att personer som Tariq Aziz kom till oss utomlands?

Var stod USA i frågan om inspektioner som en väg till avrustning? Kanske var det fel fråga. Det hade funnits och det fanns fortfarande olika åsikter. En del hoppades kanske att det inte skulle bli någon överenskommelse om en resolution. Presidenten hade sagt att de inte tänkte vänta länge på FN, och han hade nämnt Nationernas Förbund. Andra väntade sig kanske att irakierna skulle vägra att finna sig i några av kraven i den nya resolutionen – ett resultat som skulle vara ännu troligare om resolutionen innehöll mycket hårda villkor. Hur de olika amerikanska fraktionerna än förhöll sig, visste vi själva vilket vårt uppdrag var, och vi kunde se att för närvarande stödde USA inspektionerna.

Två dagar efter mitt besök i Washington, den 1 november, besökte den irakiske ambassadören vid FN, Aldouri, mig. Jag berättade att jag trodde vi hade inbjudits till Washington för att höra att USA hade valt FN-vägen och att de stödde inspektionerna. President Bush hade sagt att han föredrog en fredlig lösning, men han var bestämd när det gällde behovet att avrusta Irak. Jag sa att USA:s tålamod kanske var begränsat och att det var önskvärt att vi skulle få en bra start. Vi talade om deklarationen och ambassadören sa att han var orolig för att det egentligen var ”den dolda avtryckaren”. Tänk om det inte fanns någonting att rapportera. Jag sa att deklarationen måste vara rimlig och trovärdig. Irak måste gå igenom alla sina förråd och lager. Jag alluderade på den dokumentfyllda hönsgården hos avhopparen Kamel och sa skämtsamt att de kanske skulle hitta en kamelfarm. Han gick därifrån med ett bittert skratt.

November 2002. Resolutionen antas. Amerikanska idéer om inspektionerna

Den 8 november antog Säkerhetsrådet resolution 1441 enhälligt eftersom delegationen från Syrien i sista stund hade fått bemyndigande att rösta för den. Texten förklarade i bestämda ordalag att även om Irak hade brutit mot tidigare resolutioner skulle landet få en sista möjlighet. Det krävdes att Irak omedelbart, ovillkorligt och aktivt skulle samarbeta med inspektörerna. Alla vidare "väsentliga brott" skulle göra att Säkerhetsrådet "övervägde situationen och behovet av fullständig tillämpning" – diplomatspråk som kunde betyda väpnat ingripande. Det fanns emellertid några viktiga skillnader i sättet att tolka resolutionen, i synnerhet mellan Frankrike och USA. Fransmännens medgivande byggde på tolkningen att ett "väsentligt brott" bara kunde tas upp och leda till handling av rådet om det grundades på en rapport från inspektörerna. Säkert hade flera andra medlemmar av Säkerhetsrådet samma åsikt. De ville inte skriva under någon check in blanco. Det var emellertid fransmännen som hade bollen. USA läste inte in någon sådan begränsning i texten.

På detta stadium tonade skillnaderna bort när det gällde tolkningen och de hamnade i bakgrunden genom den allmänna tillfredsställelsen över att Säkerhetsrådet hade enats och visat sig starkt. Även om texten hade blivit en smula blekare jämfört med det första utkastet från USA och Storbritannien, som hade sänt ut chockvågor, var det fortfarande en hård resolution som inte skulle ha accepterats av någon stat som inte var utsatt för ett direkt hot om ett väpnat anfall. Till på köpet förklarade resolutionen att alla de praktiska arrangemang som Mohamed ElBaradei och jag hade räknat upp i vårt gemensamma brev till irakierna skulle vara bindande för Irak. Nu behövde vi inte diskutera med irakierna igen! Detta var första – och antagligen sista – gången i mitt liv som ett brev jag skrivit blev upphöjt till internationella rättsregler!

Skulle Irak godkänna resolutionen inom den vecka man hade fått på sig? Kanske fanns det några i USA som hoppades att man inte skulle göra det. Den 13 november, fem dagar efter det att resolutionen antagits, skickade emellertid Irak ett långt brev som var både argt och gnälligt men där man förklarade att man skulle "använda" resolutionen.

Ända sedan Irak hade förklarat att man skulle acceptera inspektioner hade vi varit i full färd med våra förberedelser. En fråga som skulle ha kunnat bli mycket problematisk hade lösts snabbt: den plats varifrån vi skulle resa till Irak. UNSCOM hade använt Bahrain som utgångspunkt för att samla sina grupper och sedan flyga in dem till Bagdad. Vi hade fortfarande kvar de gamla kontoren där, men det hade varit utdragna diskussioner med Bahrain om att förnya UNSCOM:s överenskommelse. Jag tror inte att de svårigheter som Bahrain pekade på var ett sätt att säga nej, men det började bli ont om tid så jag bestämde mig för att försöka något annat. Jag vände mig till Cypern som hade stor erfarenhet av att ta hand om delegationer från FN. På mycket kort tid hade deras utrikesdepartement och deras representant i New York, ambassadör Sotos Zackheos, ordnat så att vi fick använda Larnaca som bas för kontor och ett transportflygplan. Eftersom de flesta av våra anställda som skulle till Bagdad kom från väst var detta ett praktiskt val. Så småningom upptäckte vi ytterligare en fördel, nämligen att flygvägen från Larnaca till Bagdad inte gick genom några av de zoner med flygförbud som USA och Storbritannien hade upprättat.

Medlemsstaterna hade varit hjälpsamma mot oss från det vi kom igång i början av 2000, men de lät oss i stort sett själva planera de framtida inspektionerna med hjälp av vårt kommissionsråd. Vi räknade med att ha ungefär 200 personer i Bagdad, förutom ett antal biologisk-, kemisk-, raket- och tvärvetenskapliga grupper med ungefär tio inspektörer i varje. Om vi för några uppdrag skulle behöva större grupper kunde vi slå ihop flera ordinarie grupper. Vi hade planerat att ha ett antal helikoptrar med sammanlagt ungefär fyrtio personer som hade hand om dem. Datorer, kommunikationsutrustning (inklusive avlyssningssäkra förbindelser) och allt möjligt annat var i ordning. Vi kände till många anläggningar som vi ville inspektera och vi hade många frågor att ställa.

När väl USA hade bestämt sig för att stödja inspektionerna trodde vi att de skulle ge oss en hjälpande hand, men snart började vi oroa oss för att deras omfamning skulle bli alltför kramande. På olika sätt fick vi reda på hur USA nu – i elfte timmen – ansåg att vi skulle ta itu med uppgiften. Media i USA hade av källor inom administrationen redan fått veta att vi tänkte följa de råd vi fick. Den 10 november rapporterade Steven Weisman i *New York Times* att inspektörerna tänkte ”tvinga fram ett snabbt prov på Saddam Husseins avsikter, genom att kräva en fullständig lista på anläggningar med vapen och sedan kontrollera om den stämde med den lista på mer än 100 anläggningar som västerländska experter tidigare hade gjort upp”. Jaså verkligen?

Weisman rapporterade också att många tjänstemän inom administrationen sa att de skulle föredra ett kyligt avvisande från Saddam Hussein framför att han tvingades samarbeta: ”Det är viktigt att handla snabbt, säger militära experter, för de kyliga vintermånaderna som tar slut i februari eller mars är den bästa perioden för ett anfall mot Irak.” Det tycktes emellertid vara vissa problem med att kräva snabbt tillträde till mycket känsliga anläggningar: ”Experterna [från USA] säger att inspektörerna inte kan röra sig så snabbt eftersom det av irakierna kan tolkas som en medveten provokation.” De rådgivare som kom till New York från Washington talade inte om allt det här för oss, men de hade många råd och en del var bra.

Ett av deras förslag var tillvägagångssättet ”uppifrån och ner”: Vi skulle göra inspektioner hos myndigheter på mycket hög nivå, till exempel ministerier, och ha experter som gick igenom datorerna där för att ta reda på vad som var på gång och var man kunde finna saker och ting. Någon sa att det väl inte var nödvändigt att lära oss hur vi skulle ”suga ur ägg”. För egen del drog jag slutsatsen att man i USA inte själva visste var det fanns någonting. Dessutom skulle jag ha förutsatt att irakierna 1999 hade lärt sig att ministerier inte är någon trygg plats för dokument eller arkiv när det finns inspektörer i närheten. Jag hade också en svag misstanke som stöddes av den artikel jag citerat ovan: att en tanke bakom råden var att om det inte fanns några intressanta dokument i alla fall försöka provocera irakierna, kanske till och med få dem att vägra tillträde. Vi uteslöt inte att man skulle kunna göra inspektioner högst upp, men vi prioriterade andra saker, och även om vi uppskattade att man rekommenderade oss anläggningar att besöka valde vi själva ut var inspektioner skulle genomföras och av begripliga skäl talade vi inte om för någon var det var.

Ett annat förslag var att vi skulle genomföra så enormt många inspektioner att irakierna inte skulle klara av att övervaka oss. Därför borde vi på kort tid fördubbla antalet inspektörer. Det var faktiskt inte genomförbart. För en militär stormakt som på ett par månader kunde mobilisera flera hundra tusen soldater och skicka dem till Persiska viken måste vi ha sett löjliga ut. Våra planer, och dem måste vi följa om vi inte skulle drabbas av kaos, var inte dimensionerade för en sådan ökning. Utrustning, logi, transporter – allt skulle behöva ändras. Dessutom ville vi att alla våra anställda skulle vara utbildade av våra egna experter. Jag upprepade att vi måste lära oss att gå innan vi kunde springa och vi skulle ändå inte ha lyckats bli för många för övervakarna – Irak hade ett stort förråd av denna art. Under ett av mina besök i Bagdad beklagade jag mig över att förhållandet mellan övervakare och inspektörer under några inspektioner var 10:1 och Al-Sa'adi höll med om att det normala förhållandet borde vara 1:1. De hade gott om reserver.

Vi godtog och förutsatte att alla de underrättelser som USA lämnade vidare till oss måste behandlas på ett säkert sätt. Den säkerhetsmetod som amerikanerna föredrog var att ha någon som var säkerhetskontrollerad av USA placerad på en hög befattning under våra operationer, men det kunde vi inte gå med på. Vårt oberoende var en del av den legitimitet som Säkerhetsrådet hade begärt. Vår underrättelseman var Jim Corcoran, kanadensare, yrkesman och känd inom många underrättelseorganisationer. Vi hade förtroende för honom och han kunde tala om för USA hur vi handskades med säkerheten när det gällde information från underrättelsetjänsterna. Fram till i dag har jag inte sett några tecken på att några av de underrättelser som vi fick någonsin hamnade i fel händer.

Vi stod också emot krav på att vi skulle ”dela med oss” av vår information till andras underrättelseorganisationer och genomföra gemensamma operationer med dem. Vi visste att sådana aktiviteter hade gett en hel del bra resultat i början av 1990-talet men de hade också så småningom resulterat i att underrättelsetjänsterna åkte snålskjuts på UNSCOM, och på så sätt bidrog till dess fall. Vi var naturligtvis beredda att ge så mycket information till underrättelsetjänsterna att de kunde bestämma vad vi behövde och vi var också beredda att ge dem viss feedback i fråga om de resultat vi nådde tack vare den information vi fått av dem. Till exempel vad vi fann, om vi nu fann något, vid en anläggning som de hade tipsat oss om. Det var inte lätt att veta var vi skulle dra gränsen för vad som kunde sägas. Det vi emellertid visste var att UNSCOM hade dragit den på helt fel ställe. Med tanke på hur missvisande mycket av den information vi fick sedan visade sig vara, var det kanske lika bra att vi inte fick mer. Inte på några av de platser som underrättelsetjänsterna tipsade oss om hittades någonsin massförstörelsevapen.

Ingen fråga diskuterades mer, offentligt eller privat, än huruvida man skulle ta med irakier som misstänktes ha viktiga kunskaper utomlands för att avge vittnesmål. Även om utfrågningar i allmänhet var ett viktigt redskap, ansåg jag aldrig att idén att föra ut folk från Irak var realistisk. Ett slag trodde jag att man från amerikanskt håll bara ville att vi skulle möjliggöra sådana avhopp som USA:s underrättelsetjänst ansåg var önskvärda. Jag sa offentligt att vi varken var en organisation för avhopp eller för kidnappning. När jag påpekade risken för en "olycka" när irakierna upptäckte att vi försökte föra en sådan person till vårt flygplan, sa en amerikansk expert att "de flesta av de där grabbarna [har] hur som helst vigt sina liv åt produktion av massförstörelsevapen". Den kommentaren ökade inte min vilja att välja den väg man föreslog. Jag talade med andra regeringar och underrättelsetjänster om idén och fick inte någonstans förståelse för den. USA var berett att lova asyl inte bara till informatören utan också till en ganska stor familj på omkring tio personer som reste med honom ut, under förutsättning att informatörens namn fanns på USA:s lista. Men om den irakiska regeringen verkligen inte ville att personen skulle ge sig iväg, skulle de då inte tala om för honom att även om hans barn och bröder och systrar kunde följa med honom hade han ju fortfarande en faster i Kirkuk eller en morbror i Basra, eller hur? Kanske var det egentliga syftet att provocera, i hopp om att Irak skulle sätta sig på tvären och man skulle kunna konstatera ett brott mot resolution 1441.

Paris – Larnaca – Bagdad – London – New York den 15 till 23 november 2002

Den 15 november lämnade jag New York för att resa till Paris tillsammans med Torkel Stiernlöf, som hade kommit tillbaka som min assistent, och en grupp från CNN. I Paris hade vi ett kort möte med utrikesminister Villepin och hans rådgivare, däribland Frankrikes kunnige tidigare ambassadör i FN, M. Jean-David Levitte, som skulle flytta till Washington. Jag fick också tillfälle att träffa den mexikanske utrikesministern, Jorge Castenada, vars far – också utrikesminister och en skicklig internationell jurist – hade varit en gammal vän till mig. Därifrån reste vi till Bagdad via vår nya bas i Larnaca.

Vi kom fram till Bagdad på söndagen den 17 november och möttes av ett kaos av mediafolk på flygplatsen – inte någon ovanlig situation under de här månaderna. De hade byggt upp en estrad där det var meningen att vi skulle tala, men vi var omringade långt innan vi nådde fram till den. Jag talade om för pressen att vi hade kommit till Irak av den enda anledningen att världen ville bli övertygad om att det inte fanns några massförstörelsevapen i landet. Om man hade kunnat nå en sådan förvissning 1991 skulle Irak ha sluppit tio år av sanktioner. Jag hoppades att det skulle ske nu och lovade att vi skulle genomföra korrekta och "effektiva" inspektioner. Bara så skulle våra resultat bli trovärdiga.

Vi fick utmärkta rum på översta våningen i al-Rasheed Hotel. Al-Sa'adi öppnade våra förhandlingar på måndagen den 18 november genom att en smula fräckt säga att de hade hoppats att vi skulle ha kommit en månad tidigare, när Irak första gången hade gått med på inspektioner. Jag svarade att vi gärna skulle ha kommit många månader tidigare. Efter dessa små pikar började vi diskutera hur vi skulle organisera vårt samarbete under de resolutioner som skulle styra både dem och oss. Vi diskuterade hur tidsplanerna från resolution 1284 från december 1999 skulle kunna jämkas samman med dem i den nya resolutionen 1441. Det viktigaste ämnet som de ville tala om var emellertid den deklaration som under paragraf tre i den nya resolutionen krävdes av Irak.

Jag för min del hade många praktiska saker jag ville klara ut. Vi ville ha irakiernas hjälp att inrätta ett kontor i Mosul i norra delen av landet, vi ville ha mer utrymme för våra kontor på Canal Hotel, vi måste reda ut en del som gällde ID-kort till vår personal. Jag ville också göra en överenskommelse som garanterade oss att det inte skulle finnas några journalister som cirklade omkring oss under inspektionerna, eftersom det tydligt hade framgått att Irak tänkte låta inhemska media bevaka inspektörernas alla rörelser. Vi tänkte inte lägga oss i vad de tillät media att göra på deras territorium, men på de anläggningar som vi inspekterade kunde vi inte tolerera några journalister. För att den irakiska sidan skulle kunna börja göra förberedelser lät jag dem också få veta att vi skulle vilja ha en lista med namn på alla de personer som hade varit engagerade i tidigare vapenprogram.

Tisdagen den 19 november hade vi vårt första sammanträde med utrikesministern, Naji Sabri, och sedan hade vi ännu fler möten med den irakiska sidan innan vi hade en genomgång för den diplomatiska kåren om hur vi hade börjat. Vi träffade dessutom alla de FN-organisationer som hade sina högkvarter på Canal Hotel och på andra platser i Bagdad. Jag ville göra klart för dem att vi var en del av FN och att vi samarbetade med hela organisationen. Deras syfte var humanitärt och det var vårt också – att undanröja massförstörelsevapen var även det en humanitär uppgift. Vi var tillsammans. Vid en presskonferens vid FN:s högkvarter – den här gången organiserad av vårt folk så det rådde en smula ordning – förklarade jag att den första gruppen med inspektörer skulle komma omkring den 25 november och att vi väntade oss att den första inspektionen skulle äga rum den 27 november. När jag blev tillfrågad om deklarationen och om de svårigheter som irakierna skulle kunna ha att rapportera om så många olika slags föremål under så långa tidsrymder sa jag: "att framställa senapsgas är inte detsamma som att framställa marmelad. Man håller räkning på hur mycket man tillverkar och vad som händer med det."

På väg tillbaka till New York mellanlandade vi i London där vi var inbjudna att träffa premiärminister Blair. Han var mycket vänlig men tycktes inte tro att Irak när allt kom omkring skulle deklarera särskilt mycket. Det skulle hur som helst falla på inspektörernas lott att leta och det fanns risk att irakierna skulle falla tillbaka i sin gamla katt-och-råttalek.

Den första inspektionen ägde rum den 27 november. Det var tjugofem dagar innan vi enligt resolutionen skulle ha varit tvungna att starta inspektionerna. Inom en vecka hade vi genomfört ungefär tjugo inspektioner, däribland av al-Sajudpalatset, ett presidentpalats vid floden Tigris. När Dimitri Perricos kom till presidentpalatset med sin grupp inspektörer blev de inte genast insläppta. Perricos blev otålig – en reaktion som sällan är långt borta när det gäller denne grekiske veteraninspektör som var IAEA:s främste man i Irak 1991 och senare i Nordkorea. När Perricos hade väntat i tio minuter drog han sig tillbaka till sin jeep med telefonen i handen. Då öppnades snabbt dörrarna till byggnaden och inspektörerna släpptes in för att undersöka något som visade sig vara ett av presidentens lyxiga gästhus. Inspektörer brukar rutinmässigt fotografera allt de ser för att kunna kontrollera nästa gång om det har skett några förändringar. De letar efter olika slags utrustning och tar ofta prover på marken, på vätskor eller på jord för att kunna analysera dem. I detta gästhus fanns inga arkiv, dokumentskåp eller förråd av kemiska eller biologiska vapen och ingen känslig utrustning att märka, men det fanns mycket marmelad i kylskåpen.

Det rådde inget tvivel om att de otaliga presidentpalatsen och byggnaderna i närheten av dem skulle kunna användas för att rymma olagliga laboratorier eller fungera som förrådslokaler, i synnerhet om de var förbjuden mark för inspektörer. Inspektionen av sådana platser hade ofta varit en känslig sak under UNSCOM-perioden, då det i irakiernas ögon berörde deras suveränitet och något som kanske var ännu viktigare: värdigheten hos deras statsöverhuvud, alltså presidenten. Genom den nya resolutionen hade det emellertid slagits fast att dessa platser inte hade några speciella privilegier. Fristäder eller privilegierade platser existerade inte längre.

Efter vår inspektion av presidentpalatset förklarade vicepresident Taha Yassin Ramadan att vi hade försökt provocera dem att bryta resolutionen. En handling, sa han, som var ”laddad med landminor”. Han beklagade sig också över att vi vägrade ha med journalister under inspektionerna av olika anläggningar. Men Perricos sa att vi började nå resultat. Vi hade till exempel vid en ökenanläggning som var känd sedan tidigare beslagtagit ungefär ett dussin irakiska artillerigranater som innehöll det kemiskt verksamma ämnet i senap.

Inspektionerna började ta fart. Det kom fler människor och mer utrustning och det innebar att vi kunde göra fler inspektioner på fler ställen. Det gick förunderligt bra, men det var ändå bara början. Helikoptrarna för transport och övervakning var ännu inte där och de laboratorier som skulle tillåta oss att analysera prover som vi tagit på olika platser för att hitta spår av kemiska eller biologiska stridsmedel, var heller inte på plats ännu. Medan vissa personer inom Bush-administrationen sa att vi var underbemannade, räknade vi med att ha omkring hundra inspektörer i Bagdad vid jultid.

Trots all vår aktivitet var det vid denna tidpunkt i själva verket irakierna som hade mest att göra. De arbetade med att sammanställa den deklaration som skulle lämnas in till Säkerhetsrådet den 8 december.

5

Decemberdeklarationen

Resolution 1441 krävde att Irak skulle lämna en ”aktuell, exakt, fullständig och komplett redovisning” för alla aspekter av sina program för utveckling och användning av förbjudna vapen och missiler och för alla andra kemiska, biologiska och nukleära forskningsprogram, inklusive sådana som man hävdar inte har med vapen eller krigsmaterial att göra”.

Den ordagranna redogörelsen i resolutionen av vad som skulle anses falla under beteckningen ”alla aspekter” var lika lång som tiden att verkställa den var kort – trettio dagar. Straffet, om kraven inte till fullo uppfylldes, var strängt: ”Missvisande påståenden eller uraktlåtenheter ... anses som väsentligt brott mot Iraks skyldigheter”, och skulle kunna medföra ”allvarliga konsekvenser”, en eufemism för väpnade angrepp.

Syftet med den nya deklarationen

Idén med självdeklaration är lika grundläggande för vapenkontroll som den är för skattesystemet. Vapeninspektörerna eller taxeringstjänstemännen ska inte behöva ta reda på vad man har. Istället är det vars och ens skyldighet att veta vilken information som krävs, samla ihop alla relevanta uppgifter och lämna in till dem för granskning. Man gör en deklaration och inspektörerna kontrollerar den. Skattemyndigheterna gör emellertid ofta mer än att kontrollera att man räknat rätt i sin självdeklaration. På olika sätt försöker de ta reda på om det finns något som man borde ha deklarerat men som inte tagits upp. Samma sak gäller för vapeninspektörer. De kan till exempel göra förfrågningar hos exportländer, de kan studera satellitbilder för att söka efter tecken på nya eller utvidgade vapenfabriker, de kan besöka platser som utpekats inte bara av det land som är föremål för inspektion utan också av avhoppare och spioner. Trots det är deklarationen det grundläggande. Och så var det även i fallet Irak.

Efter Kuwaitkriget 1991 var tanken att Irak skulle lämna in uttömmande deklarationer, inspektörerna skulle verifiera dem och alla föremål eller aktiviteter som var förbjudna skulle förstöras eller på annat sätt elimineras under övervakning av inspektörerna. Därefter skulle Säkerhetsrådet häva de ekonomiska sanktionerna mot Irak och man skulle bara fortsätta med långsiktig övervakning för att se till att förbjudna vapenprogram inte återupptogs. Denna plan hade inte gått att genomföra så enkelt som resolutionen förutsåg. Visst hade analysen av deklarationerna, kartläggningen av programmen, förstörelsen av vapnen och nedmonteringen av fabrikerna gett betydande resultat. De åtta år då inspektörerna letade efter platser och frågade ut olika personer hade emellertid också varit åtta år fyllda av katt-och-råtta-lek. Deklarationer som lämnats in hade varit felaktiga och ofullständiga, så man hade begärt in nya. Därför hade den ena "fullständiga, slutgiltiga och kompletta" deklarationen följt på den andra – samtidigt som man knappast trodde att någon av dem var fullständig, slutgiltig eller komplett. Snarare beskrevs alltsammans som "lureri och reträtter".

Var det då någon mening med att hösten 2002 kräva ytterligare en allomfattande deklaration innan inspektionerna återupptogs? Ja, det anser jag. Under Kofi Annans dialog med irakierna i Wien sommaren 2002 hade jag antytt för dem att en sådan deklaration skulle kunna användas som en nystart för att "vi skulle kunna börja om från början". Min tanke var att om irakierna gick med på förnyade inspektioner – något som just då var ett stort frågetecken – borde de vilja uppnå resultat, och för att kunna göra det måste de ta avstånd från tidigare deklarationer och metoder som de hade använt sig av. Alla förbjudna vapenförråd eller andra förbjudna föremål eller aktiviteter skulle räknas upp i en ny deklaration. Om de tyckte att de måste rädda ansiktet var jag övertygad om att de alltid skulle kunna låtsas att det var någon general som hade gömt undan sakerna.

USA hade kanske andra tankar med kravet på en ny deklaration. Amerikanerna var helt övertygade om att Irak hade vapen och annat som borde deklareras. Om irakierna deklarerade dem, utmärkt. USA:s regeringstjänstemän tvivlade emellertid antagligen på att Irak skulle deklarera sina illegala vapen och man var angelägen om att det skulle synas tydligt då Irak bröt mot Säkerhetsrådets föreskrifter. En deklaration som fordrade omfattande information och som måste sammanställas på mycket kort tid skulle kunna fungera som en snubbeltråd som gav upphov till tydliga överträdelser och därmed fick ”allvarliga konsekvenser”. Om det verkligen fanns sådana beräkningar med i spelet gav de emellertid inte mycket, även om USA, särskilt strax före kriget, försökte hävda att vissa föremål som UNMOVIC funnit (men som inte var undangömda) borde ha deklarerats. Långt senare försökte David Kay, ledare för den grupp som letade efter förbjudna massförstörelsevapen i det ockuperade Irak, binda Irak vid en överträdelse av resolutionen på grund av att man inte hade deklarerat vissa fermentorer som kunde ha dubbla användningsområden. Inte heller mina egna optimistiska förhoppningar om att deklarationen skulle kunna fungera som en möjlighet för Irak att komma med nya avslöjanden och därmed få en chans att börja om på nytt, gick i uppfyllelse. Inga viktiga nedrustningsfrågor löstes med hjälp av den nya deklarationen. Det enda den medförde var arbete, stora pappershögar och viss förbittring.

Hur skulle Irak på ett rimligt sätt kunna tillfredsställa kravet på en ny deklaration?

Under den informella diskussionen i Säkerhetsrådet innan man antog resolutionen i november, hade jag nämnt att det kanske skulle medföra vissa problem för ett land med en omfattande petrokemisk industri att på trettio dagar skaffa fram fullständiga redogörelser för alla fredliga kemiska forskningsprogram. Det var inte ens seriöst att ta med ett sådant krav i texten, tyckte jag. Jag fick viss förståelse för min uppfattning. Texten ändrades inte, men USA:s ambassadör sa att man skulle kunna tolerera viss försening i den delen av deklarationen.

Sedan resolutionen antagits reste Mohamed ElBaradei och jag till Bagdad för att förbereda de första inspektionerna. Våra irakiska motparter frågade då hur de på så kort tid skulle kunna tillhandahålla all den information som krävdes för deklarationen. Det var ingen lätt fråga att besvara och vi gjorde det inte. Om det verkligen fanns kvar många förbjudna föremål och irakierna var medvetna om dem, skulle det givetvis varit ganska lätt att uppge dem i deklarationen. Naturligtvis skulle den övriga världen då säga att dess åsikter hade blivit bekräftade och att Irak tidigare hade ljugit. Dessutom skulle det kvarstå misstankar om att allt inte heller nu hade deklarerats, men man skulle också på nytt ge hopp om att det gick att komma till botten med saken och det skulle bli svårare att försvara ett väpnat angrepp. Om det å andra sidan bara fanns kvar lite eller ingenting att deklarera, skulle det bli svårt för irakierna att finna och lägga fram trovärdiga bevis som styrkte att alla de biologiska och kemiska vapen, som omvärlden ansett oredovisade verkligen hade förstörts sommaren 1991 utan att vapeninspektörerna varit närvarande.

Även om Mohamed ElBaradei och jag förstod de svårigheter som irakierna skulle kunna ställas inför, tänkte vi naturligtvis inte ge dem några råd som de skulle kunna utnyttja som en ursäkt för att på något sätt begränsa sitt svar. Vi svarade att vi inte hade fullmakt att komma med några förklaringar å Säkerhetsrådets vägnar. Icke desto mindre sa vi att det allra viktigaste för Säkerhetsrådet var att Irak verkligen deklarerade sina eventuella innehav av massförstörelsevapen. Irakierna borde leta genom sina förråd och lager. Om de deklarerade att de inte hade någonting måste de kunna visa upp fler dokument. Vad beträffade forskningsprogram som hade mycket lite med vapen att göra skulle de kanske kunna lista dem tillsammans med anvisningar om var anläggningarna fanns och anteckna att man var beredd att lämna ytterligare information på begäran.

Hur skulle Säkerhetsrådet kunna undvika att bidra till spridningen av massförstörelsevapen?

I resolution 1441 krävde Säkerhetsrådet att Irak skulle lämna deklarationen till "UNMOVIC, IAEA och till Säkerhetsrådet". Det verkar kanske inte så konstigt. Nej, bortsett från att deklarationen förväntades innehålla "kokböcker" – information som talade om hur man tillverkade massförstörelsevapen. Iraks tidigare deklarationer hade inte lämnats till Säkerhetsrådet utan bara till vapeninspektörerna. I det här fallet skulle Säkerhetsrådets ordförande få deklarationen och dela ut kopior av den till rådets alla femton medlemsländer. Alltså skulle till exempel alla kunna lära sig hur man framställer nervgasen VX, det modernaste och mest dödliga kemiska vapen som existerar, och de skulle kunna lära sig Iraks metoder för att tillverka en atombomb. Dessutom skulle ett dokument som delades ut till femton medlemsländer säkert snart vara tillgängligt på Internet. Säkerhetsrådet, som hade tagit på sig uppgiften att förhindra spridning av massförstörelsevapen, skulle kunna ställas inför det fasansfulla perspektivet att det själv bidrog till sådan internationell spridning!

Trots att vi redan hade försökt göra några av Säkerhetsrådets medlemmar medvetna om det här problemet, togs det inte upp förrän vid ett informellt möte fredagen den 6 december – två dagar innan dokumenten skulle komma. Det talades mycket om olika överenskommelser som krävde av parterna att de – naturligtvis också de parter som var medlemmer av Säkerhetsrådet – inte bidrog till spridning.

Jag blev tillfrågad om UNMOVIC och IAEA skulle kunna gå igenom texten och på Säkerhetsrådets uppdrag stryka känsliga delar av deklarationen. Ja, sa jag, om Säkerhetsrådet bad oss att göra det. Efter en viss diskussion kom Säkerhetsrådet fram till en informell uppgörelse: UNMOVIC och IAEA skulle granska texten som lämnades in och censurera den. När det arbetet var klart – det skulle naturligtvis ta en viss tid – skulle den censurerade versionen delas ut till alla medlemmar av Säkerhetsrådet.

När nyheten om överenskommelsen nådde Washington var det som om helvetet hade brutit löst. Skulle FN:s inspektörer få bestämma vad man fick läsa i Washington?! Luften surrade av frågor om hur och varför den fullständiga texten med dess farliga recept omedelbart när den kom till New York skulle kunna delas ut till P-5, det vill säga de fem stormakter som är permanenta medlemmar av Säkerhetsrådet, och som man kunde anta redan kände till ”recepten”, medan E-10 – de valda medlemmarna av Säkerhetsrådet – skulle tvingas vänta på den censurerade version som var lämplig för ”oskulder”. På lördagsförmiddagen avböjde jag att gå med på ett förslag som gick ut på att helt enkelt bortse från fredagens överenskommelse och ge den fullständiga texten till de fem stormakterna redan på söndagen. Jag sa att jag var anställd av hela Säkerhetsrådet. Jag hade fått riktlinjer vid mötet i Säkerhetsrådet och jag tänkte följa dem. Jag skulle emellertid göra precis som Säkerhetsrådets ordförande, å Säkerhetsrådets vägnar, bad mig att göra.

Nu följde ett helg fyllt med telefonsamtal över hela världen. Colin Powell och andra utrikesministrar var strängt upptagna och alla icke permanenta medlemsstater förmåddes att låta sig nöja med att de inte fick den censurerade deklarationen. Ordföranden i Säkerhetsrådet, ambassadören och före detta justitieministern i Colombia, Alfonso Valdivieso, hade det hett om öronen och jag är säker på att hans president hemma i Bogotá också hade det. Så småningom talade ambassadör Valdivieso om för mig att en ny överenskommelse hade föreslagits som gick ut på att de fem stormakterna skulle ge UNMOVIC och IAEA råd om vad som borde tas bort ur deklarationen. För att kunna göra detta måste stormakterna få texten omedelbart när den kom. De tio andra medlemsländerna skulle först senare få den version som vi kommit fram till med hjälp av stormakterna. Ett av Säkerhetsrådets medlemsländer, Syrien, vägrade gå med på det nya arrangemanget men det struntade man i. Senare vägrade Syrien att kommentera en text som vissa av rådets medlemmar hade sett in extenso, medan den för andra bara hade varit tillgänglig i en förkortad version. Förbittringen över ett tillvägagångssätt som behandlade medlemsländerna i Säkerhetsrådet så olika delades helt och hållet av alla de valda medlemmarna, som länge hade varit irriterade över att bli behandlade som andra klassens stater. Den ryske ambassadören, Sergej Lavrov, sammanfattade situationen väl då han sa att tillvägagångssättet hade varit dåligt men att resultatet blivit bra.

Iraks deklaration delas ut till medlemmarna i Säkerhetsrådet

Det blev likt en cirkus då Iraks deklaration kom till New York och skulle delas ut. Dokumentet väntades komma till Wien och till New York söndagen den 8 december. Irakierna hade talat om för oss att om de själva skulle transportera den till New York skulle de förlora flera av de värdefulla trettio dagar de hade på sig för att sammanställa texten. Eftersom vi, men inte irakierna, kunde flyga ut från Bagdad och vi hade personal som skulle göra det söndagen den 8 december, erbjöd vi oss att hämta deklarationen i Bagdad lördagen den 7 december och överlämna den i New York på söndagen. En av våra anställda, Surya Sinha, som inte bara hade visat sig vara en duktig jurist utan också konsekvent haft mycket gott omdöme i olika operationer, bar väskorna med dokumenten från Bagdad till New York. Han fick hjälp av en erfaren säkerhetsman från FN, Eric Brownwell. Båda två var unga och starka, och det behövdes eftersom den deklaration de hade i handbagaget omfattade ungefär 12 000 sidor. Detta dyrbara bagage transporterades på söndagsmorgonen från Bagdad till Cypern i vårt eget flygplan och sedan utan några problem vidare via Aten och Frankfurt till New York, där de två männen möttes av säkerhetsfolk från FN som körde dem raka vägen till FN-byggnaden.

Dimitri Perricos och jag hade fått besked om att vi skulle vara på våra kontor i FN-byggnaden för att ta emot väskorna. När vi klockan 20.25 kom in på området var lobbyn i FN-byggnaden full med fotografer och mediafolk. Eftersom det inte fanns några väskor att fotografera fick de nöja sig med oss. Vi småpratade lite eftersom vi inte hade något att säga och det var skönt när Surya och Eric trötta dök upp ett par minuter senare med de efterlängtade men ganska enkla väskorna, som vederbörligen blev fotograferade av dussintals kameror. Nästa akt i dramat, som media inte fick föreviga eftersom de inte hade tillträde till sekretariatet, var när två andra män kom till vårt kontor för att som utvilade hästar föra den väska som var adresserad till Säkerhetsrådet till dess nästa station. Bye, en trevlig och duglig tjänsteman från Storbritanniens delegation, var där, eftersom det var Storbritannien som denna månad hade ansvaret för samordningen mellan P-5, de fem stormakterna, och han skulle ta emot den ocensurerade texten i deklarationen på dessa staters vägnar. Den andre var en lika sympatisk och duglig man, Duffy, som tillhörde USA:s FN-delegation. Han skulle se till att deklarationen med helikopter fördes till Washington där man snabbt kopierade alla de 12 000 sidorna till P-5.

Den som hade komponerat denna enastående ceremoni, ordföranden i Säkerhetsrådet, Alfonso Valdivieso från Colombia, hade fortfarande inte kommit. Vi väntade och väskorna stod som stora guldtackor mitt på golvet på mitt kontor. Så småningom kom Colombias permanente representant tillsammans med sina rådgivare – jag fick ett intryck av att han var trött efter trettiosex timmar i telefon och otaliga, inte alltid trevliga, telefonsamtal. I närvaro av UNMOVIC:s personal la jag symboliskt hans hand på väskan som var adresserad till Säkerhetsrådet och han sa till mig att lämna den till representanten för P-5-staterna, Bye, som tillsammans med sin amerikanske kollega, till stormakternas tillfredsställelse och de tio invalda medlemmarna av Säkerhetsrådets irritation, försvann med den.

Jag tog aldrig reda på vilken kapacitet Washington hade för att snabbt kunna göra fem eller fler kopior av 12 000 sidor. Med tanke på hur lätt dokument i den staden brukar läcka ut, misstänker jag att det finns stor kapacitet att kopiera i Washington. FN:s möjlighet att kopiera var däremot begränsad och det visste vi. Lyckligtvis hade vi personal som var van vid att lösa den sortens problem. Det var nu UNMOVIC:s uppgift att på begränsad tid bedöma vad som skulle strykas i texten. För att så fort som möjligt komma igång med detta behövde vi några kopior av texten så att vi skulle kunna dela ut olika delar av den till några av våra anställda, som omedelbart skulle sätta igång att läsa och analysera den och översätta vissa delar av texten från arabiska. Igor Mithrokhin, en före detta rysk arméofficer och tidigare anställd vid UNSCOM, var inte bara en mycket skicklig kemist och inspektör i fråga om kemiska vapen utan även en praktisk man. Innan måndagen var slut hade det kopieringsföretag i New York som han anlitat och övervakat fått fram alla de kopior vi behövde och vår personal hade kommit igång med den nödvändiga uppgiften.

Det visade sig att den egentliga deklarationen var på ungefär 3 000 sidor och att 5 000 sidor var bilagor på arabiska. I sinom tid fick vi råd från P-5-staternas huvudstäder om vad de rekommenderade oss att stryka. Alla P-5-staterna betonade att det man gav enbart var rekommendationer och att de skulle acceptera vår bedömning. Detta var kanske inte så förvånande. Behovet av att "ge oss råd" hade ju i själva verket uppfunnits som ett svepskäl för att stormakterna – främst Washington – omedelbart skulle få tillgång till den fullständiga texten. Trots det var det en lättnad att få reda på att vi inte skulle behöva slösa bort dyrbar tid på att jämka samman olika åsikter om vad som borde tas bort. Och när vi studerade de råd vi fick märkte vi att åsikterna inte skilde sig särskilt mycket åt.

På kvällen måndagen den 16 december hade vi, efter en veckas arbete, en "sanerad" text. Nästa dag kopierades denna text till vart och ett av de femton medlemsländerna i Säkerhetsrådet. Vi hade gått igenom den arabiska texten i bilagorna och kommit fram till att en stor del av den inte behövde delas ut. Trots det var den text som delades ut till varje mottagare på 3 500 sidor. På kvällen tisdagen den 17 december fanns den tillgänglig för alla medlemsstater på vårt kontor. De tio icke-permanenta medlemsstaterna hade bara en dag på sig att studera den innan jag skulle kommentera den vid ett informellt möte i Säkerhetsrådet den 19 december. Det var inte många, om än några, medlemsländer som skulle hinna få fram den till sina huvudstäder på en dag.

Analys av deklarationen. Min genomgång med Säkerhetsrådet den 19 december 2002

Med tanke på de snäva tidsramar som irakierna hade fått för att sammanställa deklarationen var det inte förvånande att de inte hade kunnat ordna allt perfekt. En del texter fanns med på två ställen, en text hittade vi till och med på fem olika ställen. Det är möjligt att de hade lämnat denna stora textmängd för att kunna bemöta alla eventuella anklagelser om att de inte uppfyllde kraven, men jag hade en känsla av att det också kan ha legat lite trots bakom: ber ni om en oresonligt stor mängd information kommer vi att vräka hur mycket papper som helst över er! Det vi hade fått bestod till stor del av kopior på de deklarationer som hade lämnats in till UNSCOM under åren innan inspektörerna lämnade Irak vid slutet av 1998. Den nya information som fanns – och en del av den var användbar – handlade till största delen om utvecklingen av missiler och om fredlig utveckling inom biologisk forskning under perioden 1998–2002. Irakierna hade verkligen inte utnyttjat deklarationen för att skapa en ny början genom att avslöja sedan länge dolda sanningar, vilket vi hade hoppats på. Den såg snarare ut som en upprepning av gamla, icke verifierade, uppgifter. Var det en förnyad förhalningstaktik? Man lämnade ifrån sig några nya dokument och några man tidigare hade vägrat ge till UNSCOM, men hävdade att den irakiska sidan inte hade något mer. Vi tvivlade på att det var sant, men kunde inte bevisa att det var osant.

I min redogörelse för Säkerhetsrådet den 19 december påpekade jag att det avsnitt som handlade om biologisk forskning till stor del var en omstuvad version av den deklaration som man gett till UNSCOM i september 1997. Vad gällde kemisk forskning byggde texten som Säkerhetsrådet fått på en deklaration man hade lämnat 1996 och som sedan uppdaterats. Avsnittet om missiler hade i stort sett samma innehåll som en deklaration från 1996, fast med några uppdateringar. Jag rapporterade till Säkerhetsrådet att åtminstone vår preliminära granskning av deklarationen inte hade gett något material eller några bevis som besvarade några av de obesvarade avrustningsfrågorna. Samtidigt noterade jag att trots att enskilda regeringar hade sagt att de hade övertygande bevis som motsade deklarationen från Irak, var UNMOVIC inte i stånd att bekräfta Iraks utsagor men hade heller inte bevis som motsade dem. Jag sa vidare att det inte räckte att man öppnade dörrar för oss i Irak – något som man gjorde i ganska hög grad. Uttalanden måste stödjas av skriftlig dokumentation eller andra bevis. Det var det enda sättet för oss att kunna verifiera dem. Jag avslutade min redogörelse genom att säga att den växande mängd verktyg för inspektion som UNMOVIC hade tillgång till inte garanterade att vi skulle finna alla föremål eller aktiviteter som kunde vara dolda, men att de vittgående maktbefogenheter och det stöd av ett enigt Säkerhetsråd som UNMOVIC fått skulle göra det svårare för Irak att försöka dölja någonting.

USA:s ambassadör, John Negroponte, sa i en kommentar att Irak hade avvisat den chans man hade fått, att deklarationen var en förolämpning mot Säkerhetsrådet och att frånvaron av uppgifter innebar att information uteslutits. Han påpekade särskilt att det inte fanns någon information om mobila fabriker eller om anskaffande av uran och att man förnekade att obemannade spaningsrobotar, UAV:s, hade något med spridning av biologiska stridsmedel att göra. Han sa sammanfattningsvis att Irak hade presterat ytterligare ett väsentligt brott mot sina förpliktelser. (Under ockupationen efter kriget har vi fått veta att de mobila anläggningar som ambassadör Negroponte antagligen syftade på tycks ha använts snarare för framställning av väte än för att tillverka biologiska stridsmedel. Talet om anskaffande av uran tycks ha varit baserat på ett kontrakt som visade sig vara en förfalskning och man har fått reda på att de obemannade robotarna, UAV:s, skulle ha använts i övervakningssyfte och inte för att sprida biologiska stridsmedel.) Den franske ambassadören påpekade att det inte fanns mycket ny information i deklarationen och att inspektionerna fortfarande befann sig i ett inledningsskede. Den ryske ambassadören sa att USA inte hade lagt fram några bevis som stödde dess påståenden och ambassadören från Mexiko menade att han inte kunnat finna tecken på att Irak hade massförstörelsevapen, men att han faktiskt inte heller såg några bevis för motsatsen.

Antalet FN-inspektörer blir större – och det blir också USA:s väpnade styrkor

Analysen av deklarationen fortsatte efter mötet i Säkerhetsrådet den 19 december. Vi fortsatte att bygga upp UNMOVIC:s kapacitet med fler utbildade inspektörer, utrustning och helikoptrar. Vi hoppades ha ungefär hundra inspektörer i Irak vid slutet av året – fler än vi ursprungligen hade tänkt men mycket färre än vad USA hade velat. Vi ville att uppbyggnaden skulle ske organiserat så att det inte blev kaos.

Medlemmarna av Säkerhetsrådet – inklusive Frankrike och Ryssland – var besvikna över att Irak inte hade kommit med några betydelsefulla nya bevis. Kofi Annan ringde mig den 21 december efter ett möte i Washington angående Mellanöstern. Colin Powell hade sagt att han varit nöjd med det sätt på vilket UNMOVIC och IAEA hade behandlat deklarationen. Blix var lika pålitlig som en Volvo, hade han sagt. Eftersom jag var medveten om att en av Powells favorithobbyer är att meka med Volvomotorer, tog jag detta som beröm.

Under tiden fortsatte USA:s militära uppladdning och den var verkligen av en helt annan storleksordning än ökningen av antalet vapeninspektörer. Man trodde att USA:s styrkor skulle uppgå till ungefär 100 000 man i slutet av januari. Amerikanerna kunde inte märka att irakierna "bröt samman" eller kom med några bekännelser inför det växande militära hotet. Inte heller fanns det något entydigt *casus belli* – någon anledning att förklara krig. Detta måste ha bekymrat dem. I min dagbok skrev jag på nyårsafton följande:

> Det har varit ett intensivt år. Inspektioner måste vara och måste betraktas som ett alternativ till, inte ett förspel till, väpnat anfall. Jag tror inte att USA har bestämt sig för att gå till angrepp även om man tar alla steg i den riktningen. USA vill skrämma irakierna. Och om irakierna inte samarbetar så mycket som möjligt, kommer USA kanske att anse att vapeninspektioner är en hopplös väg att gå. Det finns troligtvis en rörelseriktning när man samlar ihop stora trupper. Kan Bush utan att förlora ansiktet låta bli att släppa loss den hoppressade fjädern? Han kommer att behöva ett tydligt agerande från irakiernas sida för att lyckas hålla kvar fjädern.

Utvecklingen under januari

December 2002 hade varit en månad då vi, i viss mån i samarbete med irakierna som bland annat snabbt hade låtit oss få tillgång till alla de anläggningar som UNMOVIC ville inspektera, i hög grad hade byggt upp vår inspektionsstyrka. Januari 2003 blev en månad med nedskruvade förväntningar och ökad spänning.

Inom UNMOVIC hade vi nog intrycket av att den positiva attityd som Irak visat i fråga om förfaringssätten sammanföll med en mindre tillmötesgående attityd vad gällde innehållet. En del av de krav vi kom med i samband med inspektionerna utnyttjades för köpslående och för att få något i gengäld. När vi till exempel krävde att få använda amerikanska U 2-plan för övervakning bemöttes vi med förslaget att vi skulle hjälpa Irak att skaffa modernare radarutrustning till irakiska flygplatser. Irak gjorde ingenting spontant för att visa världen att man nu verkligen ville samarbeta med vapeninspektörerna och rätta till tidigare fel. För det mesta mottogs våra inspektörer korrekt men misstänksamt. Man beklagade sig offentligt över bagateller. Vi var inte tillbaka i katt-och-råttaleken, men vi tycktes inte komma närmare en lösning av frågan om vapen, något som jag trodde var nödvändigt för att undvika krig.

Från USA:s sida fortsatte den militära uppladdningen och förväntningarna på att vapenmakt skulle användas växte sig allt starkare. Men trots att USA redan hade dragit slutsatsen att Iraks deklaration var otillräcklig och att landet inte rättade sig efter resolution 1441, tycktes man vilja vänta på den uppdatering som jag och Mohamed ElBaradei skulle presentera för Säkerhetsrådet den 27 januari, sextio dagar efter den första inspektionen.

Mötet i Säkerhetsrådet den 9 januari 2003

Under förberedelserna inför uppdateringen den 27 januari hade Säkerhetsrådet bett Mohamed ElBaradei och mig att hålla en informell genomgång som ägde rum den 9 januari. Nu hade alla Säkerhetsrådets medlemmar haft tid att analysera deklarationen och både Mohamed ElBaradei och jag var där för att kommentera den grundligare än vad som hade varit möjligt i december.

I det anförande jag hade förberett konstaterades att vi inte nekats tillträde någonstans och att man inte hade hittat någon ”rykande pistol” – det vanliga uttrycket för otvetydigt förbjudna föremål eller aktiviteter. Jag uttalade min besvikelse och sa att vårt intryck totalt sett var att deklarationen var ”omfångsrik men praktiskt taget helt saknade nya uppgifter och bevis i vapenfrågorna”. Jag undrade – men jag formulerade inte frågan – om man var tillbaka i de gamla brottningsmatcherna, om man återigen måste pressa fram förklaringar.

Jag sa att UNMOVIC inte kunde påstå att det existerade förbjudna föremål eller aktiviteter i Irak, men frånvaron av fynd vid de anläggningar vi hade inspekterat var ingen garanti för att sådana föremål och aktiviteter inte kunde finnas på annat håll. Och om de fanns, måste de deklareras och förstöras under övervakning av oss. Detta var en mening jag skulle komma att upprepas många gånger. Den stod i kontrast till USA:s och Storbritanniens bestämda påstående att förbjudna föremål och aktiviteter verkligen existerade och skulle kunna tas i bruk nästan omedelbart.

Vid den här tidpunkten frågade media mig ibland vad jag innerst inne trodde om vapen i Irak. Jag vägrade envist att besvara sådana frågor, utan sa helt enkelt att mitt arbete som chef för FN:s vapeninspektörer inte handlade om att gissa utan om att presentera fynd som grundas på inspektion eller analys. Om jag som jurist såg på det material vi hade framför oss kunde jag inte utesluta möjligheten att irakierna hade förstört både vapen och dokument och att ingenting eller lite fanns kvar. Men mina innersta känslor, som jag behöll för mig själv, sa mig att Irak fortfarande sysslade med förbjudna aktiviteter och hade kvar förbjudna föremål, och att man hade dokument som bevisade det.

Frånvaron av bevis

Även om jag inte uttryckligen citerade USA:s försvarsminister, Donald Rumsfeld, instämde jag med ett uttalande han hade gjort. Han hade sagt ”frånvaron av bevis är inget bevis på frånvaro”. Jag instämde gärna, för uttrycket var både fyndigt och sant och det hände inte ofta att jag höll med Donald Rumsfeld om någonting. Han krävde positiva bevis för att han skulle bli övertygad om att Irak inte hade förbjudna vapen. Visst, det gjorde vi alla, och det var inte många som brydde sig om irakiernas argument, som de hämtat i brottmålslagstiftningen, och som sa att Irak borde anses vara oskyldigt tills motsatsen hade bevisats. Vem skulle vilja presumera att Saddam Husseins regering var oskyldig?

Vapeninspektionerna var inte någon brottmålsrättegång. Det var en process för att omvärlden skulle kunna bli övertygad om att Irak verkligen hade gjort sig av med alla massförstörelsevapen. En person som frikänns vid en rättegång på grund av brist på bevis släpps fri, men han får inte automatiskt samhällets förtroende. För att Irak åter skulle kunna införlivas i världssamfundet måste landet övertyga världen om att man inte hade förbjudna vapen, och man måste göra detta genom att lägga fram bevis för vapeninspektörerna. Om man misslyckades med det kunde inspektörerna inte genast dra slutsatsen att det fortfarande fanns vapen där. Men de kunde heller inte utesluta möjligheten och resultatet skulle bli att världen inte skulle lita på att det inte fanns några vapen. Sedan var det en annan sak att många människor inte tycktes ha några svårigheter att presumera Iraks skuld, med tanke på regimens tidigare uppträdande. Här följde jag inte med. Jag ville inte ha några presumtioner alls.

I mina samtal med irakierna och i de tal jag höll förklarade jag att bevisen kunde vara av mycket varierande slag, till exempel budgetar, skuldbrev, produktions- och destruktionsförteckningar, trovärdiga utfrågningar av välunderrättade personer – men inte enbart uttalanden och deklarationer från regeringen. Trots att man från irakiernas sida verkligen fann några nya dokument och visade upp andra som man tidigare hade vägrat att ge till UNSCOM, kom det på det hela taget inte fram någon ny dokumentation som hjälpte till att lösa olösta problem. Under den sista perioden av våra inspektioner fick vi namn på personer som skulle ha kunnat utfrågas och vars vittnesmål skulle ha kunnat underlätta – men då var det för sent för att det skulle göra någon nytta.

USA och Storbritannien var redan klara med sina slutsatser. Eftersom Irak hade misslyckats med att framlägga relevant dokumentation hade man gjort sig skyldig till ”försummelse”. I resolutionen stipulerades att konsekvenserna för detta, liksom för oriktiga försäkringar, skulle vara stränga. Eftersom de kanske hade en känsla av att deras sak inte var särskilt stark agerade de ännu inte kraftfullt för slutsatsen att Irak ytterligare ”väsentligt hade brutit” mot sina åtaganden. Jag kunde inte låta bli att undra vad som skulle hända om Irak faktiskt inte hade mer skriftliga bevis. Hemska tanke, kunde det utgöra en ”försummelse” att förneka att man hade dokument som man inte hade?

Tidsramarna i resolutionerna

I min redogörelse den 9 januari sa jag att jag förstod att Säkerhetsrådet ville ha tätare rapporter. Oskyldigt nämnde jag också att i enlighet med resolution 1284 (1999), där man inrättade UNMOVIC och fastställde riktlinjer för organisationens arbete, skulle nästa kvartalsrapport lämnas först den 1 mars 2003. Inspektionerna hade inte börjat den 8 november 2002 när resolution 1441 antogs, och de upphörde inte heller i och med uppdateringen den 27 januari 2003. I enlighet med den äldre resolutionen skulle UNMOVIC i slutet av mars framlägga förslag till ett handlingsprogram där återstående viktiga avrustningspunkter togs upp.

Av USA:s ambassadör Negropontes kommentar till mina påpekanden framgick att USA inte ville höra talas om någonting som låg så långt fram i tiden. Han sa att Säkerhetsrådet nu behandlade Iraks ”sista möjlighet”, som de fått i den nyare resolutionen 1441. Vi skulle inte tillåta oss att ”glida tillbaka” till de makliga tidsramarna i resolution 1284. Man var medveten om att klockan i Washington ställts efter den senaste resolutionen och nu tickade snabbt.

I UNMOVIC arbetade vi efter de tidsramar som uppställts av alla Säkerhetsrådets resolutioner och var tvingade att söka jämka samman dem. De två resolutionerna – en från december 1999 och den andra från november 2002 – gällde parallellt, men de representerade olika synsätt och skilda sätt att påverka Irak. Under slutet av 1999 hade Säkerhetsrådet varit splittrat i Irakfrågan och man var dessutom trött på den efter nio år utan hopp om någon tillfredsställande lösning. De ekonomiska sanktioner som skulle tvinga fram den avrustning som krävdes, var ifrågasatta av en allt mer kritisk opinion bland regeringar och allmänhet. Säkerhetsrådet beslöt alltså att söka en annan utväg ur dödläget och höll fram nya morötter för Iraks regering. Irak skulle inte tvingas redogöra för alla gamla avrustningsfrågor. Om de återstående viktiga avrustningsfrågorna löstes och följdes av en period med uppriktigt samarbete skulle sanktionerna hävas. Även därefter skulle inspektion och övervakning fortsätta, fram tills Säkerhetsrådet bestämde annorlunda. Om inspektörerna rapporterade att samarbetet inte fungerade skulle sanktionerna enligt bestämmelserna börja gälla igen. Det handlade om återhållandets politik: man skulle fortsätta med effektiva inspektioner och övervakning och förhoppningsvis vara redo att reagera om Irak gjorde några utbrytningsförsök.

Den nya resolutionen hade däremot antagits ungefär ett år efter terroristattacken mot USA den 11 september. Tröttheten från 1999 var försvunnen och USA:s vrede hade utplånat alla marginaler av tolerans. Vartenda avsteg från resolutionens stränga krav skulle omedelbart rapporteras; det kunde kanske utgöra ett ”väsentligt brott” och leda till väpnat ingripande. Återhållande och morötter var inte längre aktuellt, nu var det piskan som gällde.

Vi trodde att USA:s militära upptrappning skulle göra irakierna mer samarbetsvilliga. Det var emellertid Säkerhetsrådet som måste bestämma om man skulle ta till piskan eller fortsätta med inspektioner i hopp om att en kombination av militära påtryckningar och inspektioner snart skulle leda till att alla massförstörelsevapen förstördes under vårt överinseende.

I min dagbok kvällen efter diskussionen i Säkerhetsrådet den 9 januari gjorde jag följande reflektion:

USA kan komma att stöta på svårigheter. Om vi nekas tillträde eller om vi snubblar över ett lager med VX eller antrax kommer det inte att vara svårt att hävda [att det föreligger ett] väsentligt brott. Men om det inte dyker upp någonting dramatiskt, kommer det att bli svårt för USA att vinna stöd för väpnat anfall. Jag tvivlar på att USA, om man försökte, ens skulle få med sig en majoritet för en resolution som stödde väpnat anfall. Och om man inte får igenom en sådan resolution skulle ett agerande på egen hand få mycket mindre stöd hos den amerikanska opinionen och USA skulle kanske inte heller få tillstånd att marschera upp från Turkiet eller Saudiarabien.

Möte med Condoleezza Rice i New York den 14 januari 2003

Den 14 januari kom Condoleezza Rice, president Bushs säkerhetsrådgivare, till New York och jag fick frågan om jag kunde träffa henne för samtal. I normala fall kommer representanter för regeringarna till tjänstemännen på sekretariatet på samma sätt som ambassadörer i olika huvudstäder går till ländernas utrikesministerier. Jag tog emot många utrikesministrar och till och med en premiärminister på mitt enkla och inte särskilt stora arbetsrum på trettioförsta våningen i FN-byggnaden. Även om jag därifrån hade fin utsikt över den vackra Chryslerbyggnaden, var kontoret så litet att en minister från Irak en gång sa att rummet "inte var stort nog att ryta i".

Vid detta tillfälle hade det antytts att Condoleezza Rices närvaro i FN-byggnaden skulle kunna utlösa spekulationer och att jag, för att undvika detta, skulle komma till ambassadör Negropontes kontor på andra sidan gatan från FN-byggnaden. Det gjorde jag. Ambassadören hade ett trevligt, lagom stort arbetsrum – mycket större än mitt – med utsikt mot FN-byggnaden. För samtal ansikte mot ansikte fanns där två soffor placerade mitt emot varandra och ett antal stolar. Ofta serverades te. Enligt min erfarenhet från tidigare samtal med Rice visste jag att hon stödde sig på rationella argument och inte på den makt som hennes ställning medförde. Det hade jag alltid uppskattat. Hon är intellektuell och vi hade alltid haft mycket uppriktiga diskussioner. De blev aldrig obehagliga, inte heller när de gällde frågor där vi hade olika uppfattning.

Rice reagerade inte påtagligt, så som John Negroponte hade gjort i Säkerhetsrådet, då jag beskrev den tänkbara tidsplanen för Irakfrågan enligt resolutionen från 1999. Kanske hade hon inget behov av att visa vad hon visste, eller också hade hon kanske inte någon känsla av att USA:s tidsplan var fastlåst. Jag lutade åt den senare förklaringen, för jag fick en känsla av att hon inte uteslöt möjligheten att den irakiska regimen skulle ”bryta samman” under det ökade militära trycket och avslöja vilka vapenförråd man hade. Detta var en möjlighet som jag själv hoppades på. Vid denna tidpunkt hade jag fortfarande en känsla av att irakierna hade kvar vissa massförstörelsevapen. Man hade sorgligt nog tidigare på 12 000 sidor missat den chans man fått att deklarera dem. Kanske skulle ytterligare militära påtryckningar fungera? Jag hade inget emot tanken på inspektioner som backades upp av påtryckningar. Men hur långt skulle man våga gå?

Jag talade om de senaste nyheterna från inspektionerna för Rice. Tidigare hade vi haft en känsla av att den amerikanska underrättelsetjänsten inte hade varit särskilt villig att ge oss information om anläggningar som borde inspekteras. I olika intervjuer hade jag sagt att underrättelsetjänsterna var som bibliotekarier som satt på sina böcker och inte ville låna ut dem. Nu hade vi inga sådana klagomål, sa jag. Vi behövde underrättelser som gällde olika anläggningar och det fick vi nu. Vi skulle precis ta itu med två av dem.

Vidare berättade jag att vi fått reda på att Irak illegalt hade importerat raketmotorer, men att motorerna i sig inte utgjorde några massförstörelsevapen. Man hade gjort försök med missiler som hade större räckvidd än de tillåtna 150 kilometrarna. Även om vi inte hade bevis som stödde det, misstänkte vi att Irak var redo att omedelbart sätta igång med produktion av förbjudna vapen. Vi hade ännu inga överenskommelser med irakierna så vi kunde inte utan risk använda de amerikanska U 2-planen. Den lista som irakierna hade gett oss med namn på personer som hade sysslat med förbjudna vapenprogram hade omfattat färre namn än de listor som vi själva hade i våra arkiv, och vi skulle be om kompletteringar. Vi genomförde nyttiga utfrågningar på plats, men förutsättningarna för enskilda samtal i Bagdad var fortfarande oacceptabla och vi hade ännu inte kommit fram till hur vi skulle kunna föra ut personer till Cypern för att tala med dem där. På denna punkt visade Rice, liksom andra från USA:s sida, mycket lite förståelse för våra betänkligheter och betonade att det kanske var det enda sättet att få uppriktiga uttalanden. Jag underströk de reservationer jag hade: även om en vetenskapsman fördes ut tillsammans med sin familj på tolv personer kunde han fortfarande ha en morbror någonstans i Irak vars liv då kunde vara i fara. Dessutom skulle filmbilder i TV-sändningar, som visade hur FN tvingade irakier att lämna sitt eget land för att bli utfrågade, kunna skada FN:s rykte.

Jag var förbryllad över hur massmedia ibland vinklade våra samtal i New York genom att bland annat antyda att Rice mycket bestämt hade sagt åt en FN-tjänsteman vad han skulle göra, till exempel att föra ut irakiska forskare ur Irak för att förhöra dem. Trots att jag ofta fick höra, både av henne och av Colin Powell, vad de ansåg vara önskvärt, hade jag aldrig någon känsla av krav i tonfallet under mina diskussioner med någon av dem. Dessa samtal fördes vid alla tillfällen i artig form och med ömsesidig respekt.

Irakiernas uppträdande

Strax efter mitt möte med Condoleezza Rice gjorde våra inspektörer på plats två viktiga upptäckter. Vid ett besök i ett stort vapenförråd, som hade deklarerats av irakierna och som redan hade inspekterats flera gånger tidigare, fann våra inspektörer en låda med stridsspetsar avsedda för kemiska vapen. Det fanns inga kemiska stridsmedel i dem, men de borde ha deklarerats. Den stora frågan var: var de toppen av ett isberg eller var de rester från det omfattande kemiska vapenprogram man tidigare hade haft? Irakierna inrättade nästan omedelbart en kommission som skulle söka efter ytterligare vapen som man kanske hade ”förbisett”. Ytterligare en del hittades, både av dem och av oss. Var den nya kommissionen uppriktigt menad, eller var den bara till för syns skull? Vi visste inte.

Det andra fyndet var en trave dokument om forskning angående anrikning av uran genom laserteknik och om laserstyrning av några äldre raketmodeller. Den hittades hemma hos en forskare i kärnfysik. Våra inspektörer hade en del svårigheter med att bli insläppta och ute på gatan demonstrerade man mot intrånget i ett privat hem. Det hade kunnat bli värre om det inte i gruppen hade funnits en utmärkt kvinnlig vapeninspektör, Kay Mereish. Det fanns bara kvinnor hemma och vi ville ogärna väcka anstöt genom att sända in manliga inspektörer för att leta. Den stora frågan i det här fallet var om förvarande av dokument i ett privat hem ingick i något allmänt mönster för hemlighållande, som underrättelsetjänster hade hållit för troligt. Eller förhöll det sig helt enkelt så, som irakierna påstod, att en forskare hade tagit hem dokument som han egentligen borde förvara på sitt kontor? Irakierna utsåg ytterligare en kommission med vida befogenheter att leta efter och beslagta relevanta dokument i hela Irak. Återigen undrade om detta var allvarligt menat eller bara en gest.

I dokumenten fanns ingen information om kärnvapenforskning som IAEA inte redan kände till. Både Mohamed ElBaradei och jag själv hade en känsla av att de båda kommissionerna som utsetts kunde vara steg i rätt riktning. Om Irak faktiskt hade undanhållit föremål, vare sig det var vapen eller dokument, och nu ansåg att det höll på att bli alltför farligt att behålla dem och att det var dags att "lämna över" dem, skulle irakierna inte förlora ansiktet i lika hög grad om de själva gjorde fynden. Och vi ville att sanningen skulle komma i dagen, inte att någon skulle förödmjukas. Så här i efterhand måste jag konstatera att de två kommissionerna aldrig gjorde några andra fynd än ytterligare fyra kemiska stridsspetsar som man hittade på ett tidigt stadium.

Irakierna var häpnadsväckande känsliga i sin bedömning av vapeninspektörernas uppträdande. Vid ett tillfälle under den första veckan med inspektioner direkt efter inspektionen av ett "presidentpalats" klagade chefen för National Monitoring Directorate (NMD, den irakiska samarbetsorganisationen), general Hussam Amin, skriftligen över att en inspektör "samtidigt som han promenerade omkring på ett provocerande och opassande demonstrativt sätt" hade sagt att "det verkar inte som om ni har något kemiskt eller biologiskt här, men det är något som luktar". Trots det avslutade general Amin sitt brev till chefen för vårt Bagdadkontor med en försäkran: "icke desto mindre kommer vi att fortsätta samarbeta med er och detta uppträdande [det demonstrativa sättet etcetera] kommer inte att påverka nivån på vårt samarbete".

Irakierna klagade ofta över att de frågor som våra inspektörer ställde var opassande och bara kunde tolkas som provokationer eller försök till spioneri. En inspektör hade bett om telefonnumret till en flygbas och ville bland annat få reda på hur den var organiserad. Vid ett tillfälle avvisades en begäran från en inspektör att få reda på vilka som hade investerat i Ninevah Free Trading Zone. Vi var oroliga för att detta kunde vara ett förebud om en allmänt förändrad inställning som innebar att irakierna ville bestämma vilka frågor som var tillåtna. Det skulle ha varit oacceptabelt. Det var vi som skulle bestämma vilka frågor som var relevanta.

Från vår sida kunde vi, med tanke på att många av UNSCOM:s inspektörer tidigare haft en nära relation med några länders underrättelsetjänster (i synnerhet den amerikanska) och med tanke på möjligheten av ett tidigt militärt angrepp från USA, mycket väl förstå om irakierna inte uppskattade frågor som inte direkt gällde massförstörelsevapen, i synnerhet om de handlade om konventionellt försvar. Vi insåg också att varje fråga som ställdes av de gott och väl hundra inspektörerna inte kunde vara relevant. Det talade vi om för irakierna samtidigt som vi försäkrade dem att vi inte spionerade. Vi vidarebefordrade inga upplysningar till någon regering, inte heller hade vi sett att någon vapeninspektör gjorde det. I så fall skulle han eller hon ha blivit avskedad. Naturligtvis vidtog vi åtgärder för att påpeka för inspektörerna vilka frågor som kunde vara relevanta. Trots att Irak officiellt, till och med på så hög nivå som genom vicepresident Taha Yassin Ramadan, upprepade gånger talade om spionage blev klagomålen ingen allvarlig fråga. Jag hade en känsla av att det obehag man kände inför inspektionerna måste komma till uttryck någonstans och att man från deras sida hela tiden la nya handlingar till den akt som en vacker dag skulle kunna användas om man bestämde sig för att stoppa inspektionerna.

Det förekom en del fall av demonstrationer mot inspektörerna men de var knappast hotfulla. De skedde vid vårt Bagdadkontor, vid ett sjukhus och under inspektionen av det privathem där man fann dokument om kärnvapen. Det mest absurda klagomålet och det som blåstes upp mest och nådde hög nivå gällde några inspektörers besök i en moské i Bagdad, en ren sightseeing. Inspektörerna hade blivit mycket väl mottagna och helt oskyldigt visats omkring. Kort därefter sände emellertid en imam ett meddelande till alla muslimska präster i världen där han kritiserade ”inspektionen” av moskén, och chefen för NMD, den irakiska samarbetsorganisationen, hävdade att man ställt frågor om bland annat underjordiska skyddsrum och moskéns anknytning till regeringen. Jag tvivlade på att vår motpart varit i god tro då man framställde klagomålen och misstänkte att de blåste upp saken eftersom de ville utnyttja en fråga som berörde religionen.

I min uppdatering inför Säkerhetsrådet den 27 januari sa jag att "det knappast är troligt att demonstrationer och utbrott av detta slag förekommer i Irak utan att de uppmuntras av, eller sker på initiativ från, myndigheterna. De underlättar inte ett redan svårt arbete där vi försöker vara effektiva, professionella och samtidigt korrekta. I de fall då vår irakiska motpart har några klagomål, kan de ta upp dem på ett lugnare och mindre obehagligt sätt."

Två viktiga frågor var fortfarande olösta i slutet av januari: våra operationer med hjälp av amerikanska U 2-plan och våra utfrågningar av enskilda personer i Bagdad.

Att flyga med U 2-plan och andra övervakningsflygplan

Mohamed ElBaradei och jag hade i slutet av september 2002 under våra samtal med irakierna i Wien väckt frågan om att använda U 2-plan och andra övervakningsplan. Vi kom inte långt den gången, trots att vår föregångare, UNSCOM, hade använt sådana flygplan och haft etablerade rutiner för hur det skulle gå till. Nu köpte UNMOVIC kommersiella satellitbilder av många anläggningar. Dessa bilder hade hög upplösning och gav oss mycket bra helt färsk information som kunde jämföras med den information om anläggningarna vi hade i vår omfattande databas. Flygplanen färdades emellertid på lägre höjd än satelliterna och de hade vissa möjligheter som satelliterna saknade. Alltså ville vi ha dem. Ett amerikanskt U 2-plan, ett franskt Mirage-plan, ett ryskt AN 30-plan och en fransk eller tysk spaningsrobot skulle dessutom utgöra en synlig politisk demonstration av att vi hade stöd från stormakterna.

Rätten att företa sådana flygningar fanns otvetydigt inskriven i resolutionen från november. Sedan vi försäkrat oss om att USA gick med på att flyga med U 2-plan för vår räkning och att fransmännen och ryssarna också skulle ställa sina specialplan till vårt förfogande, informerade vi irakierna om vilka rutiner vi tänkte följa. De förkastade inte våra planer, eftersom det skulle ha inneburit en kränkning av resolutionen, inte heller ställde de några tydliga villkor, antagligen eftersom de var medvetna om att de måste acceptera resolutionen "villkorslöst". Istället hävdade de att det var de fortsatta dagliga angreppen av USA och Storbritannien i zonerna med flygförbud som orsakade problem. De sa att irakiska luftvärnsenheter måste försvara sig mot dessa dagliga angrepp som inte var sanktionerade av Säkerhetsrådet. För att skydda våra plan måste vi garantera att allierade bombningar i zoner med flygförbud drogs in när våra övervakningsplan befann sig i luften. Dessutom skulle Irak behöva vår hjälp för att kunna skaffa modern civil radarutrustning till Basra och Mosul, även detta för att inte riskera våra övervakningsplan.

Om Irak sköt ner ett U 2-plan i UNMOVIC:s tjänst skulle USA säkert betrakta det som ett tydligt tecken på trots. Å andra sidan skulle irakierna förstå att om de sköt ner ett amerikanskt U 2-plan skulle det, trots triumfen med tanke på de förödmjukande zonerna med flygförbud, med största sannolikhet utlösa ett krig. De skulle säkert helst undvika att göra det. Antagligen spelade de poker med oss för att få något från oss på grund av vår begäran, men de hade dåliga kort. Men tänk om det skulle råka inträffa "olyckor" på grund av skjutglada irakiska försvarsstyrkor?

Trots att jag hade ett intryck av att USA nog skulle ha sänt U 2-plan för vår räkning även utan irakiska försäkringar om att det kunde göras utan risk, ville vi minimera riskerna för angrepp och därför drog diskussionerna ut på tiden. Det stod klart att Iraks ståndpunkt i denna fråga hade förts upp på en nivå ovanför min motpart. Den hade samband med Iraks motstånd mot de zoner med flygförbud som USA och Storbritannien upprätthöll. Regimen ville använda U 2-planen som en hävstång för att öppna frågan om flygförbudszonerna. Det var lönlöst. Det som gällde övervakningsplan hade fastslagits i resolutionen. Jag märkte emellertid att motståndet tycktes försvagas något när vi talade om våra planer på att använda franska och ryska övervakningsflygplan förutom de amerikanska. Det var som om förödmjukelsen blev något mindre om närvaron av amerikanska plan späddes ut med flygplan från länder som inte var lika fientliga.

Så småningom – men inte förrän i februari – löstes frågan om övervakningsplan. Flygförbudet i vissa zoner skulle inte upphävas och inte heller skulle Basra och Mosul få någon radarutrustning. Vi skulle följa samma rutiner som UNSCOM hade gjort. Innan vi blev tvungna att dra in våra inspektioner i Irak hann vi med att göra ett antal flygningar på hög höjd med amerikanska U 2-plan men bara en med ett franskt Mirage-plan – på lägre höjd. Det ryska AN-planet som skulle ha flugit allra lägst och som kunde genomföra övervakning även nattetid anlände så sent att vi inte fick tid att använda oss av det. Ryssarna hade till att börja med bett att få betalt för att låta oss använda deras plan och det hade vi inte gått med på eftersom de andra flygplanen var gratis. Inte för att vi hade några ekonomiska problem. Det var pengar från de irakiska oljefyndigheterna som betalade räkningarna. Vi försökte emellertid alltid hålla nere kostnaderna. Efter viss diskussion och ett ingripande på hög politisk nivå i Moskva berättade ambassadör Lavrov att den ryska regeringen hade lovat att tillhandahålla planet gratis. Nu var frågan var vi skulle stationera planet. I Kuwait ville man inte ha det. Jag skulle tro att de tyckte det räckte med den enorma amerikanska militära uppladdningen på sitt territorium. När problemet löstes genom att Syrien sa sig vara villigt att hysa det ryska planet, hade det dröjt så länge att det var för sent.

Problemet med utfrågningar i Bagdad

UNMOVIC mötte motstånd från de irakiska myndigheterna också med anledning av en annan uppgift som vi fått genom resolutionen i november, nämligen att genomföra utfrågningar med enskilda personer. När Mohamed ElBaradei och jag första gången tog upp ämnet under våra samtal i Wien i slutet av september 2002, innan resolutionen hade antagits, hade vår irakiska motpart sagt att de inte såg några problem med att vi frågade ut enskilda irakiska vetenskapsmän eller annan personal. De tillade oskuldsfullt att det naturligtvis var upp till var och en att bestämma om han eller hon ville bli utfrågad. De sa att det tidigare hade hänt att de som blivit utfrågade hade känt sig trakasserade av förhörsledarna från UNSCOM och att de ibland hade blivit missförstådda. Av denna anledning skulle kanske de som blev utfrågade vilja ha representanter från de egna myndigheterna närvarande så att dessa kunde rätta till alla missförstånd. Detta var inte ovanligare, ansåg de, än att folk ville ha sällskap av någon tjänsteman från sitt konsulat när de skulle vittna i ett främmande land.

Vi påpekade att det ibland hade varit en hel mängd officiella irakiska ”beskyddare” närvarande under de utfrågningar som UNSCOM genomförde, och att vittnena helt klart snarare blivit skrämda och trakasserade av dessa än av UNSCOM-folket. Vi hade fått reda på att beskyddarna ofta hade avbrutit vittnena och talat om för dem att de mindes fel och att de hade missförstått.

Våra resultatlösa diskussioner i denna fråga föregående år i Wien hade avgjorts genom FN-resolutionen som tydligt stipulerade att vi hade rätt till enskilda samtal med vilka personer vi ville, alltså utfrågningar utan närvaro av irakiska beskyddare. Detta löste inte frågan helt och hållet. När vi började kalla folk till utfrågningar i Bagdad vägrade de att komma till vårt kontor och envisades med att de ville ha irakiska vittnen eller i alla fall få ta upp utfrågningen på band. När vi hade funderat på båda dessa krav insåg vi att de troligtvis gick tillbaka på instruktioner från irakiska myndigheter och att vi därför måste avslå dem. Men hur skulle vi kunna förmå folk att komma och att tala om de vägrade? Skulle vi helt enkelt kunna beordra vår motpart, National Monitoring Directorate, att föra den person vi ville höra till oss och se till att han eller hon var beredd att tala utan vittnen eller bandspelare? Detta var faktiskt det råd vi fick från de amerikanska myndigheterna. Om det inte fungerade skulle Irak ha brutit mot resolutionen. Naturligtvis skulle en totalitär stat inte ha några svårigheter att överlämna personer till oss. Men kunde FN tillåta sig att dra nytta av en totalitär stats okontrollerade makt? Utan att säga att vi ville göra det, talade vi om för irakierna att vi skulle se mycket allvarligt på saken om vi inte kunde utöva de rättigheter vi fått av Säkerhetsrådet. Dessutom skulle utfrågningarna gynna dem, sa vi, om de inte hade någonting att dölja, och göra det i ännu högre grad om deras trovärdighet hade ökats genom frånvaron av irakiska myndigheter och bandspelare.

Före slutet av januari hade man från Iraks sida lovat att man skulle "uppmuntra" folk att gå med på våra önskningar att få fråga ut dem, och efter en period då vi skickat hem vittnen om de begärde att få ha en "god vän" närvarande eller en bandspelare igång, lyckades vi i några få fall genomföra enskilda utfrågningar. Några av dessa samtal var upplysande men vi inbillade oss aldrig att personerna talade fritt.

Frågan om att ta med vetenskapsmän eller andra personer som skulle kunna ha information av intresse för oss och fråga ut dem utanför Iraks gränser, var kontroversiell från den stund den dök upp i det första förslaget i det som skulle bli novemberresolutionen och ända till dess att inspektionerna drogs in. Även om det i resolutionen talades om saken som en befogenhet och inte som en skyldighet för UNMOVIC blev USA allt mer angeläget om att befogenheten skulle utnyttjas. Andra medlemsstater var lika skeptiska som vi. Motiverades USA:s enträgna begäran av en övertygelse om att detta skulle kunna vara ett sätt att skaffa fram relevant information? Eller var syftet att man ville hjälpa vissa personer att hoppa av, eller ville man kanske provocera fram ett avslag från den irakiska regeringen? Utfrågningar av irakiska vetenskapsmän under ockupationen pekar på att några av dem kanske inte skulle ha velat lämna sitt land medan andra inte skulle ha vågat resa. Detta var ett av de få tillfällen då jag upplevde starka påtryckningar från USA.

En balansräkning i mitten av januari och ett samtal med Kofi Annan

Mohamed ElBaradei och jag blev inbjudna till Bagdad för att få en överblick av läget och för att lösa kvarvarande praktiska problem före uppdateringen i Säkerhetsrådet som skulle ske den 27 januari. Vårt besök var inplanerat till den 19 och 20 januari. Före den resan hade vi ett antal viktiga möten.

Strax innan jag lämnade New York hade jag ett långt samtal med Kofi Annan. Vi diskuterade tidsplanerna i de två aktuella resolutionerna från Säkerhetsrådet och upptäckte att det snarare var Säkerhetsrådet än UNMOVIC som drabbades av att klockorna gick olika fort. Den rapport som jag för UNMOVIC:s räkning skulle ge Säkerhetsrådet den 27 januari angående ännu olösta avrustningsproblem, illegal import och om hur samarbetet hade fungerat skulle inte utgöra slutet på UNMOVIC:s arbete.

Det var Säkerhetsrådet som skulle fundera över våra rapporter och över vilka möjligheter man hade. Jag talade om för Kofi Annan att jag ansåg att valet stod mellan avrustning genom inspektion *eller* avrustning genom krig. Fortsatta inspektioner uppbackade av militära påtryckningar och följda av övervakning under lång tid skulle kanske kunna få Irak att klämma fram sanningen, leda till säker avrustning och förhindra att man återupptog eventuella vapenprogram. Svårigheten var att under lång tid kunna behålla tillräckligt starkt tryck för att Irak skulle hålla sig i schack. Det fanns naturligtvis en risk att Irak en vacker dag kastade ut inspektörerna, något som skulle vara både dramatiskt och tydligt, eller att man inskränkte på inspektörernas verksamhet, något som kunde ske gradvis. På lång sikt skulle dessa risker öka om Säkerhetsrådet tröttnade och tappade intresset. USA:s administration tyckte inte om återhållandets politik. Det var inte bara medlemmarna i Säkerhetsrådet utan också Irak som måste välja mellan inspektioner och väpnad intervention. ElBaradei och jag skulle tala om för Bagdad att man måste handla nu och inte sätta upp futtiga hinder, som till exempel frågan om spionage.

Vid mitt möte med Kofi Annan diskuterade jag också min önskan att få göra Dimitri Perricos till min ställföreträdare. Jag ville få Kofi Annans stöd i detta. Dimitri Perricos hade mycket stor erfarenhet från inspektionerna 1991 i Irak, från inspektioner och tvister i Nordkorea och från att ha varit med om att montera ner Sydafrikas kärnvapenprogram. Han var chef för vår operativa avdelning och hade nu ansvar för all personal i New York som planerade våra operationer och för den personal som genomförde operationerna ute på fältet. Han hade presterat enormt och med stor kraft. Han var förstås ingen lättsam person och det hände inte sällan att han skrämde folk med sina bitande argument. Dimitri Perricos tvekade aldrig att säga emot mig, men han var i allmänhet försiktigare mot mig än mot andra. Ingen hade någonsin sett honom sakna kompetens, omdöme eller energi. Jag brukade säga att han hade det jag saknade i fråga om otålighet. Inte nog med att jag respekterade honom, jag tyckte dessutom om honom, och gör det fortfarande, och det gladde mig att Kofi Annan gick med på att utnämna honom till min ställföreträdare. Han förtjänar verkligen den rangen och han behövde den, i synnerhet i sina relationede med irakierna. När jag slutade sommaren 2003 gjorde Kofi Annan helt rätt i att utnämna Dimitri Perricos till chef för UNMOVIC.

6

Bagdad tur och retur

På morgonen den 17 januari åkte Mohamed ElBaradei och jag till Élyséepalatset, eskorterade av en svärm motorcykelpoliser, för att träffa president Chirac. Mitt intryck av mannen som vid denna tidpunkt hade blivit känd som en stark motståndare till väpnat angrepp mot Irak, var att han var en kraftfull yrkespolitiker genomsyrad av principfast retorik och det något mindre principfasta dagliga agerandet i den franska politiska världen. Jag kom inte dit med något övermått av beundran, men åkte därifrån med en känsla av att den franske presidentens inställning i Irakfrågan kanske inte i första hand var präglad av en önskan att vara fredssymbol eller (något som skulle ha varit begriplig hos en politiker i vilket land som helst) att representera en stark majoritet av sina väljare. Hans sätt att tänka tycktes snarare vara grundat i en övertygelse om att Irak inte utgjorde något hot som skulle göra en väpnad intervention berättigad.

I min genomgång sa jag att situationen var spänd. Iraks samarbete – som bland annat gick ut på att omedelbart lämna tillträde – gällde snarare tillvägagångssätt än innehåll. Hittills hade Irak gjort få uppriktiga ansträngningar för att lösa de avrustningsfrågor som fanns kvar. Flera länders underrättelsetjänster, däribland den franska, var övertygade om att det fortfarande fanns massförstörelsevapen i Irak, men det fanns inga bevis som styrkte det. Det var möjligt att mobila laboratorier och underjordiska fabriker existerade. Detta måste undersökas. Det var också möjligt att relativt få massförstörelsevapen fanns kvar. Hur som helst behövde vi mer tid för att kunna bringa klarhet i ett antal frågor.

Chirac sa att Frankrike inte hade ”allvarliga bevis” för att Irak fortfarande hade förbjudna vapen. Eftersom jag hade träffat folk från den franska underrättelsetjänsten konstaterade jag med stort intresse att Chirac inte delade deras uppfattning om Irak. Ibland händer det att underrättelsetjänsterna ”förgiftar varandra”, sa han. Personligen trodde han inte att Irak hade massförstörelsevapen. Enligt hans åsikt hade vapeninspektionerna fram till 1998 avslöjat en hel del och faktiskt avrustat Irak. Detta bevisade att inspektioner kunde vara en effektiv metod. Ett krig var den allra sämsta lösningen. Det skulle underblåsa de västfientliga stämningarna i den muslimska världen. Frankrike var inte redo att låta sig dras in i något krig. Endast Säkerhetsrådet hade rätt att besluta om ett militärt ingripande.

Mohamed ElBaradei sa att närvaron av vapeninspektörer avskräckte Irak från att återuppta det vapenprogram landet kunde ha. Systemet med internationella inspektioner var i fara om inspektionerna nu åsidosattes i Irak och man inte fick tid att uppnå målen. Det fanns ingen anledning att tro på Iraks oskuld, men det behövdes också morötter, inte bara piskor. Irak måste bli mer positivt och samarbeta aktivt och fullt ut. Det var kanske en besk medicin för Irak att svälja, men det var nödvändigt. Det oroade ElBaradei att Irak kallade vapeninspektörerna för ”spioner”, att man inte hade tillåtit utfrågningar i enrum och att man ännu inte hade antagit en lag som gjorde tillverkningen av förbjudna vapen olaglig.

Innan vi gick ner för att möta pressen sa Chirac att Saddam Hussein var ”inlåst i en intellektuell bunker”. Hans omgivning vågade inte tala om sanningen för honom: ett krig skulle oundvikligen leda till att han försvann. Han måste göra några positiva gester. Det skulle kanske vara obehagligt för honom, men mycket mindre obehagligt än ett krig.

På väg ner till en intensiv presskonferens noterade jag i en korridor som vi passerade en låg, tillfällig pelare där det på ena sidan fanns en affisch för Coca-Cola. I presidentens palats! Jag kunde inte låta bli att oskuldsfullt fråga president Chirac om det rörde sig om modern fransk popkonst. Han tycktes totalt likgiltig för att denna genomamerikanska symbol fanns här, och förklarade att det hade något att göra med en välgörenhetsbasar för barn. Under presskonferensen verkade han fortfarande lika avslappnad medan han lyssnade till de svar jag gav på franska, men jag kunde inte avgöra om hans hållning var låtsad eller äkta.

Efter ett kort möte med utrikesminister Dominique de Villepin på franska utrikesministeriet skildes Mohamed och jag. Han skulle resa till Larnaca via Wien, där han hade sin bas, medan jag skulle resa dit via London, där jag skulle träffa premiärminister Blair. Jag blev nervös då jag upptäckte att jag skulle hämtas i centrala Paris endast fyrtio minuter före planets avgång, men förbluffades över hur snabbt vi kunde förflytta oss genom Paris. På motorvägen var vi eskorterade av motorcykelpoliser som uppförde sig som om de befann sig i en cirkusmanege. Jag måste erkänna att jag inte är förtjust i att inflytelserika personer transporteras i så hög fart att andra måste flytta på sig, om det inte är av säkerhetsskäl.

När vi kom till Heathrow fördes vi av brittiska säkerhetsvakter snabbt genom tullen till en bil och fick under färden till Checkers, den brittiske premiärministerns lantställe, en kort sammanfattning av läget. Väl framme hälsade Tony Blair glatt på oss men ville helst byta om från joggingoverall före mötet, trots att jag protesterade och sa att det inte alls behövdes. Vi bjöds på te och något som jag inte hade smakat sedan jag var student i Cambridge för nästan femtio år sedan: crumpets. Det är ett slags förädlade muffins. En bra start och en smula mindre formellt än mötet med president Chirac.

Jag började med en sammanfattning som var ganska lik den i Paris. Vi måste få mer aktivt samarbete från irakiernas sida. Den omfattande deklarationen som lämnats den 8 december hade inte innehållit information som löste några avrustningsfrågor. Vi hade ännu inte lyckats arrangera utfrågningar utan att den som blev utfrågad kände att han eller hon riskerade sin säkerhet. Vi hade funnit illegalt importerade raketmotorer och helt nyligen elva tomma stridsspetsar avsedda för kemiska stridsmedel samt i en privatbostad en bunt dokument om kärnforskning. Det var fakta vi måste titta närmare på, men innan dess ville jag inte göra någon stor affär av dem. Vi gick inte in på detaljer mer än att premiärministern sa att han trodde frågan med utfrågningar i enrum av irakier var viktig. Jag undrade i mitt stilla sinne om han verkligen trodde att detta var en framkomlig väg för att få information eller om han – och USA – trodde att det var en fråga där Iraks regim kanske skulle sätta sig på tvären, något som man därmed skulle kunna kalla ett brott mot resolutionen, ett väsentligt brott?

Blair sa att han var bekymrad över ”de utdragna tidsramarna”. Om det inte inträffade något särskilt och om vapeninspektörernas fynd var av ”mindre intresse” skulle det kunna bli ett problem. De militära påtryckningarna var ett viktigt sätt att få Irak mer samarbetsvilligt – det höll jag med om – men USA kunde inte under flera månader behålla sysslolösa trupper i området. Det var Iraks plikt att samarbeta aktivt och tala om vad man hade. Irakiernas ovilja att göra det kunde inte tolereras. Och vilket budskap skulle det förresten sända till ett land som Nordkorea om världssamfundet, efter månader av föga tillfredsställande samarbete med vapeninspektörerna, tog tillbaka den tydliga signal som Irak hade fått av Säkerhetsrådet och som hade förstärkts av ett trovärdigt militärt hot? Om Irak även i fortsättningen visade bristande vilja till ”uppriktigt samarbete” måste nog ett allvarligt beslut fattas omkring den 1 mars.

Jag var inte säker på om detta återspeglade en överenskommelse mellan USA och Storbritannien eller om premiärministern trodde att om jag visste hur han tänkte, skulle också jag några dagar senare måla upp en tillräckligt hotfull bild för min motpart i Bagdad – en bild som kanske skulle påverka regimen till ett aktivare samarbete. Det slog mig också av hans sätt att resonera att den fruktansvärda brutaliteten och ondskan hos regimen i Bagdad vägde mycket tungt vid hans överväganden.

Det skräckvälde som utövades av Saddam Husseins regim var förvisso ökänt och väldokumenterat, inte minst genom officiella rapporter till FN:s generalförsamling. Men de argument för ”regimskifte” i Irak som både Clinton- och Bush-administrationerna hade angivit var aldrig att en sådan regim över huvud taget inte kunde tolereras i världen, utan främst att en sådan förändring var det bästa sättet att försäkra sig om att alla massförstörelsevapen försvann. Om den främsta drivkraften bakom en väpnad intervention var regimens skräckvälde skulle de ha tvingats fråga sig om de tänkte förändra *alla* terrorregimer. Kanske kände sig emellertid Blair och Bush, som båda var troende, styrkta i sin politiska beslutsamhet av känslan av att de bekämpade det onda, inte bara spridningen av massförstörelsevapen. När man inte heller lyckats finna några massförstörelsevapen i Irak efter ockupationen har de två ledarna inte överraskande koncentrerat sig på terrorargumentet, som de kanske känt starkt för men som de inte särskilt lyft fram före det väpnade angreppet.

När jag svarade Tony Blair tog jag inte upp Saddams terrorvälde utan sa bara att man inte kunde utesluta risken att Irak under en lång period skulle "låtsas samarbeta". Om Irak å andra sidan utvidgade samarbetet så att det blev aktivt och fullständigt, skulle vi ganska snart kunna göra stora framsteg och då rörde det sig bara om månader.

Efter vårt samtal var Blair vänlig nog att ta med mig och Torkel Stiernlöf, min assistent, på en rundvandring i huset. Han visade mig den målning av Rubens som Churchill hade försökt förbättra med några penseldrag, något man inte hade upptäckt förrän den skickades bort för att bli restaurerad. Det var ett vänskapligt och koncentrerat möte. Frågan om underrättelseverksamhet kom inte upp den här gången. Det skulle den göra längre fram.

Via Larnaca till mötet i Bagdad

Lördagen den 18 januari, dagen efter mitt samtal med Tony Blair, flög vi till Larnaca på Cypern för att återförenas med ElBaradei. Sedan skulle vi tillsammans flyga därifrån till Bagdad. Jag bodde på det trevliga och ganska blygsamma Flamingo Beach Hotel, där vi hade upprättat ett kontor med flygplatsen inom bekvämt räckhåll. Hotellets namn passade bra, eftersom det fanns många flamingor i den grunda sjön i närheten. Jag fick lära mig att fåglarna är röda för att de äter skalen hos koschenillskalbaggarna. Även om jag inte kände till just det, visste jag genom mitt intresse för orientaliska mattor att man använder koschenill för att få fram den djupröda färg som man ser i många mattor.

För ägaren till Flamingo Beach Hotel gick det strålande, först i och med vapeninspektionerna och sedan i och med kriget i Irak. Under vintersäsongen kommer det inte många turister hit, men från oktober 2002 hade det vällt in FN-tjänstemän och inspektörer på hans hotell. Den period då ett stort antal inspektörer flög till och från Bagdad varade bara en kort tid efter det att man dragit in inspektionerna i mars, men vi hade kvar vårt kontor på hotellet och de tjänstemän som skötte det fortsatte att komma. Dessutom hade många andra FN-organisationer, som var aktiva i Irak efter kriget, personal som bodde på Flamingo.

Mohamed ElBaradei och jag kom till Bagdad söndagen den 19 januari. Vi åkte in till den dammiga, nedslitna staden och tog in på bekväma Rasheed Hotel, där vi försökte att inte trampa på president Bush senior, som tittade upp ur mattan i hotellets entré. Samma eftermiddag hade vi vårt första sammanträde på utrikesministeriet. Den irakiska delegationen leddes av Amir Al-Sa'adi, som vi kände väl sedan tidigare samtal.

När jag inledde mötet sa jag att vi kom med färska intryck från FN i New York, från EU i Bryssel och från möten i Moskva, Paris och London. Vi kunde rapportera att alla upplevde situationen som mycket spänd. Vi hade fått i uppdrag att uppdatera Säkerhetsrådet den 27 januari och man skulle då lägga stor vikt vid vad vi hade att säga. Vidare sa jag att jag inte trodde att ett krig var oundvikligt, men att det fanns stor risk för det. Trovärdig avrustning som kunde verifieras genom inspektion var ett alternativ till krig, inte en upptakt till det. Säkerhetsrådet måste genom vapeninspektörerna bli övertygat om att Irak var avrustat, och för att inspektörerna skulle bli helt säkra på det, krävdes öppenhet och bevis. Vi hade inga förutfattade meningar om skuld eller oskuld. Vi behövde aktivt – eller med ett modernt uttryck *proaktivt* – och uppriktigt samarbete. Inget schackspelande! Inspektionerna var inte ett straff utan en möjlighet som Irak borde ta tillvara. Flera praktiska problem måste lösas snabbt. Vi måste fritt kunna flyga med helikoptrar i zonerna med flygförbud samt använda U 2-plan. Antalet övervakare som var närvarande vid inspektionerna måste minska. I vissa fall hade det gått fem irakiska övervakare på en vapeninspektör. Det var detsamma som trakasserier. Vi behövde något slags överenskommelse som garanterade att media inte skulle störa inspektionerna.

Mohamed ElBaradei sa att otåligheten hade vuxit sig mycket stark under de elva år som gått sedan 1991. Vi måste komma fram till avgörande resultat under den närmaste månaden eller så. Vissa framsteg hade gjorts, i synnerhet vad gällde omedelbart tillträde till olika anläggningar, men vi behövde tydliga bevis, dokumentation och utfrågningar som genomförts i enrum. Han undrade varför man fortfarande inte infört nationell tillämpningslagstiftning och sa att vissa offentliga irakiska uttalanden, till exempel när man kallade vapeninspektörerna för spioner, sände felaktiga signaler till omvärlden i fråga om Iraks attityd till de nya inspektionerna.

Al-Sa'adi tog upp frågan om bevisbördan. Hur skulle Irak kunna bevisa att man inte hade några mobila enheter med förbjudna biologiska stridsmedel och hur skulle man kunna bevisa att man inte hade importerat råuran (yellowcake) från Niger? Han riktade en hel del kritik mot min utvärdering av Iraks deklaration från den 8 december, och framhöll att även om deklarationen visade att några missiler under testflygningar hade större räckvidd än den tillåtna på 150 kilometer, stred inte detta mot de vägledande resolutionerna. Som en del av vårt samtal gavs nu en längre specialredogörelse över ämnet missiler av en av cheferna för robotprogrammet. Under tepausen talade jag med Al-Sa'adi om att vi måste komma på ett sätt att kontrollera lastbilar ute på vägarna, däribland också den påstådda existensen av mobila produktionsenheter för biologiska vapen. Vi hade fått en del goda råd från polismyndigheten, men behövde någon form av kontroll på vägarna. Irakierna måste delta i de här operationerna. Al-Sa'adi var positiv till detta men tillade att det var ganska löjligt att påstå att det fanns mobila bakteriefabriker. Bara risken för en kollision borde räcka för att man skulle avstå från alla sådana tankar.

Mötet höll på i ungefär två och en halv timme, och fortsatte lika länge på måndagsförmiddagen. Några av de kvarvarande frågorna kunde vi lösa medan andra lämnades därhän. Vi kom överens om att förhållandet mellan antalet övervakare och inspektörer skulle vara 1:1. Våra helikoptrar skulle kunna flyga i zonerna med flygförbud och skulle ta irakiska övervakare ombord eftersom dessa inte kunde använda egna helikoptrar i de zonerna. Emellertid skulle inga journalister få följa med ombord. Det blev inget genombrott i frågan om att vi ville ha nytt bevismaterial (till exempel fler dokument) och inte heller löstes frågan om U 2-plan.

Mohamed ElBaradei hade genom flera olika kanaler låtit förstå att vi borde bli inbjudna att besöka Saddam Hussein, men efter samtalen på söndagen bestämdes ingenting annat än ett besök hos vicepresident Taha Yassin Ramadan. Vi gick då igenom många av de frågor som vi redan hade behandlat i samtalen: tidsbristen, påstått spioneri och nationell tillämpningslagstiftning.

Efter mötet med Taha Yassin Ramadan hade vi sammankallat alla inspektörer och annan personal vid UNMOVIC och IAEA i Bagdad till vårt kontor på Canal Hotel för att berätta om våra samtal med irakierna och ge dem en känsla av att vi tillhörde samma lag och betona hur viktigt och känsligt deras arbete var.

Efter delegationernas möten på måndagsförmiddagen gjorde vi tillsammans med irakierna ett utkast till en lista med tio punkter och presenterade den vid två olika presskonferenser innan vi åkte därifrån. Vi undvek att ha en gemensam presskonferens eftersom det skulle kunna ge ett intryck av att allt gick bra, medan resultaten i själva verket var magra. Innan jag gick in i rummet, som var fyllt av journalister, föreslog Dimitri Perricos att jag innan jag drog punkterna i överènskommelsen skulle nämna några av de punkter där vi inte kommit fram till någon överenskommelse, och i min inledning sa jag att det tyvärr fanns flera punkter som vi inte kunnat komma överens om, i synnerhet frågan om att använda U 2-plan.

I de tio punkterna stod att man från Iraks sida skulle ”uppmuntra” personer att låta inspektörerna få tillträde till privata platser (hem) och gå med på utfrågningar i enrum, utan övervakare. Vi tillkännagav att som följd av att vi hade funnit stridsspetsar för kemiska stridsmedel, hade Irak utsett en kommission för att leta efter krigsmateriel som inte rapporterats. Tekniska diskussioner med IAEA skulle fortsätta för att klarlägga resterande frågor angående kärnvapen, däribland den som gällde de aluminiumrör som påståtts tillhöra centrifuger och de påstådda försöken att importera obearbetad uran.

Detta var vår första resa till Bagdad efter det att inspektionerna hade återupptagits. Vi hade varnat irakierna och sagt att tidsfristen höll på att löpa ut och att vi kände behov av tydliga framsteg. Trots det hade allt gått mycket långsamt. Irakierna hade ägnat mycket tid åt att ge luft åt sitt missnöje. En del av det kunde jag förstå, men nu hade vi inte tid med långa klagovisor eller deras försök att spela schack med oss i fråga om övervakningsflygningarna med U 2-plan, helikoptrar i zonerna med flygförbud eller utfrågningar i enrum. Vi hade inte fått tillfälle att träffa Saddam för att tala om för honom hur allvarlig situationen var. Tydligen ansåg han att det var under hans värdighet att träffa oss. Var han inte tillräckligt välinformerad eller trodde han att han återigen skulle kunna slingra sig ur en besvärlig situation? När vi reste därifrån var vi en smula besvikna. Det hade varit ett tillfälle som inte hade utnyttjats till fullo.

På måndag eftermiddag lät vi vårt FN-plan flyga oss direkt till Aten för att vi skulle kunna träffa den grekiske utrikesministern Georgios Papandreou, som vid denna tidpunkt var ordförande för EU:s utrikesministrar eftersom Grekland nyligen hade övertagit ordförandeskapet inom EU. Det fanns ingen värme i det stora transportplanet och när vi kom fram till Aten var vi stelfrusna. Där fick vi emellertid ett varmt och hjärtligt välkomnande och jag fick omedelbart god kontakt med Georgios Papandreou. Det var inte bara det att han talade flytande svenska eftersom han hade tillbringat delar av sin ungdom och sina skolår i Sverige, dit hans familj hade flytt då juntan tog makten i Grekland under slutet av 1960-talet. Det var också hans opretentiösa sätt, hans intelligenta och hans konstruktiva idéer som tilltalade mig.

Det var inte svårt att hålla med Georgios Papandreou om att Europas bidrag till frågan om icke-spridning av kärnvapen måste gå längre än till att bara visa motvilja mot att använda maktmedel. USA hade länge varit den ivrigaste och mest aktiva rösten mot vapenspridning. Motståndet i Europa mot att använda våld mot Irak måste kompletteras med ett mer aktivt intresse och en större roll i andra frågor, som de om Iran och Nordkorea. Georgios Papandreou, Anna Lindh i Sverige och deras europeiska kollegor skulle driva fram en sådan utveckling i juni när EU antog en deklaration i Tessaloniki, ett dokument med grundprinciper och en europeisk handlingsplan mot spridning av massförstörelsevapen. Varken de europeiska länderna eller USA uteslöt bruket av militärt våld som en sista utväg. Frågan var när alla andra möjligheter skulle anses vara uttömda och man skulle bli tvungen att tillgripa denna sista utväg.

Förberedelser inför mötet med Säkerhetsrådet den 27 januari

När vi kom tillbaka till New York började vi förbereda oss inför uppdateringen för Säkerhetsrådet den 27 januari.

Vi insåg att många regeringar skulle granska våra uttalanden i Säkerhetsrådet för att där hitta formuleringar som de skulle kunna använda som stöd för sina egna argument. Det var helt naturligt. Men fanns det någon regering som utövade påtryckningar på oss för att vi skulle formulera oss på ett särskilt sätt? Senare har man ofta ställt den frågan till mig och svaret är nej. Regeringar och deras representanter, ambassadörerna i New York, uppträdde helt korrekt. Ingen enda kom till mig och uppmanade mig att säga si eller så. Sedan är det en helt annan sak att regeringar och regeringstjänstemän pläderade för sina åsikter både sinsemellan och offentligt. USA avvaktade inte med att offentliggöra sin bedömning för att låta oss komma först.

Några dagar före mötet la Vita Huset fram ett dokument med titeln *Hur ser avrustning ut?* Man upprepade den då välkända formuleringen att beviset för avrustning var om Irak "hade fattat ett strategiskt beslut att avstå från sina massförstörelsevapen". I dokumentet nämndes ingenting om att Irak hittills undantagslöst och omgående hade gjort alla anläggningar tillgängliga för inspektion. Man hävdade istället att Irak fortfarande bedrev "välorganiserade försök till mörkläggning", vilket var ett plausibelt påstående för vilket man dock inte framförde några bevis. Det påpekades att stora mängder vapen "inte var redovisade" och det var korrekt, men det fick läsaren att tro att de inte redovisade föremålen faktiskt existerade – något som var osäkert. Vidare fälldes flera påståenden som senare visade sig ogrundade eller felaktiga, däribland beskyllningen att Irak försökte skaffa uran från utlandet, något som antagligen byggde på ett dokument som senare visade sig vara en förfalskning.

De ståndpunkter som USA redogjorde för i dokumentet kompletterades ungefär samtidigt av biträdande försvarsminister Wolfowitz. I ett tal inför Council of Foreign Relations hänvisade han till Clinton- och Bush-administrationernas sammanfallande åsikt att det måste bli ett "regimskifte" i Irak. Detta var ett krav som aldrig förekommit i några resolutioner från FN och som med rätta hade kritiserats eftersom det inte gav regimen någon anledning att försöka uppfylla kraven. Med en beundransvärd semantisk kullerbytta lyckades Wolfowitz nu hitta ett sätt att få USA:s och FN:s ståndpunkter att gå ihop. Han sa att enda sättet att undvika ett regimskifte skulle vara att regimen ändrade karaktär. Med andra ord var det inte ett absolut krav att Saddam Hussein försvann, utan bara att han visade en "grundlig attitydförändring". Man kan förmoda att Wolfowitz var övertygad om att det inte skulle ske någon sådan förändring och att inga strategiska beslut skulle fattas.

Det fanns i talet inga direkta krav på att gå till krig. Istället hävdade USA på två olika sätt att Irak bröt mot resolution 1441 som bara några månader tidigare hade gett Irak "en sista möjlighet" att uppfylla sina förpliktelser att avrusta.

För det första hävdade USA att den deklaration som Irak hade lämnat den 8 december hade varit "felaktig och ofullständig". Det kunde stämma, men det berodde till stor del på om det faktiskt fanns några massförstörelsevapen att redovisa. Förvisso saknades redovisning för en stor mängd förbjudna föremål, och det kunde misstänkas att man undanhöll dokument, men tänk om det faktiskt var som Irak påstod: att det inte fanns kvar några vapen och heller inga relevanta dokument?

För det andra hävdade USA att Irak inte hade samarbetat så omgående, villkorslöst och aktivt med UNMOVIC och IAEA som föreskrevs i resolutionen. Detta var uppenbarligen en mer allmänt hållen anklagelse och det var något svårare att se vad den innefattade. Det var sant att irakierna hade släpat benen efter sig när det gällde flygövervakning och utfrågningar i enrum. USA förklarade vidare att man känner igen avrustning när man ser den och hänvisade till tre fall: Sydafrika, som eliminerade sina kärnvapen under IAEA:s övervakning, och Ukraina och Kazachstan, som på liknande sätt gjorde sig av med sin kärnvapenkapacitet. Jag hade själv flera gånger hänvisat till Sydafrika som ett exempel för Irak att följa, och det var sant att Iraks regim inte precis visade någon entusiasm för avrustning, även om man beträffande tillvägagångssättet på det hela taget samarbetade på ett acceptabelt sätt.

Iraks regering var tydligen ändå orolig inför mötet i Säkerhetsrådet. Iraks utrikesminister, Naji Sabri, citerade i ett långt brev till Kofi Annan FN:s vapeninspektörer som under ledning av Richard Butler i april 1998 skulle ha sagt att "det inte finns mycket som vi inte vet om Iraks resterande möjligheter att anskaffa förbjudna vapen". Vidare talade ministern om att Irak hade gett våra inspektörer fullt tillträde, trots att, som han sa, några av dem hade "betett sig oacceptabelt". Iraks regering hade inte dämpat tonen trots att ansamlingen av amerikanska trupper vid Iraks gränser blev allt större.

Mötet den 27 januari

Förväntningarna var stora på mötet i Säkerhetsrådet. Fungerade avrustning med hjälp av vapeninspektörer eller skulle det bli krig? Det var inte precis någon rutinmässig genomgång sekretariatet stod inför. De flesta av Säkerhetsrådets medlemsländer skulle ha sina utrikesministrar där och mötet skulle vara offentligt. FN hade aldrig tidigare varit med om en liknande massmediabevakning.

Eftersom jag hade kommit tillbaka till New York från Bagdad och Aten på eftermiddagen tisdagen den 21 januari, och eftersom mötet i Säkerhetsrådet var inplanerat till följande måndag, hade jag inte lång tid på mig att förbereda mitt tal. På flyget över Atlanten hade jag skrivit ner några punkter, och när jag kom tillbaka till kontoret på onsdagsmorgonen bad jag genast några medarbetare att göra utkast till avsnitt om specifika inspektionsresultat och tekniska analyser. Under eftermiddagen, kvällen och på natten ägnade jag mig helt och hållet åt att skriva. Hela torsdagen skulle gå åt till UNMOVIC:s rådgivande församling, College of Commissioners. Större delen av arbetet på talet gjordes mellan fredag eftermiddag och klockan tio på söndagskvällen den 26 januari. Jag hade hjälp av sex medarbetare: mina närmaste rådgivare, tekniska experter och en jurist. Jag satt hemma i min lägenhet och arbetade på en diskett som jag sedan tog med till kontoret för att kunna skriva ut och kopiera det jag skrivit till resten av arbetsgruppen. Eftersom jag inte har någon större datorvana är jag alltid rädd att jag ska förlora text som jag lagt ner flera timmar av dyrbar arbetstid på. Lyckligtvis inträffade inga sådana olyckor den här veckan.

De sista rättelserna gjorde vi på måndagsmorgonen och tog sedan ett tillräckligt stort antal kopior för att kunna dela ut till tolkarna. Säkerhetsrådets mötesrum var fyllt och det var elektricitet i luften eftersom alla TV-kameror och mikrofoner var igång och riktade ner mot det hästskoformade bordet där representanter för Säkerhetsrådets femton medlemsländer satt – den här gången var det till större delen ländernas utrikesministrar. Mohamed och jag satt på våra reserverade platser vid ena sidan av rummet tills Säkerhetsrådets ordförande, som den här månaden var Frankrikes ambassadör Jean-Marc de la Sablie, bad oss att ta plats vid bordet.

Jag har ibland sagt att inspektionerna inte skulle ses som en bestraffning utan som en möjlighet – en möjlighet att bli betraktad som trovärdig. Det föreföll som om Irak till skillnad från Sydafrika sorgligt nog inte hade utnyttjat den möjlighet som erbjöds dem, och jag sa rent ut i början av talet att ”Irak tycks inte ens i dag uppriktigt ha kunnat acceptera den avrustning som krävs av landet och som man måste genomföra för att kunna vinna förtroende i världen och leva i fred”.

Genom att använda en distinktion som Mohamed ElBaradei hade

gjort mellan att samarbeta i fråga om tillvägagångssätt och samarbeta i sak påpekade jag att det verkade som om Irak i princip hade bestämt sig för att samarbeta i fråga om tillvägagångssätt, nämligen vad gällde att ge oss tillträde. Jag sa att det var nödvändigt att man på liknande sätt bestämde sig för att samarbeta i sak, om avrustningen skulle kunna slutföras genom fredliga inspektioner. I själva verket höll jag med amerikanerna om att det behövdes ett "strategiskt beslut". Det verkade som om man hade fattat halva beslutet och jag begärde att man så fort som möjligt skulle fatta även den andra halvan.

Jag såg brister i sakfrågorna. I Säkerhetsrådets resolution talades det uttryckligen om "olösta avrustningsfrågor". Jag hade en känsla av att Irak varit en smula arrogant när man hade påstått att de "så kallat 'kvarvarande' avrustningsfrågorna inte hade någon reell betydelse". I mitt tal sa jag att de förtjänade att tas på allvar istället för att sopas undan som "illvilliga intriger" och jag beklagade att deklarationen på 12 000 sidor inte tycktes innehålla något nytt bevismaterial som skulle kunna lösa frågorna eller åtminstone minska deras antal.

Jag påpekade att våra rapporter varken fastslog eller uteslöt att det fanns massförstörelsevapen i Irak, men pekade på bristen på bevismaterial och på de frågor som måste besvaras om man skulle kunna anse ett fall uppklarat. Jag exemplifierade genom att gå igenom ett antal konkreta fall, som det med det kemiska stridsmedlet VX. Jag sa att det fanns "starka indikationer" på att Irak hade framställt mer antrax än vad man deklarerat och att en del kanske fortfarande fanns kvar. Jag gick inte närmare in på detta. Under ett expertmöte i denna fråga som jag varit med på hade en stark misstanke framförts om att en mängd antrax hade undanhållits då den skulle förstöras 1991, och att den fortfarande skulle kunna vara verksam om irakierna hade lyckats med en torkningsprocess. De bevis som anförts var starka men inte helt övertygande.

Jag berättade i Säkerhetsrådet att vi funnit tomma stridsspetsar vid en deklarerad anläggning och att vi hemma hos en forskare hade hittat en bunt dokument som hade med kärnvapenteknik att göra. Jag talade också om att man från irakiernas sida hade inrättat en speciell undersökningskommission som hade hittat ytterligare fyra tomma stridsspetsar för kemiska stridsmedel.

Jag nämnde problemen med överflygningar med U 2-plan. Irakierna hade inte förnekat att vi hade rätt att skicka upp planen, men hade försökt vinna en propagandapunkt genom att säga att ”våra” U 2-plan inte skulle utsättas för risker om bara USA och Storbritannien upphörde med sina bombningar i zonerna med flygförbud. Denna reaktion var, liksom flera andra, föga välbetänkt för att komma från ett land som desperat behövde komplettera sitt beslut att lämna fritt och snabbt tillträde med ett ”proaktivt” samarbete på alla fronter. Det räckte inte, sa jag nu i Säkerhetsrådet, att Irak öppnade dörrarna. Inspektionerna var ingen tafatt lek.

Jag avslutade anförandet med att nämna för Säkerhetsrådet om den snabba uppbyggnaden av inspektionsorganisationen, att vi i Irak hade en personal på 260 personer från 60 olika länder och att de alla var anställda av FN och inte rapporterade till någon annan. Under de senaste två månaderna hade vi genomfört ungefär 300 inspektioner på mer än 230 olika platser. Bland dessa fanns mer än tjugo platser som inte hade inspekterats tidigare.

Slutligen sa jag att styrkan som hade byggts upp på mycket kort tid nu fungerade bra och stod till Säkerhetsrådets förfogande. Jag sa att UNMOVIC hade samma uppfattning som Säkerhetsrådet, nämligen att det var viktigt att använda inspektioner för att ”inom rimlig tid” uppnå en avrustning av Irak som gick att verifiera. Det var Säkerhetsrådet, inte jag, som måste bestämma hur lång tid som var ”rimlig”. Jag förstod emellertid att tiden höll på att löpa ut och jag ville inte att någon skulle tro att inspektörerna ansåg att många års inspektioner var ett acceptabelt perspektiv.

Mohamed ElBaradei hade färre och mindre problem i sin dossié som gällde kärnvapen, och han tvekade inte inför att be Säkerhetsrådet om mer tid för inspektioner. I sitt tal påminde han om att IAEA fram till 1992 hade lyckats förstöra, bortföra eller oskadliggöra så gott som alla fabriker och all utrustning i Irak som hade med produktion av kärnvapen att göra. 1994 hade IAEA lyckats avlägsna allt klyvbart material från Irak. 1998, när inspektionerna stoppades, hade IAEA inte funnit några tecken på att Irak hade behållit någon fysisk möjlighet att producera vapen som utnyttjade klyvbart material. Han pekade också på några problem. IAEA hade utan resultat försökt genomföra utfrågningar i enrum. Så sent som för tre dagar sedan hade en begäran avböjts. Han bad dessutom att medlemsstaterna skulle ge honom mer användbar information och uppmanade Irak att övergå från ”passivt stöd” till att frivilligt hjälpa inspektörerna genom att skaffa fram dokument och andra bevis.

Mohammed ElBaradei avslutade med att påpeka att IAEA:s arbete gick framåt och att "det borde få fortsätta i naturlig takt". Förutsatt att man fick oförminskat konsekvent stöd av Irak skulle IAEA "inom de närmaste månaderna" kunna visa upp trovärdiga garantier för att Irak inte hade något kärnvapenprogram. Dessa få månader skulle vara en "värdefull investering i freden, eftersom de skulle kunna hjälpa oss att undvika ett krig."

Mohamed ElBaradei hade i själva verket inte särskilt många och stora problem i fråga om kärnvapen och han både kunde och borde vara mindre kritisk än vad jag hade varit. Ändå tvivlar jag på att jag skulle ha kunnat förmå mig själv att be om ytterligare ett par månader om jag inte hade trott att jag kunde garantera tillfredsställande resultat inom den tiden.

Reaktioner efter mötet

Det stora offentliga mötet ajournerades direkt efter våra tal och vid det följande slutna mötet blev det ingen diskussion utan man ställde bara några få frågor till mig och Mohamed. Inte heller mötte vi några omedelbara uttryck för tillfredsställelse eller missnöje i våra privata kontakter med ambassadörer eller andra representanter. De rapporterade, de reagerade inte.

Även om jag hade hoppats att mitt raka tal skulle förmå vår motpart i Irak att sluta förhala och köpslå, hade jag inte förutsett att hökarna i Washington och på andra håll skulle bli förtjusta över den ganska skarpa tonen i mina bedömningar. Jag hade inte anslutit mig till USA:s och Storbritanniens uppfattning om att det fanns massförstörelsevapen i Irak eller antytt att det fanns uppenbara brott mot novemberresolutionen, men jag hade bekräftat att de olösta frågorna om avrustning kvarstod och att det fanns besvärande begränsningar i Iraks vilja att samarbeta i väsentliga frågor.

Under dagarna efter mötet frågade journalister mig om jag insåg att jag hade spelat hökarna i händerna, och jag sa att jag över huvud taget inte hade spelat. Min avsikt hade bara varit att lämna en grundlig rapport. Det var vad vi var ombedda att göra och det vi kunde bidra med. Sedan var det Säkerhetsrådets sak att bedöma situationen och fatta beslut om inspektionerna skulle fortsätta eller om det skulle bli krig.

Ragida Dergham, en vass, kunnig och engagerad korrespondent som vi brukade kalla ”den drusiska missilen”, skrev i den arabiskspråkiga tidningen *al-Hayat* att min rapport kunde ses som ”en tjänst till den amerikanska inställningen och ammunition åt hökarna”. Emellertid fortsatte hon att det ”vid omläsning framgår att Blix kanske i själva verket gör Irak en tjänst genom att öka trycket bara ett par veckor före de militära operationerna, i hopp om att Bagdad kommer att rätta till bristerna i deklarationen och uppmuntra vetenskapsmän och tjänstemän att låta sig bli utfrågade”. Jo, även om min ambition hade varit att ge en korrekt rapport var detta förvisso också min förhoppning.

Jag var rädd att irakierna återigen skulle göra alltför lite alltför sent. De hade kunnat gå med på inspektioner redan under sommaren 2002 istället för på hösten. Om de hade gjort det skulle de antagligen ha fått villkor för inspektionerna som varit mycket mindre hårda än dem som de fick genom resolution 1441. Trots att deras nuvarande attityd hade förbättrats väsentligt i förhållande till hur den varit mellan 1991 och 1998, löpte de ändå stor risk. Jag misstänker att det intrång som ligger i sakens natur vid all slags inspektion, hur korrekt den än genomförs, tillsammans med en stor dos stolthet hos irakierna gjorde det svårt för dem att uppträda så som jag skämtsamt en gång föreslagit doktor Al-Sa'adi att en patient i en tandläkarstol borde göra: glatt öppna munnen stort och intala sig att det inte gör ont, det bara känns så.

Den officiella irakiska reaktionen på mitt tal var kanske förutsägbar: utrikesministern, Naji Sabri, skrev ett brev till Kofi Annan där han klagade. Torsdagen den 30 januari fick emellertid Mohamed ElBaradei och jag ett brev från Al-Sa'adi, där han inbjöd oss till nya samtal i Bagdad. Hade de förstått att tiden höll på att löpa ut och att de måste lägga in en högre växel? En sista chans till omsvängning?

Det kändes som om det nya besök vi inbjudits till var angeläget och att det kanske i sista minuten skulle erbjuda en ny möjlighet. Vi kunde emellertid inte tillåta oss att se ivriga ut, rusa iväg till Bagdad och riskera att komma tomhänta därifrån. Det var irakierna som borde vara ivriga att övertyga oss och Säkerhetsrådet om att de ökade farten och att avrustningen gick framåt.

Mohamed och jag diskuterade om vi skulle försöka få till förändringar på irakisk sida genom att ställa villkor för att komma – till exempel att

Irak gav grönt ljus för U 2-flygningarna eller löste andra problem vi hade. Vi rådgjorde inte med någon utan bestämde oss för att ange vad vi väntade oss av besöket istället för att uppställa villkor. Tillsammans med Mohamed skrev jag ett bekräftande svar till Al-Sa'adi där jag betonade att "de många frågor som fortfarande kvarstår ... måste tas på största allvar och lösas snabbt".

7

Avgrunden kommer allt närmare

Under de dagar som gick mellan uppdateringen i Säkerhetsrådet och vår avfärd till Bagdad uppträdde viktigare aktörer än vi på scenen och handlingslinjer på hög nivå inom och mellan olika länder diskuterades. Klyftorna i världen och inom Säkerhetsrådet blev allt större.

Torsdagen den 28 januari höll president Bush sitt tal till nationen i kongressen. Jag såg det på TV och det slog mig hur mycket det skilde sig i stil från hur det kunde gå till i ett europeiskt parlament. Trots att den amerikanska kongressen präglas av hårda partimotsättningar blev presidenten nu ideligen avbruten av applåder, och åhörarna – både Bushs anhängare och hans motståndare verkade det som – ställde sig upp. Jag kan inte föreställa mig att något liknande skulle ha kunnat inträffa om Chirac hade talat i den franska nationalförsamlingen eller om Blair talat i det brittiska underhuset. Det var som en patriotisk fest med nationell samling kring statsöverhuvudet, trots att han bara företrädde det ena partiets politik. Presidenten ägnade större delen av sitt tal åt landets ekonomi, tydligen för att inte ge intryck av att han huvudsakligen var intresserad av att landet skulle visa sin militära styrka. Mot slutet handlade det emellertid om Irak och Nordkorea och det var detta avsnitt som media tog fasta på, inklusive det uttalande som senare blev berömt – eller ökänt: "Den brittiska regeringen har erfarit att Saddam Hussein nyligen sökt anskaffa betydande mängder uran från Afrika." Det var underförstått att Irak försökte tillverka kärnvapen. Som jag senare ska visa var bakgrunden till detta påstående, som USA:s president framförde inför USA:s kongress, ett förfalskat kontrakt mellan Irak och Niger.

Många tolkade president Bushs tal som att man redan hade fattat beslut att börja krig. Under flera månader hade USA följt en plan där man förberedde en invasion av Irak, men jag trodde precis som tidigare att den skulle kunna hejdas, modifieras eller uppskjutas beroende på omständigheterna. Jag trodde att USA-administrationen, eller delar av den, fortfarande hoppades att Saddam Hussein skulle "knäckas" under det ökade militära, politiska och diplomatiska trycket. Nu ökade presidenten helt klart trycket på Irak och förberedde samtidigt USA:s kongress och allmänhet på krig.

Vid ett möte mellan Bush och Blair den 31 januari i Washington beskrevs Mohamed ElBaradeis och min förestående resa till Bagdad som meningslös eller ännu värre. President Bush hade tolkat den som en "förhandlingsresa" och hade sagt att "blotta tanken att kalla in inspektörer för att förhandla är en parodi". Även om Bush inte välkomnade vår resa tycktes hans förakt huvudsakligen rikta sig mot Saddam Hussein. USA:s regering ville inte väcka några förhoppningar om att det skulle kunna finnas någon annan utväg än krig, men man ville inte heller direkt kritisera inspektörerna.

Under februari 2003 fortsatte USA den militära upptrappningen vid Persiska viken och troligtvis skulle det finnas ungefär 200 000 man där i slutet av månaden. Det stod klart att det enda som kunde förhindra att denna styrka sattes in mot Irak var en påtaglig utveckling som kunde försäkra USA och resten av världen att Irak var avrustat. USA kunde inte minska sin militära närvaro eller dra sig tillbaka bara för att Irak öppnade dörrarna för inspektörerna och släppte in dem överallt. USA – och en stor del av den övriga världen – var övertygat om att Irak fortfarande hade stora mängder massförstörelsevapen. Inom UNMOVIC trodde vi att detta var fullt möjligt, men om vi såg på allt material med kritiska ögon kunde vi inte med gott samvete säga att det fanns några avgörande bevis. Än mindre kunde vi inse att det fanns något som helst annat behov att driva fram ett snabbt avgörande än det som USA själv hade skapat.

Om USA:s inställning skulle förändras måste det finnas påtagliga bevis för att Irak hade överlämnat alla vapen eller bergfasta bevis för att de hade förstörts. Trupperna skulle inte kunna sitta och vänta i öknen särskilt länge. Hur länge, undrade vi inom UNMOVIC, och som andra misstänkte vi att en tidsgräns var satt till någon gång före våren. Om de amerikanska soldaterna tvingades bära skyddsdräkt mot kemiska vapen skulle det bli fruktansvärt att strida när det var varmt. När jag i januari träffade Tony Blair i London hade han nämnt att om Irak fortsatte att visa "bristande uppriktig samarbetsvilja" måste man fatta allvarliga beslut runt den 1 mars. Då Bush och Blair träffades den 31 januari sa de att frågan om Irak skulle ställas på sin spets inom några veckor, inte månader.

Det verkade inte som om man från USA:s sida hade stora förhoppningar om att inspektionerna skulle prestera de avgörande resultat man behövde. Man kommenterade inte det faktum att UNMOVIC bara hade genomfört inspektioner under två och en halv månad, utan föredrog att påpeka att UNSCOM hade haft inspektioner på gång mellan 1991 och 1998 utan att uppnå några påtagliga resultat.

Vi vet inte vad Saddam Hussein tyckte. Han hade tidigare med nöd och näppe lyckats klara sig ur besvärliga situationer, i synnerhet 1991 då han överlevde Iraks nederlag i Kuwaitkriget och lyckades återta makten. Kanske fick han av sina officerare höra det som de trodde att han ville höra – att det fanns en allt större världsopinion mot ett krig. Kanske trodde han att om han helt enkelt lät Irak samarbeta lite mer med inspektörerna skulle världsopinionen förhindra ett väpnat ingripande mot honom.

Visst kunde vi inom UNMOVIC spekulera över USA:s och Iraks avsikter, men sådana spekulationer påverkade inte vårt arbete. Vi var i full gång med analyser och inspektioner, vi besökte fler anläggningar, försökte genomföra meningsfulla utfrågningar av relevanta irakier, sökte efter allt som kunde vara undangömt och försökte förstå varför vi inte hittade något.

Behövs en resolution från Säkerhetsrådet för ett väpnat ingripande?

Det var inte likgiltigt för USA-administrationen om man fick stöd från FN:s Säkerhetsråd eller ej för ett väpnat ingripande. Opinionsmätningarna visade tydligt att stödet från allmänna opinionen i USA för ett väpnat ingripande skulle vara större med ett sådant beslut. Trots att jag i min ”uppdatering” inför Säkerhetsrådet den 27 januari hade berömt Iraks samarbetsvilja vad gällde tillvägagångssättet för inspektionerna, hade där också funnits en kommentar om att Irak ännu inte helt tycktes ha godtagit att man måste avrusta. Från USA:s sida tycktes en del ha förväntat sig att detta uttalande nästan automatiskt skulle följas av en rapport i samma anda vid nästa genomgång med Säkerhetsrådet. Detta, och den europeiska attitydförändring som man hoppades på, skulle göra det lättare att förmå Säkerhetsrådet att rösta för en önskad, andra resolution till stöd för ett väpnat ingripande.

Även om USA skulle ha välkomnat en resolution från Säkerhetsrådet, ville man trots det inte att planerna skulle vara beroende av beslut i FN. Rent juridiskt höll man på att ladda upp för att kunna försvara ett unilateralt krigsbeslut. Den officiella inställningen var att en väpnad aktion mot Irak inte behövde något godkännande från Säkerhetsrådet. För det första skulle man kunna åberopa artikel 51 i FN:s stadga, som ger stater rätt till enskilt eller kollektivt självförsvar ”i händelse av ett väpnat anfall”. Man sa att USA inte behövde skjuta upp handlingar i självförsvar tills Irak blivit klart med alla förberedelser för ett anfall mot USA. Förekomsten av massförstörelsevapen tvingade fram en tolkning av artikel 51 som tillät föregripande åtgärder. Vi behöver inte sitta och vänta på det svampformade molnet, sa Condoleezza Rice, och president Bush sa att USA måste ta itu med hot innan de hinner skada den amerikanska befolkningen. Ingen av dem nämnde att det skulle dröja flera år innan Irak hade möjlighet att framställa kärnvapen och inte heller att det omtalade urankontraktet var en förfalskning.

För det andra hävdade man att Irak hade brutit mot en lång rad resolutioner från Säkerhetsrådet och att några av dessa – i synnerhet den senaste, novemberresolutionen 1441 – gav USA fullmakt till väpnad intervention. Kanske trodde man att dessa juridiska ståndpunkter skulle göra det mindre svårt att få igenom en resolution i Säkerhetsrådet – trots att man påstod att den inte behövdes. Om Säkerhetsrådets medlemmar gick med på en resolution som tillät väpnat ingripande skulle de och Säkerhetsrådet få inflytande och kunna påverka texten. Om de vägrade att gå med på det, skulle inget resolutionsförslag framläggas till omröstning. Ett väpnat ingripande skulle ske i alla fall och Säkerhetsrådet skulle inte ha något inflytande.

Om man verkligen resonerade på det sättet bortsåg man från att andra medlemmar av Säkerhetsrådet kanske var ovilliga att få inflytande bara genom att hålla med USA. Det var helt säkert inte detta slags inflytande som det europeiska utrikesministermötet hade haft i tankarna när man den 27 januari betonade Säkerhetsrådets roll. Utrikesministrarna uteslöt inte att man kanske vid någon tidpunkt skulle tvingas tillgripa maktmedel, men de såg Säkerhetsrådet som ett forum där världens länder borde träffas, slå sina kloka huvuden ihop, jämka samman och fatta beslut om en gemensam handlingsplan och om tidsramarna för denna.

USA:s inställning att det rent juridiskt inte fanns något behov av Säkerhetsrådets godkännande av ett väpnat ingripande, motsades av många. Den stred i synnerhet mot en uppfattning som fransmännen hade vidhållit sedan förhandlingarna om novemberresolutionen: att det måste finnas en rapport från vapeninspektörerna om bristande samarbete från Iraks sida innan man kunde börja fundera på ett allvarligt ingripande och att användandet av vapenmakt krävde ett beslut i Säkerhetsrådet.

För regeringen i Storbritannien, där en stor del av den allmänna opinionen var negativ till ett väpnat ingripande, var det viktigt med ett godkännande av Säkerhetsrådet, även om det inte ansågs nödvändigt. Därför var det inte så förvånande att Storbritannien var den medlem av Säkerhetsrådet som ansträngde sig mest för att få till stånd en överenskommelse och genomdriva en resolution som godkände väpnat ingripande.

Vid UNMOVIC var vi medvetna om att ett ”nödvändigt krig” – som en reaktion på en entydig aggression, som när Irak ockuperade Kuwait 1990 – kan inledas av en eller flera stater utan att det först har godkänts av Säkerhetsrådet. Skulle USA påstå att man långsamt hade förberett sig på ett ”nödvändigt krig” eller skulle man hävda att man hade obegränsad frihet att börja ett ”krig man valt” mot tänkbara, osäkra och kanske avlägsna hot? Hur avläget och suddigt skulle det där svampformade molnet, som Condoleezza Rice hade talat om, kunna vara? Om

USA påstod att man hade stor frihet att ensidigt besluta om angrepp i avskräckande syfte, skulle det säkert få andra stater att hävda att de hade samma rätt, och resultatet skulle bli en urholkning av FN-stadgans begränsningar av att bruka väpnat våld.

Vad menas med ett ”väsentligt brott” mot FN:s resolutioner?

Trots de viktiga politiska och juridiska frågorna om behovet av Säkerhetsrådets godkännande av ett väpnat anfall mot Irak, fanns det också ett behov hos dem som ville angripa Irak att konkret visa allmänheten att Irak faktiskt bröt mot den resolution där landet fick en ”sista chans”. Själva resolutionen pekade på två huvudkategorier av kränkningar, eller ”väsentliga brott”, nämligen undanhållande eller falska utsagor om landets vapenprogram och underlåtenhet att fullt ut samarbeta ”omgående, villkorslöst och aktivt” med UNMOVIC och IAEA. I båda fallen kunde Säkerhetsrådet förvänta sig att vapeninspektörerna genast skulle rapportera varje bristande uppfyllelse. Varken UNMOVIC eller IAEA hade emellertid vid något tillfälle sänt en sådan specialrapport till Säkerhetsrådet.

En gång blev jag i en TV-intervju tillfrågad om vad vi ansåg skulle göra det berättigat att lämna en sådan rapport. Även om jag tyckte det var självklart att vi inte skulle skicka in speciella rapporter i fråga om triviala händelser, ville jag inte att mitt svar skulle få irakierna att tro att de ens på minsta sätt kunde få hindra vårt arbete utan att det fick konsekvenser. Därför svarade jag att om en grupp inspektörer försenas på vägen på grund av en punktering på en av övervakarnas bilar är det en olyckshändelse, men om det inträffar två eller tre punkteringar under samma resa kan det vara allvarligt. Men, sa intervjuaren, var drar ni gränsen? Och jag svarade: ”Någonstans mellan en och två punkteringar.” Det var ett nonchalant svar på en fråga som det inte fanns något bra kortfattat svar på, i synnerhet inte ett svar som jag skulle ha kunnat låta irakierna höra. Naturligtvis skulle vad som helst ha kunnat få oss att skriva en rapport, men vi ville inte definiera det i förväg. Inte heller tror jag att Säkerhetsrådet skulle ha velat ha rapporter om alla de olika problem som kunde inträffa och som verkligen också gjorde det. De svårigheter vi hade att få irakierna att samarbeta beskrev vi odramatiskt i allmänna rapporter till

Säkerhetsrådet – skriftliga eller muntliga, formella eller informella.

Nu när vi är nästan säkra på att det inte fanns några undangömda vapen i Irak måste orsaken till irakiernas motsträvighet i samarbetet sökas på annat håll än i en önskan att dölja vapen. När vi mötte motsträvighet och rapporterade om det så undergrävde detta utan tvekan irakiernas påstående att de samarbetat "omedelbart". Varför var de så motsträviga? Självrespekt? Stolthet?

I januari tycktes USA ha bestämt sig för att det var riskabelt att koncentrera sig på "rykande pistoler". I en artikel i *Washington Post* den 19 januari 2003 skrev David Kay, som senare samma år av CIA utnämndes till chef för USA:s inspektionsstyrka i Irak:

> När det gäller FN:s inspektioner i Irak är det lönlöst att leta efter "rykande pistoler". Det gällde även för elva år sedan när jag ledde FN:s inspektioner där, och det är inte mindre sant i dag.

Och:

> Svaret är redan uppenbart. Irak har brutit mot FN:s krav på att landet ska förstöra sina massförstörelsevapen.

Och:

> Låt oss inte ge dem mer tid att luras och dra sig undan.

Dessa uttalanden var häpnadsväckande då de kom från någon som, i egenskap av gruppledare för några av IAEA:s inspektioner 1991, aggressivt letade efter och stolt visade fram "rykande pistoler" – lastbilar med nukleärutrustning och avslöjande dokument. Föga anade David Kay i januari 2003 att han själv senare samma år ivrigt skulle leta efter ännu fler "rykande pistoler".

Paul Wolfowitz argumenterade vidare att inspektörerna inte var detektiver och att de bara kunde genomföra stickprovskontroller. Irak hade att deklarera allting och inspektörerna skulle bara behöva kontrollera. Detta var sant i den bemärkelsen att Irak hade skyldighet att visa alla anläggningar, fabriker och data så att inspektörerna kunde kontrollera dem, men påpekandet var också förledande. Det underskattade styrkan i noga förberedda inspektioner och förhör som genomfördes av yrkesmän, användningen av den modernaste utrustning, stödet av underrättelsetjänster och rättigheten att röra sig fritt. Om man begränsade inspektionerna till stickprovskontroller skulle man inte utnyttja deras förmåga att verifiera riktigheten och fullständigheten i vad som kom fram genom analys av satellitbilder och flygfotograferingar, överraskningsbesök på icke deklarerade anläggningar som identifierats av underrättelsetjänsten, jord- och vattenprover samt prover på levande materia som analyserats med hjälp av mycket avancerade metoder.

Före uppdateringen den 27 januari hade USA drivit två linjer som gick i varandra i sin argumentation: Irak ställde inte upp med det "omedelbara, ovillkorliga och aktiva" samarbete som krävdes. Irak hade inte på hög nivå tagit "strategiska beslut" för att avrusta så som Sydafrika en gång hade gjort; landet hade inte visat någon "vilja till förändring". Den ofullständiga och påstått felaktiga deklaration som lämnats den 8 december användes för att illustrera detta. USA och Storbritannien insåg icke desto mindre, trots att de avvisade behovet av en "rykande pistol" som bevis på att Irak "väsentligt brutit" mot resolutionen, att de för att kunna övertyga allmänheten och världen om att Irak måste bringas till ordning genom väpnat angrepp måste kunna visa konkreta fall av överträdelser – helst "rykande pistoler".

Colin Powell presenterar underrättelseuppgifter för Säkerhetsrådet

Det föll på USA:s utrikesminister Colin Powells lott att för Säkerhetsrådet och för världen presentera fortsatt svek och konkreta fall av överträdelser från Iraks sida. Sådana presentationer hade gjorts tidigare. De bilder som Adlai Stevenson som USA:s FN-ambassadör hade visat för Säkerhetsrådet under Kubakrisen 1962 hade varit en stor framgång och övertygat världen. Ett annat exempel som jag var väl bekant med hade utspelats inför IAEA:s styrelse 1994, när vi visade amerikanska satellitbilder som avslöjade hemliga installationer vid kärnkraftsanläggningen Yong Byon i Nordkorea.

Det har sagts att Colin Powell diskuterade flera dagar med CIA vilket material han skulle ta med i sin presentation och att han förkastade mycket som inte var tillräckligt övertygande. Det som återstod måste ha varit det bästa av vad de kunde släppa. Det presenterades med bravur av en man som under en lång och framstående militär karriär måste ha haft många fler tillfällen än ambassadörerna att använda power point när han hade genomgångar inför krävande publik.

Nästan en vecka innan Colin Powell skulle framträda inför Säkerhetsrådet hade han vänligheten att ringa mig för att berätta om genomgången. Han sa att han skulle visa det som måste ses. Det var emellertid inte någon "avgörande" genomgång och man skulle inte lämna ut något för granskning. USA stödde fortfarande vårt arbete. De skulle bedöma stämningen i Säkerhetsrådet och be FN att fastställa en tidsgräns. Jag tolkade detta som ett ultimatum till Irak att antingen "lägga korten på bordet" eller drabbas av väpnad intervention. Det han sa till mig var i stort sett samma sak som det budskap som gick ut till allmänheten och avsikten var att man inte skulle ha alltför höga förväntningar på hans genomgång. Allt detta var förgäves. Den 5 februari var Säkerhetsrådets mötesrum fullt av diplomater och mediafolk som med ögonen riktade mot Colin Powell och två enorma bildskärmar återigen väntade på "rykande pistoler".

När jag lyssnade till Colin Powell (som hade CIA-chefen George Tenet sittande bakom sig) och såg bilderna och hörde bandinspelningarna kände jag inte alls det obehag som jag senare insåg borde ha varit naturligt. Jag tyckte att de fall han beskrev var intressanta och att de alla borde granskas kritiskt av våra experter. Där fanns bland annat några bandinspelningar av samtal som, påstods det, hade förts av irakiska tjänstemän och som illustrerade hur föremål hade flyttats och hur avslöjande instruktioner skulle undanröjas – allt i syfte att övertyga oss om att Irak var i besittning av nervgas. Jag kom på mig själv med att undra om samtalen var autentiska. Varifrån kom bandupptagningarna? Från amerikansk avlyssning? Från den irakiska oppositionen? Innan jag godtog något av det som bevis på att det fanns massförstörelsevapen måste jag veta mer. Efter ockupationen av Irak har jag inte sett några diskussioner om dessa bandupptagningar.

Jag kände mig mer som en opartisk domare som betraktade framlagda bevis än som en ung åklagare som hade misslyckats med att finna de bevis som hans överordnade hade lyckats få tag på. Det som lyckligtvis inte gick upp för mig under Colin Powells presentation var att även om han vänligt hade sagt till mig att USA stödde vapeninspektionerna, visade USA nu genom honom och tack vare hans trovärdighet hela världen vad den "behövde se" – och vad vapeninspektörerna, enligt honom, inte hade sett. Jag hade framlagt vår slutsats att Irak ännu inte "helt och fullt hade gått med på att avrusta" men samtidigt hade jag sagt att våra rapporter inte slog fast att det fortfarande fanns massförstörelsevapen i Irak. Nu slog USA fast detta och hoppades att man skulle tro på det både i USA och i resten av världen och gå med på en tidsgräns efter vilken man skulle kunna ta till vapen. Om detta var den "misskreditering" av vapeninspektörerna som vicepresident Cheney hade talat med mig och Mohamed ElBaradei om, gjordes den i förtäckta ordalag och hövligt.

Ryssarna skrev i en analys att informationen inte passade ihop med den bild som de fått genom åratal av FN- och IAEA-inspektioner i Irak. De föreslog att informationen skulle studeras i detalj, först och främst av UNMOVIC och IAEA. Vidare ifrågasatte de värdet hos ett antal av exemplen, däribland påståendet att Irak hade mobila fabriker för att framställa biologiska stridsmedel. De visste av egen erfarenhet ganska mycket om problemen med sådana mobila enheter. Jag har noterat att man efter kriget har lagt beslag på några lastbilar som till att börja med sades inte kunna vara något annat än de misstänkta enheterna för att framställa biologiska vapen. Snart sprack den bubblan och de flesta experter var överens om att lastbilarna använts för att producera väte till väderballonger – något som de irakiska myndigheterna hade sagt hela tiden.

Vi hade av USA och av andra länder fått tillgång till mycket av materialet i presentationen. Vi hade inspekterat de flesta anläggningarna som Colin Powell beskrivit och tagit prover för analys från dem, så vi skulle ha kunnat finna spår av kemiska eller biologiska stridsmedel om det hade funnits några. Vi hade granskat urkunder och förhört folk vid dessa anläggningar. I inget fall hade vi funnit övertygande bevis för någon förbjuden aktivitet. De "saneringsbilar" som man i USA genom bildanalys trodde sig ha identifierat och som förknippats med förflyttning av kemiska vapen strax före en inspektion kunde, enligt våra experters åsikt, lika gärna ha varit de tankbilar för vattentransport som vi hade sett vid samma anläggningar. Dessutom skulle de ha kunnat finnas på plats många dagar innan våra inspektörer kom och inte bara strax före vapeninspektörernas ankomst.

Colin Powell visade upp en bild av en "lastbilskonvoj" som två dagar innan våra inspektioner återupptogs befann sig i närheten av en ”fabrik förknippad med biologiska stridsmedel”. Enligt våra experter kunde konvojen ha haft samband med en regelbunden leverans av vaccin som vi visste fanns lagrat i stora mängder vid den här anläggningen och som användes i hela Irak. Platsen hade inte tidigare förknippats med produktion av biologiska vapen utan använts för lagring av utsäde. Våra inspektioner visade att det inte fanns några fermentorer, alltså reaktorer för odling av mikroorganismer, vid anläggningen, något som skulle ha varit nödvändigt om man skulle producera biologiska stridsmedel.

En annan bild föreställde en fabrik för tillverkning av ballistiska missiler, där fem stora lastbilar hade dykt upp för att flytta missilerna fem dagar innan inspektionerna började. UNMOVIC hade besökt den platsen fem gånger sedan november 2002. Det var där al-Samoud 2-missilerna monterades och den aktivitet som rapporterats av USA tycktes stämma överens med det som irakierna hade deklarerat. Om USA hade frågat oss skulle vi ha kunnat kräva att få se leveransrapporterna för den aktuella tidpunkten. UNMOVIC kom senare i februari fram till att al-Samoud 2-missilerna hade en räckvidd som översteg de gränser som bestämts av Säkerhetsrådet och vi gav order om att de skulle förstöras. Vid den tidpunkt då de hade fotograferats från en satellit medan de flyttades till lastbilar hade man ännu inte förklarat att de var förbjudna.

Colin Powell tog inte upp den anklagelse som president Bush hade gjort i kongressen bara ett par dagar tidigare om att Irak hade försökt köpa uran från Afrika. Hade han fått reda på misstanken – som senare bekräftades – att den grundade sig på ett förfalskat dokument? Han nämnde emellertid fallet med aluminiumrören som påstods vara avsedda för byggandet av centrifuger för anrikning av uran. Efter analys både i USA och av IAEA kvarstod mycket lite, om något, av trovärdigheten i det exemplet. Hur väl underbyggda var egentligen de bevis som utrikesministern presenterade för att visa att Irak fortfarande hade massförstörelsevapen och således i hög grad bröt mot Säkerhetsrådets resolution? Några skeptiska röster hördes nästan genast och ungefär ett år senare är det svårt att inte misstänka att Colin Powell hade fått det otacksamma uppdraget att visa upp de ”rykande pistoler” som man i januari sa var betydelselösa och som efter mars visade sig inte existera.

Om värdet av och svagheten i information från underrättelsetjänster

Flera länder, däribland USA, hade tipsat oss om ett stort antal platser där vi skulle kunna genomföra inspektioner, men vid inga av dem som vi faktiskt inspekterade hade vi funnit någon förbjuden aktivitet. De anläggningar vi hade fått tips om av olika underrättelseorganisationer var antagligen de bästa de kunnat ge oss. Det gjorde mig chockad. Om det var de bästa tipsen, hur var då resten? Nåväl, jag kunde inte utesluta att det fanns vederhäftiga upplysningar som inte var relaterade till bestämda platser, upplysningar som vi inte hade fått ta del av och som var avgörande bevis för att Irak hade massförstörelsevapen. Men kunde man vara till hundra procent säker på att det existerade massförstörelsevapen och samtidigt inte ha någon som helst aning om var de fanns?

Jag drog inte någon förhastad slutsats om att det inte fanns några massförstörelsevapen, men våra erfarenheter från inspektionerna och granskningen av Colin Powells exempel gjorde att jag måste säga några varningens ord i Säkerhetsrådet angående de bevis som hade framlagts av underrättelsetjänsterna.

Jag insåg att det alltid finns en risk att underrättelseorganisationer tolkar in mer i materialet än vad som egentligen finns där. Om de låter bli att rapportera något som senare visar sig utgöra en fara eller som resulterar i en katastrof kommer man att anklaga dem. Om de rapporterar en sak för mycket får de troligtvis ingen kritik. Det är dessutom stor risk att rapporterna från underrättelsetjänsten inte studeras med tillräckligt kritisk blick av politiker och beslutsfattare. En domstol granskar ingående alla de bevis som åklagaren lägger fram innan den dömer någon till fängelse. Kunde man vara säker på att regeringarna skulle granska alla upplysningar de fick lika kritiskt innan de beordrade väpnat angrepp? Det hade skett oroande misstag. USA:s bombning av den kinesiska ambassaden i Belgrad 1999 hade varit ett sådant. Ett annat var att man 1998 sände amerikanska kryssningsmissiler mot en kemisk fabrik i Khartoum som man felaktigt trodde var förknippad med al-Quaida. Fanns det inte i den nuvarande situationen en stor risk att regeringar som – på inte helt osannolika grunder – blivit övertygade om att det existerade undangömda vapen i Irak skulle identifiera sådana på mycket svaga grunder?

Jag insåg också att medan vapeninspektörerna endast behövde finna, analysera och rapportera om fakta, måste regeringar ofta gå till handling och kan inte alltid tillåta sig lyxen att vänta tills faktaunderlaget för deras beslut är fullständigt och säkert. Om de gör det kanske de agerar för sent, som Condoleezza Rice hade sagt i ett tal. Men när besluten handlade om krig eller fred borde man icke desto mindre kunna förvänta sig att de mäktigaste och bäst utrustade staternas regeringar hade mekanismer och tillvägagångssätt som garanterade viss kvalitetskontroll av materialet som experterna tog fram åt dem. Man skulle kunna förvänta sig att de i alla fall själva studerade materialet med kritiska ögon och sunt förnuft.

New York – London – Wien

I det brev som Mohammed Elbaradei och jag tillsammans skrev för att tacka ja till inbjudan till Bagdad hade vi också skrivit att mötet skulle bli värdefullt för Irak om det utnyttjades som ett tillfälle att visa oss och Säkerhetsrådet att man var fast besluten att ta itu med de olösta avrustningsfrågorna. Vi förklarade att de uppskjutna frågorna, som att vi obehindrat måste få använda U 2-plan och andra övervakningsflygplan, verkligen borde vara lösta redan innan vi kom dit.

Det allra bästa irakierna hade kunnat göra var att snabbt tillgodose våra för dem kända krav istället för att tjafsa om dem och därefter motvilligt gå med på dem. Tyvärr gjorde man inte det.

Dagen innan Colin Powell presenterade vad han fått reda på av underrättelsetjänsten hade jag i FN:s pressklubb sagt att klockan nu var fem i tolv. Hans presentation gjorde att klockan tickade ännu snabbare. Sedan jag hade lyssnat på honom på förmiddagen den 5 februari lämnade jag New York, där stämningen var allt mer laddad, för att resa till London. Jag hade tre personer i sällskap: min personlige rådgivare Torkel Stiernlöf, vår presstalesman Ewen Buchanan och vår FN-anställde säkerhetsvakt Erik Brownwell. Numera bestämde säkerhetstjänsten över oss och vi hade så starkt strålkastarljus på oss att British Airways lät oss checka in i deras vänthall för Concorderesenärer. Därför kunde vi äta middag innan vi flög och utnyttja större delen av tiden i planet till att sova. Vi fick fem timmars sömn innan vi landade på Heathrow i London där jag kunde raka mig och byta om. Via utrikesministeriet fördes vi till Downing Street där jag träffade Mohamed ElBaradei.

Under vårt möte med Tony Blair och utrikesminister Jack Straw märkte jag inga spår av den kritik mot vår resa till Bagdad som hade framkommit vid mötet mellan Blair och Bush i Washington. Vi var alla medvetna om behovet för Irak att snabbt göra ännu mer för att visa upp eventuella kvarvarande vapen och/eller ge oss bevis som rörde dem. Det var för sent för att irakierna skulle kunna fortsätta sin farliga politiska balansgång och sitt köpslående. Jag trodde att Tony Blairs inbjudan till oss att stanna till i London kanske var tänkt att stärka vår hand i Bagdad genom att visa politiskt stöd för vårt uppdrag. Samtidigt förmedlade det en känsla av återhållsamhet till den brittiska allmänheten innan han bestämde sig för en militär lösning.

Vid den följande lunchen tillsammans med folk från utrikesministeriet och underrättelsetjänsten fick vi veta att britterna skissade på en resolution som skulle kräva handling av Irak före ett bestämt datum. Om irakierna inte gjorde något skulle resolutionen underförstått – men inte direkt – tillåta ett väpnat ingripande.

Efter lunchen tog Mohamed ElBaradei ett flyg direkt till Cypern medan jag tog ett till staden där han hade sitt kontor: Wien. Trots tidspressen ville jag hålla en föreläsning för deltagarna i vår sjunde utbildningskurs för vapeninspektörer som ägde rum där. Jag hade framträtt vid alla tidigare kurser och ville inte missa någon. Genom att vid denna kritiska tidpunkt stanna till i Wien och tillbringa två timmar med våra blivande instruktörer ville jag visa dem hur väsentlig jag tyckte att den enskilde inspektörens roll och uppträdande var och hur viktigt det var att de uppträdde på ett sätt som var både professionellt effektivt och korrekt. Jag påminde dem om att de skulle komma att arbeta för Säkerhetsrådet och för FN, inte för något enskilt land.

På flyget från London till Wien råkade jag träffa Irans utrikesminister doktor Kamal Kharrzai och hade ett långt samtal med honom, huvudsakligen om tankarna på en massförstörelsevapenfri zon i Mellanöstern. Han sa att Iran redan för länge sedan hade framkastat tanken på en kärnvapenfri zon och att han fortfarande var positiv till den. Jag sa att jag tyckte att en sådan zon, som man uttryckligen hade nämnt i flera resolutioner om Irak, borde finnas med på dagordningen vid fredsförhandlingarna i Mellanöstern. Det måste komma till stånd avspänning med effektiva vapeninspektioner i området. Jag sa även att det låg i Irans intresse att gå med på tilläggsprotokollet i överenskommelsen om kärnvapeninspektioner.

Vårt samtal gav mig en vild idé. Man ville att Irak skulle vara ”proaktivt”. Skulle det inte ligga i irakiernas intresse att istället för att motvilligt ge sken av att gå med på avrustning, något som inte hjälpte dem, gripa sig an avrustningen på ett positivt och dynamiskt sätt? Naturligtvis skulle det mest viktiga och centrala vara att visa fram sådana vapen som eventuellt fanns kvar eller i annat fall bevis för att de inte existerade. Skulle det inte kunna finnas andra synliga steg att ta i riktning mot avrustning? Skulle Irak inte kunna komma med en paketlösning som innehöll låt säga det länge fördröjda irakiska lagförslaget som förbjöd alla irakiska medborgare att delta vid tillverkning, lagring eller anskaffande av massförstörelsevapen; en ratificering av konventionen rörande kemiska vapen som Irak ännu inte hade skrivit under och ett godkännande av IAEA:s tilläggsprotokoll till det så kallade icke-spridningsavtalet om kärnvapen? Eftersom Säkerhetsrådets regler för inspektion var betydligt strängare i fråga om kärnvapen och kemiska stridsmedel än tilläggsprotokollet och de regelbundna inspektionerna enligt konventionen rörande kemiska vapen, skulle det för närvarande inte innebära några nya skyldigheter för Irak om man tog ett sådant steg, men det skulle visa landets goda vilja och utgöra ett frivilligt godkännande av bestående fördrag. Jag talade om detta med min rådgivare Torkel och vi bestämde oss för att pröva idén på Mohamed.

Wien – Larnaca – Bagdad

Efter mitt uppehåll i Wien och mitt föredrag vid den sjunde kursen för blivande vapeninspektörer kom jag fram till Larnaca sent på fredagskvällen. Jag sökte upp Mohamed på hans hotell och berättade för honom om mina vilda tankar. Han stack genast hål på den vackra ballongen. Det skulle se ut som en avledningsmanöver för att dra uppmärksamheten från huvuduppgiften, sa han. Han hade kanske rätt. I den just nu mycket laddade atmosfären skulle en sådan paketlösning kanske mötas med hån och man skulle kunna säga att det inte var vapeninspektörernas sak att blanda sig i sådant. Jag släppte idén och kom överens med Mohamed om att säga till irakierna att de måste göra något drastiskt nu – inte så mycket åta sig nya förpliktelser inför framtiden som att genomföra de förpliktelser man redan hade.

Vid två tillfällen har jag senare funderat på om min idé verkligen var så tokig. Första gången var alldeles i början av mars när vi stod på randen till krig och britterna under informella samtal i Säkerhetsrådet föreslog en resolution som krävde att Saddam Hussein höll ett tal i TV där han helhjärtat gick med på avrustning och lovade att snabbt genomföra avrustningen på fem konkreta punkter. Det andra tillfället var i december 2003 när överste Khadaffi i Libyen högljutt förklarade att Libyen skulle avstå från alla försök att skaffa massförstörelsevapen och gå med på de inspektioner och avrustningskrav som man hittills inte hade godtagit. Det sades att förhandlingarna med Khadaffi om denna överenskommelse hade börjat redan i mars och att det först och främst var britterna som hade initierat dem. Jag frågade mig då vad som skulle ha hänt om jag hade fått den där idén om Irak lite tidigare och hade prövat den på Tony Blair och Jack Straw i London. Kanske skulle de eller någon som Amr Moussa, generalsekreteraren i Arabförbundet, då ha kunnat använda sig av den. Mohamed ElBaradei hade antagligen haft rätt i att jag skulle fått kritik om jag hade tagit upp frågan i Bagdad, men den skulle möjligen ha kunnat föras fram som ett förslag från en regering. Med tanke på att Irak nästan säkert inte hade några vapen och att Saddam Hussein skulle ha kunnat anse att ett spektakulärt förslag skulle göra det möjligt för honom att med värdigheten i behåll och en fjäder i hatten ta sig ur det hörn han målat in sig i, skulle han kanske ha gått med på det. Vem vet?

Samtal i Bagdad den 8 och 9 februari

Vid middagstid lördagen den 8 februari kom vi till Bagdad och ägnade hela eftermiddagen åt samtal på Iraks utrikesministerium. Al-Sa'adi var där tillsammans med en stor delegation inklusive general Hussam Amin, ledaren för vår irakiska samarbetsorganisation National Monitoring Directorate (NMD).

Under våra inledningsanföranden sa vi att klockan nu tickade fort och högt med utgångspunkt från resolution 1441. Om Irak sa nej till krig måste det bygga på ett bestämt ja till vapeninspektioner. Trots att det fanns en del olika åsikter i Säkerhetsrådet, ville alla medlemsstaterna i rådet se ett större samarbete från Iraks sida. USA var övertygat om att

Irak inte bara hade kemiska utan också biologiska vapen. Eftersom USA misstänkte att Irak kanske hade smittkoppsbakterier i en arsenal med biologiska vapen planerade nu USA att låta vaccinera alla hjälparbetare från USA mot smittkoppor. Fransmännen föreslog en drastisk ökning och vidgning av inspektionerna.

Vi fortsatte att bygga upp organisationen för inspektioner, till exempel genom att inrätta fältkontor. Vi påminde irakierna om att vi inte hade hävdat att det fortfarande fanns massförstörelsevapen i Irak, men att vi inte heller uteslöt det. Irak måste sluta bagatellisera de olösta avrustningsfrågorna och börja ta dem på allvar. De visste vilka de viktigaste frågorna var och de visste att de måste visa fram bevis och diskutera dem med våra experter. Våra högnivåmöten gällde inte sådana diskussioner, men vi hade tagit med oss experter som skulle vara redo att lyssna. Kanske borde decemberdeklarationen, som inte hade gett särskilt mycket, kompletteras?

Jag tror att Al-Sa'adi förstod att vi nått fram till en kritisk punkt och att han gjorde vad han kunde men hölls tillbaka av de order han fått. Han tyckte antagligen att de inte blev rättvist behandlade och att vi inte hade tagit till oss all den information som vi fått. Han inledde förhandlingarna med en detaljerad muntlig förklaring angående vissa centrala frågor: antrax, VX och missiler. Han la också fram dokument med nya analyser – men inga nya bevis. Han påpekade helt riktigt att UNSCOM hade bekräftat att Irak hade gjort sig av med kemiska och biologiska stridsmedel genom att hälla dem i jorden sommaren 1991. Oklokt nog, sa han, hade denna förstöring genomförts utan att några internationella inspektörer varit närvarande och alla protokoll hade förstörts. Det var därför UNSCOM och UNMOVIC hade bedömt stridsmedlen som oredovisade. Man hade från irakiernas sida funderat mycket på hur man nu vetenskapligt skulle kunna försöka bedöma vilka mängder stridsmedel som hade förstörts. Det fanns modern teknik som man skulle kunna använda för detta, men då krävdes sofistikerad utrustning som man inte hade i Irak. Man hade icke desto mindre gjort vissa preliminära undersökningar och de hade visat sig lovande. Skulle vi kunna hjälpa dem att skaffa den utrustning som behövdes och därmed göra en gemensam ansträngning? Hans medarbetare var redo att tala med våra experter.

Al-Sa'adis förslag den här gången lät inte som det krav på modern radarutrustning som man framställt tidigare för att, som man påstod, underlätta säkra överflygningar med U 2-plan. Det här nya förslaget skulle vi kunna diskutera med våra experter. I vår grupp fanns experter på tre områden – biologi, kemi och missiler. De hade följt våra diskussioner från sina platser bakom oss. Under kvällen när den irakiske utrikesministern, Naji Sabri, hade bjudit in dem som deltagit i de direkta förhandlingarna till en traditionell måltid med fisk från Tigris, kebab från Bagdad och vin – till de otrogna – studerade våra experter de nya dokumenten. Följande morgon diskuterade de dokumenten med sina irakiska motparter, där bland andra den beryktade doktor Rihab Taha ingick – som fått öknamnet doktor Bakterie och som var gift med Iraks oljeminister, general Amer Mohammad Rasheed. Innan vi slog oss ner inför vårt plenarsammanträde fick vi en ganska positiv rapport av våra experter. De diskussioner de hade haft hade varit mycket professionella och i viss mån spritt nytt ljus över frågan, men egentligen inte gett oss några nya bevis. Våra experter ville inte säga nej till de föreslagna metoderna för att bedöma hur stora kvantiteter stridsmedel som förstörts, men de var inte speciellt förhoppningsfulla. Även jag hade mina tvivel. Om man häller ut hundra liter mjölk på marken, är det då troligt att man tio år senare ens med hjälp av sofistikerade instrument ska kunna fastslå att det var just den mängden genom att analysera jordprover? Var irakierna desperata i sina försök att finna svar på olösta frågor eller la de bara ut dimridåer?

På andra områden var frågorna enklare. Vi fick utförligare redogörelser för tillverkningen av al-Samoud 2 och al-Fatah-missiler än vad vi fått i januari. Irak hade själv rapporterat provflygningar där missilernas räckvidd visat sig överstiga de gränser som Säkerhetsrådet bestämt, och vi hade redan gett order om att dessa testflygningar skulle stoppas. Irakierna anade antagligen att vi skulle gå vidare genom att beordra att missilerna förstördes eftersom de stred mot FN:s restriktioner, och de ville ge oss så goda skäl som möjligt för att inte förstöra dem. De föreslog dessutom att vi skulle närvara vid provskjutningarna. Vi svarade inte på detta förslag.

Vi blev underrättade om att den irakiska specialkommission som utsetts för att leta efter kvarvarande stridsspetsar för kemiska vapen hade fått sitt mandat utökat så att det även omfattade andra förbjudna föremål. Dessutom hade man inrättat en andra kommission vars uppgift var att söka efter dokument, och den leddes av general Rasheed. Det var välkommet och kunde eventuellt bli viktigt – om det var allvarligt menat och inte bara kosmetika. Nu i efterhand konstaterar jag att den kommissionen aldrig rapporterade några fynd.

Vi diskuterade problemet med utfrågningen av vittnen och experter och blev på nytt försäkrade att de irakiska myndigheterna skulle ”uppmuntra” olika personer att ställa upp för utfrågningar utan övervakare eller bandspelare. Jag upprepade att om de inte kunde visa upp dokument skulle sådana utfrågningar kunna vara mycket värdefulla, förutsatt att de skedde under omständigheter som gjorde dem trovärdiga. Under en tepaus talade jag också om för Al-Sa'adi att vi tänkte ha utfrågningar utanför Irak och att vi höll på att vidta åtgärder för att kunna hålla sådana i Larnaca.

Häpnadsväckande nog var frågan om övervakningsflygningar med U 2-plan inte löst innan vi kom och den förblev olöst. Den hade varit på tapeten ända sedan oktober. Al-Sa'adi tilläts tydligen inte att agera.

Mohamed Elbaradei hade återigen genom olika kanaler försökt framföra att vi ville träffa president Saddam Hussein. Jag frågade honom aldrig vilka kanaler han använde – kanske den irakiske ambassadören i Wien. Jag hade alltid varit en smula tveksam inför tanken. Saddam ansåg sig vara kejsare av Mesopotamien och han betraktade antagligen oss som obetydliga internationella tjänstemän, vars önskemål han antingen kunde bifalla eller ej. Men vi hade varken kommit dit för att bönfalla honom om något eller för att förhandla. Vad skulle vi ha kunnat göra? Läsa upp Säkerhetsrådets resolutioner för honom? Jag tyckte inte om tanken på att träffa honom och kanske komma tomhänt från mötet. Men problemet uppkom aldrig eftersom Mohameds fråga återigen ignorerades.

Vi blev istället mottagna av vicepresident Taha Yassin Ramadan. Mottagningen skedde i en enkel och trist sal i ett enormt palats. Ramadan, som var en kortvuxen man med revolver vid bältet och basker på huvudet, gav intryck av att vara en gammal revolutionär, knappast någon intellektuell men klartänkt och behärskad. Han ansåg att min ”uppdatering” inför Säkerhetsrådet den 27 januari hade varit orättvis men hans tonfall var helt igenom hövligt: ”Ni måste ju göra det ni anser vara rätt”, sa han. Han ansåg att Irak hade anledning att klaga över det besök som våra inspektörer gjort i en moské (något som jag nämnt i kapitel 5) och slog fast att inspektörerna hade ställt olämpliga frågor. Trots det skulle Irak samarbeta även i fortsättningen. Jag sa att situationen var mycket spänd. Vi måste omgående få resultat. Våra inspektörer var inga spioner och det borde de irakiska myndigheterna förstå.

Mohamed ElBaradei talade med honom på arabiska och sa att Irak borde visa sig angeläget om fortsatta inspektioner, eftersom det var en fredlig väg till avrustning. Det var obegripligt att landet ännu inte hade antagit de interna lagändringar som krävdes. Ramadan svarade att det tog tid att skriva en ny lag. Mohamed påpekade att de hade haft tretton år på sig. Jag fick inget intryck av att detta var en man med makt. Al-Sa'adi gick tydligen till honom för att få instruktioner och befogenheter men vicepresidenten själv handlade och argumenterade enligt Saddam Husseins instruktioner. Ramadan gav oss inga tecken på att Irak kunde eller ville göra något nytt. De hade inga vapen, de misstänkte att en del av inspektörernas arbete var förknippat med spionage, men de skulle även i fortsättningen samarbeta med oss. Om de blev angripna skulle de försvara sig.

Vi träffade också en grupp tjänstemän som hade skickats dit av den sydafrikanska regeringen för att tala med den irakiska regeringen om sina positiva erfarenheter av att genomföra ett internationellt övervakat avrustningsprogram. Detta var välmenande råd, men det tycktes inte förändra något i irakiernas attityd.

Vad hade vi att rapportera vid presskonferensen? Vi hade inte kommit överens med irakierna om att göra något gemensamt uttalande till media. Det kunde se ut som om "krisen är över", och så var det inte. Vi ville inte verka naiva. Vi hade uppnått mycket mindre än vad vi ansåg behövdes och måste vara försiktiga då vi summerade det. Vårt övergripande intryck av mötet var att våra irakiska motparter på andra sidan bordet hade blivit uppriktigt skakade. Om de faktiskt inte hade några vapen eller bevis att lämna ifrån sig, så hade de i alla fall insett att omvärlden trodde att de hade bådadera och att de helt enkelt var trotsiga då de talade om "så kallade avrustningsfrågor". De hade koncentrerat sig på centrala frågor och kommit med ytterligare muntliga och skriftliga förklaringar till dem. De hade inte visat upp några nya bevis, men föreslagit nya vetenskapliga (fast inte speciellt förhoppningsfulla) metoder för att bekräfta redan deklarerad, tidigare genomförd, ensidig förstörelse av kemiska och biologiska vapen.

De två irakiska kommissioner som inrättats hade kunnat vara värdefulla – om de nu inte hade inrättats enkom för att ge just det intrycket.

U 2-planen och lagstiftning var frågor som hade funnits med på dagordningen mycket länge och som vi hade trott att Irak skulle ha lyckats lösa innan vi kom. Trots det kunde vi i dessa frågor inte rapportera några resultat utan bara att vi hade förhoppningar om snabbt agerande. Det var eländigt. De gjorde fortfarande alltför lite alltför sent.

Vi berättade för media om de enskilda punkterna och precis hur det förhöll sig. Liksom förra gången hade presskonferensen samlat hundratals journalister men till skillnad från de oorganiserade och kaotiska mötena med mängder av irakiska journalister var den här välordnad och våra pressekreterare hade kontroll över den. Frågorna återspeglade ingen känsla av att spelet var över, utan de handlade snarare om vilka framsteg som hade gjorts. Vi nämnde några, men var noga med att varken låta för optimistiska eller alltför förtvivlade. Mohamed ElBaradei uttryckte det mycket bra då han sa att vi behövde en "dramatisk förändring" och att vi hade börjat se en "ändrad inställning". Jag uttryckte en "försiktig optimism" men som svar på en fråga sa jag att det "inte hade skett något genombrott". Jag tog tillfället i akt att rätta till ett misstag. När vi hade funnit de tolv stridsspetsarna för kemiska vapen hade vi sagt att de fanns i en bunker som byggts efter 1991. Detta skulle betyda att stridsspetsarna måste ha flyttats dit under den period då de var förbjudna av Säkerhetsrådet och borde ha överlämnats. Jag sa att vi sedan dess hade fått reda på att det förvaringsrum där vi fann stridsspetsarna i själva verket var från tiden före Kuwaitkriget och att det inte var uteslutet att stridsspetsarna hade legat där sedan dess. Det var viktigt att rätta till misstaget, inte bara för att det var rent spel utan också för att vi ville vara trovärdiga.

Vi lämnade Bagdad den 10 februari för att resa till Larnaca. När vi kom fram fick vi den senaste pressöversikten som vi läste på planet till Aten. Vi såg där att Ari Fleischer, Vita Husets pressekreterare, hade sagt att tiden höll på att löpa ut. Från Aten reste Mohamed tillbaka till IAEA:s högkvarter i Wien medan jag tog direktflyget med Delta till New York. Under flygturerna från Bagdad och Aten hade jag förstått att all publicitet började göra mitt ansikte välkänt. Flygvärdinnorna bad om min autograf. Jag kallades också in till cockpit för att ta emot ett samtal där det bestämdes att jag skulle ha ett möte med Condoleezza Rice i New York nästa dag.

Flygkaptenen i Deltaplanet talade om för mig att han hade flugit U 2-plan. Han var övertygad om att det irakiska försvaret inte skulle kunna skjuta ner dem. Om det var riktigt kan man undra varför irakierna dröjde med att ge grönt ljus för överflygningarna med U 2-plan – det fick dem ju bara att framstå som samarbetsovilliga? Hade Saddam Hussein så svårt att svälja sin stolthet eller hade hans rådgivare inte talat om för honom att det var alltför sent att släpa benen efter sig nu? När jag kom fram till New York hade Bagdad äntligen gett grönt ljus för överflygningar med U 2-plan.

Condoleezza Rice den 11 februari: saken håller snabbt på att komma in i sin slutfas

Dagen efter att jag kommit tillbaka till New York åkte jag först till Hotel Pierre för att träffa den australiensiske premiärministern, John Howard. Han kom från Washington och i Irakfrågan gick han på USA-administrationens linje. Han lyssnade vänligt på mig och mina förhoppningar angående Iraks avrustning genom inspektioner, men han verkade övertygad om att irakierna lurade oss.

Från Hotel Pierre promenerade jag bort till USA:s delegation där jag liksom förra gången träffade Condoleezza Rice på ambassadör John Negropontes kontor. Han var där också liksom John Wolf, statssekreterare med ansvar för icke-spridningsfrågor. Vi diskuterade ungefär en timme och började med U 2-planen. Jag talade om för Rice att jag hade förstått att godkännandet som precis hade kommit var utan villkor och att vi ville komma igång med flygningarna så fort som möjligt. Jag rapporterade från mötet i Bagdad att irakierna hade verkat vilja samarbeta mer aktivt men att vi inte kunde utesluta att det ingick i något slags förhalningstaktik. De dokument vi hade fått var intressanta men utgjorde inga bevis.

Vidare sa jag att jag inte hade blivit ”speciellt imponerad” av den information vi hade fått av medlemsstaternas underrättelsetjänster. Vid det här laget hade UNMOVIC besökt ett stort antal anläggningar och platser efter tips från underrättelsetjänsterna, och bara en av dessa platser hade varit relevant för UNMOVIC:s uppdrag. Jag sa att jag tänkte nämna detta i min framställning inför Säkerhetsrådet i slutet av veckan. Rice svarade att information från underrättelsetjänsten snabbt svalnar. USA undanhöll inte information, men sådan information var ingen ersättning för vad Irak frivilligt borde förse oss med. Det var Irak som stod inför rätta, inte underrättelsetjänsten. Hon sa vidare att syftet med novemberresolutionen 1441 hade varit att tvinga Irak att fatta det strategiska beslutet att avrusta, men att Saddam Hussein fortsatte med ett låtsasspel. Man kunde inte låta honom slippa undan med det. Säkerhetsrådet var skyldigt att genomdriva sina egna resolutioner. Sorgligt nog fanns det tecken på försvagad beslutsamhet. Saken höll nu snabbt på att komma in i sin slutfas. Nu var klockan inte längre fem i tolv, nu var hon tre minuter i tolv. Jag frågade om en ny resolution skulle läggas fram för Säkerhetsrådet. Rice sa att det inte var uteslutet. Avslutningsvis sa hon att USA var väl medvetet om att FN:s personal i Irak behövde skyddas – en signal om ett förestående råd om att vi borde dra tillbaka inspektörerna, i alla fall de amerikanska.

Rice försökte inte påverka mig inför den rapport jag skulle lämna fyra dagar senare. Inte heller avrådde hon mig på något sätt från att tala om bristerna i den information som vi fått från underrättelseorganisationerna. Jag blev därför förvånad när *Washington Post* dagen efter vårt samtal skrev:

> Enligt diplomater från USA och FN flög den nationella säkerhetsrådgivaren Condoleezza Rice i morse till New York för att pressa chefen för FN:s vapeninspektörer Hans Blix till att i en rapport till Säkerhetsrådet på fredag slå fast att Irak inte frivilligt har skrotat sina förbjudna program för kemiska och biologiska stridsmedel samt sitt kärnvapenprogram.
>
> Det icke tillkännagivna mötet med Blix underströk Bush-administrationens oro för att den svenske diplomatens rapport till Säkerhetsrådet på fredag, även om den blir kritisk mot Irak, kanske ändå inte skulle bli tillräckligt bestämd för att övertyga tveksamma medlemmar av Säkerhetsrådet om att stödja en omedelbar upptrappning mot krig.
>
> Det sägs att Blix' rapport kommer att bli mycket kortare än den han lämnade Säkerhetsrådet den 27 januari, och att den inte kommer att innehålla något uttalande om att Irak klart och tydligt har brutit mot sina förpliktelser, något som USA har velat ha.

Jag hade inte talat med några journalister efter vårt möte, men det är mycket möjligt att några personer i Washington oroade sig för att det jag skulle säga till Säkerhetsrådet tre dagar senare inte skulle komma att påverka de tveksamma medlemmarna av Säkerhetsrådet att bli mer positiva till väpnat angrepp. I artikeln stod det inte direkt att Rice hade pressat mig. Det stod bara att hon flög till New York *för att* pressa mig. Om hon hade haft den avsikten eller om någon trodde att hon hade den, hade hon i alla fall inte fullföljt den. Uttryckte artikeln kanske istället vad andra personer i Washington önskade att hon skulle göra? Blundade den medvetet för vad som hade skett och försökte den enligt någons önskemål skapa ett felaktigt intryck? Var det manipulation? En vinkling som drevs av någon i något bestämt syfte? Hur kunde tidningen skriva om hur långt mitt tal skulle bli och innehållet i det när jag ännu inte ens hade skrivit ett första utkast? Artikeln i *Washington Post* innehöll också några uttalanden av Colin Powell i ett anförande inför Senatens budgetkommitté. Kanske hade han till och med sagt det som man i tidningen tillskrev honom och som man satte inom citationstecken:

> Det står helt klart att sanningens minut närmar sig för Irak och för Säkerhetsrådet, och det gäller om rådet kommer att fullgöra sina skyldigheter. Detta är inte enbart en akademisk fråga eller har att göra med att USA drabbats av sårad stolthet. Vi talar om verkliga vapen. Vi talar om antrax. Vi talar om botulinitoxin. Vi talar om kärnvapenprogram.

När man läser uttalandet flera månader efter kriget kan man fortfarande hålla med om att det inte var någon akademisk fråga. Det skulle inte heller ha varit träffande att säga att USA ”drabbats av sårad stolthet”, men USA:s beslut att ta itu med Irak utlöstes faktiskt inte av något som Irak hade gjort utan av det slag som al-Quaida hade utdelat. De tvärsäkra hänsyftningarna på ”verkliga vapen”, ”antrax”, ”botulinitoxin” och ”kärnvapenprogram” var kanske effektiva ur retorisk synvinkel när de gjordes. I dag, efter ”sanningens ögonblick”, framstår de som sorgliga påminnelser om misslyckad underrättelseverksamhet. Man kan också undra om inte Säkerhetsrådet faktiskt ”fullgjorde sina skyldigheter” när en majoritet av dess medlemmar trots stora politiska påtryckningar visade att de var emot det resolutionsförslag som förbereddes för att ge grönt ljus åt omedelbart krig. De gjorde det så tydligt att förslagsställarna valde att inte framlägga förslaget till omröstning.

Vid denna tidpunkt kom signaler från andra aktörer på världsscenen. Fransmännen skickade ut ett så kallat non-paper, vilket är diplomatspråk för ett förslag som man kastar fram för att se om det bär. Den franske utrikesministern, de Villepin, hade redan under tidigare diskussioner i Säkerhetsrådet presenterat de flesta av tankarna i förslaget. Som ett alternativ till väpnat anfall förespråkade förslaget att inspektionsstyrkan skulle förstärkas ytterligare. Man skulle kunna dubblera antalet inspektörer. Nya vaktstyrkor skulle kunna övervaka vissa misstänkta anläggningar. Lastbilskonvojer skulle systematiskt kunna stoppas och man skulle kunna utöka flygövervakningen. Flödet av information från olika länders underrättelsetjänster skulle kunna utökas och sändas direkt till ett nytt inspektionscentrum. UNMOVIC och IAEA skulle kunna göra upp en lista på alla olösta avrustningsfrågor i prioritetsordning och det skulle kunna finnas en samordnare i Bagdad som rapporterade till mig och ElBaradei.

På en punkt uttryckte jag hövligt och uppriktigt varmt stöd för det franska förslaget: inspektioner av trafiken på vägarna. Vi behövde följa upp anklagelserna om att irakierna flyttade omkring massförstörelsevapen i landet och att de hade haft mobila enheter för framställning av biologiska vapen. Vi höll i själva verket på att ta fram riktlinjer för sådana inspektioner, men de råd vi hade fått från polismyndigheten hade inte varit användbara.

Jag såg de franska idéerna främst som ett desperat försök att inte bara blankt säga nej till USA:s krigskampanj utan att komma med något som skulle kunna se ut som ett positivt alternativ. Vi hade byggt upp vår organisation mycket snabbt och hade två månader tidigare sagt nej till USA:s förslag att dubblera antalet inspektörer. USA uttryckte sig nu föraktfullt om de franska förslagen trots att de gick i en riktning som USA tidigare själv hade förespråkat. Tiden hade gått. För USA närmade sig fasen med inspektioner nu slutet.

Kofi Annans vädjan

Medan Mohamed ElBaradei och jag fortfarande förde samtal i Bagdad uttalade FN:s generalsekreterare Kofi Annan i ett tal den 8 februari en välargumenterad vädjan om ett fortsatt multilateralt försök till lösning av Irakfrågan. Alla, och framför allt Iraks ledare, har en plikt att förhindra krig om vi kan göra det, sa Kofi Annan. FN:s grundare var inte pacifister. De hade gett organisationen stora befogenheter att besluta om militära sanktioner och dessa befogenheter hade verkligen kommit till användning när Irak invaderat Kuwait 1990. Det man hade lärt då gällde fortfarande. Irak hade ännu inte övertygat Säkerhetsrådet om att man gjort sig av med alla massförstörelsevapen. Det här var emellertid inte en fråga för någon enskild stat utan för det internationella samfundet som helhet.

Nästan som om Kofi Annan hade kunnat förutse den debatt om ”krig av nödvändighet” och ”krig av eget val” som senare under året skulle följa fortsatte han:

> När stater bestämmer sig för att tillgripa vapen, inte i självförsvar utan för att ta itu med mer allmänna hot mot internationell fred och säkerhet, finns det ingenting som kan ersätta den unika legitimitet som ges av FN:s Säkerhetsråd. Stater och folk i hela världen lägger mycket stor vikt vid sådan legitimitet och vid den internationella rättsordningen.

Som exempel på ett sådant allmänt hot nämnde han det fruktansvärda hot som ligger i massförstörelsevapnen – som absolut inte är begränsat till Irak – och sa att endast ett kollektivt, multilateralt agerande effektivt kan hejda spridningen av sådana vapen. Irak hade fått en sista chans i novemberresolutionen 1441. Om landet inte utnyttjade den utan fortsatte sitt trots, måste Säkerhetsrådet göra ett annat otrevligt val, ”grundat på vapeninspektörernas rapporter”. Som jag förstår det förespråkade han ingalunda någon passiv linje, han uttalade sig inte ens emot förebyggande våldsanvändning. Han talade snarare emot en *unilateral* aktion och för en gemensam aktion och en smula tålamod: ”När den tiden kommer”, sa han, ”måste Säkerhetsrådet fullgöra sina skyldigheter.” Jag var fullständigt överens med honom. Som tjänsteman anställd av Säkerhetsrådet kunde jag inte säga något sådant. Jag var glad för att Kofi Annan stod upp och gjorde det och formulerade det så väl. Jag var heller inte pacifist och jag ville inte att inspektionerna skulle fortsätta år efter år på samma sätt som under 1990-talet, men ännu var det alldeles för tidigt att ge upp. När journalisterna i Bagdad hade frågat mig om Bushs uttalande om att "spelet är över" hade jag svarat: "Vi är fortfarande med i spelet." Det var sant, men president Bush var den som tog besluten.

Jag förbereder mitt anförande till Säkerhetsrådets möte fredagen den 14 februari 2003

Mitt schema var så fullt dagarna före mötet att jag knappast hade tid att oroa mig inför den ökande spänningen och uppmärksamheten. Under de tre dagarna från det att jag kom tillbaka från Bagdad på måndagseftermiddagen till mötet i Säkerhetsrådet på fredagsförmiddagen hade jag på torsdagen de möten som jag redan nämnt med Howard, Australiens premiärminister, och med Condoleezza Rice. Under en halv dag var jag dessutom tvungen att vara ordförande vid en session med UNMOVIC:s råd, College of Commissioners, där vi rapporterade om våra diskussioner i Bagdad och att vi haft fristående experter i New York för att hjälpa oss att bedöma Iraks missilprogram. Det mötet gav oss både en bedömning och råd som ledde oss till att kräva att Iraks al-Samoud 2-missiler skulle oskadliggöras.

Utkastet till det kanske viktigaste anförandet i mitt liv inför Säkerhetsrådet skrevs mellan dessa olika engagemang och under sena kvällar.

Det var sant som korrespondenten från *London Times*, James Bone, rapporterade, att jag hade börjat skriva på talet för hand på planet tillbaka efter vårt besök i Bagdad, men det jag hade skrivit då var mer en lista med punkter än en text, och den var inte, som han felaktigt hade trott, på svenska. Det egentliga arbetet gjordes under de tre dagarna i New York. Bone gissade emellertid rätt då han trodde att jag skulle undvika uttrycket "ett väsentligt brott", som enligt hans bedömning skulle "betyda slutet för president Saddam Hussein". Han visste från många av mina tidigare uttalanden att jag alltid sa att det var Säkerhetsrådets sak att fatta beslut. Rådet hade instruerat mig att "omedelbart rapportera varje hinder rest från Iraks sida mot inspektionerna" och varje underlåtande att uppfylla nedrustningsförpliktelserna. Säkerhetsrådet hade naturligt nog tydligt förbehållit sig själv rätten att bedöma om hindren eller underlåtandet kunde anses vara "ett väsentligt brott".

Vi hade inte framlagt några specialrapporter om att Irak rest hinder mot inspektioner eller underlåtit att uppfylla sina nedrustningsförpliktelser, och positionerna för och emot ett väpnat ingripande blev alltmer låsta. Det var då inte förvånande att medlemmarna i Säkerhetsrådet granskade mina rapporter i detalj för att leta efter stöd för sina ståndpunkter. Ju mer nyanserade dessa rapporter var, desto större trovärdighet hade de – men desto sämre fungerade de som stöd för kategoriska omdömen.

8

Jakten på en medelväg: kontrollpunkter?

Mötet i Säkerhetsrådet den 14 februari 2003

Vid det särskilda mötet i Säkerhetsrådet fredagen den 14 februari var nästan alla medlemsländer representerade av sina utrikesministrar, däribland Colin Powell från USA, Jack Straw från Storbritannien, Dominique de Villepin från Frankrike, Rysslands Igor Ivanov och Kinas Tang Jiaxuan. Den tyske utrikesministern Joschka Fischer var ordförande. Mötet var öppet för press och allmänhet, vilket också innebar att det gav en möjlighet för Säkerhetsrådets medlemmar att vända sig till hela världen, inklusive hemmaopinionen. Antagligen visste alla de representerade regeringarna i vilken riktning de ville att händelserna skulle utveckla sig och de var angelägna om att lägga fram synpunkter som rättfärdigade deras inställning och om möjligt påverka andra med sina argument.

Säkerhetsrådets mötesrum var fyllt med diplomater från de olika delegationerna. Media från hela världen var där och trottoarerna utanför FN-huset var fyllda med lastbilar med stora parabolantenner på flaken för att kunna sända till världens alla hörn. För att inte bli infångad av mediefolket som hade belägrat FN-byggnaden, och som säkert, om de fick en chans, skulle "överfalla" mig för att få ett par ord, fördes jag in i byggnaden med bil genom garaget. Vår pressekreterare, Ewen Buchanan, hade inte fått sova mycket eftersom journalisterna hade ringt honom hela natten. Nu fick han ett e-mail eller ett fax var och varannan minut och försökte ge de olika länderna lika mycket och dessutom vara rättvis även mot de små tidningarna. Jag fick tränga mig fram mellan allt pressfolk för att komma till Säkerhetsrådets mötesrum.

Det var som om beslutet om det skulle bli krig i Irak eller ej skulle fattas under den kommande timmen i Säkerhetsrådet och som om inspektörernas rapport om Iraks samarbete skulle visa rött eller grönt ljus. Även om det inte var så i någondera hänseendet, var det ett mycket viktigt möte.

Mohamed ElBaradei och jag inbjöds av ordföranden att inta våra platser vid ena änden av det hästskoformade bordet och att öppna diskussionen. Jag har ofta blivit tillfrågad om jag var nervös eftersom hela världen lyssnade och såg på. Det var jag inte och jag tror inte heller att Mohamed var det. Man märker inte kamerorna eller mikrofonerna i de inglasade burarna en bit bort utan koncentrerar sig på ordföranden som ger en ordet och på deltagarna som man vänder sig till. Under informella möten i Säkerhetsrådet brukade jag ofta tvingas tala utan manuskript men detta var ett officiellt, protokollfört möte som var öppet för allmänheten och jag tänkte inte göra några utvikningar från texten. Det som var svårt var att skriva talet, inte att hålla det. I en svensk intervju tillfrågades jag senare varför jag hade uppträtt inför hela världen i en skrynklig kostym. Jag svarade efter en liten stund att det skulle ha varit värre om det hade varit talet som varit skrynkligt.

Jag började med att beskriva den organisation som vi hade byggt upp för inspektioner och hur vi använde den. Jag tyckte att Säkerhetsrådets medlemmar borde känna till det redskap för inspektion som de hade till sitt förfogande och som de även i fortsättningen skulle kunna använda eller välja att göra sig av med. Jag talade om för Säkerhetsrådet att UNMOVIC inte hade funnit några massförstörelsevapen, endast ett antal tomma stridsspetsar för kemisk krigföring. Det fanns inga ”rykande pistoler” att berätta om. En helt annan sak – men lika betydelsefull – var, sa jag, att många förbjudna vapen och andra föremål ”inte hade redovisats”.

Jag fortsatte att säga:

> Man får inte dra den förhastade slutsatsen att de existerar. Emellertid är möjligheten inte heller utesluten. Om de existerar måste de överlämnas till förstöring. Om de inte existerar måste man visa upp trovärdiga bevis på detta.

Underrättelsetjänsterna i många länder var övertygade om att förbjudna vapen och utvecklingsprogram fanns i Irak, sa jag, och jag avsåg inte att motsäga deras slutsatser. De hade många informationskällor som inte var tillgängliga för oss. Jag konstaterade att UNMOVIC hade ett gott samarbete med olika underrättelsetjänster, men pekade också på det viktiga faktum att UNMOVIC inte hade funnit förbjudna vapen vid någon av de anläggningar som underrättelsetjänsterna tipsat oss om.

Som inspektionsorgan för Säkerhetsrådet kunde vi emellertid bara grunda våra rapporter på bevis som vi själva kunde granska och lägga fram offentligt. ”Utan bevis”, sa jag, ”kan förtroende inte uppstå.” Detta påpekande var först och främst riktat till irakierna, som inte hade lyckats lägga fram trovärdiga bevis för att stödja sitt påstående att de icke redovisade föremålen hade blivit förstörda eller att de aldrig hade existerat. Men det gällde dessutom påståenden från USA, Storbritannien och andra om att det fortfarande existerade vapen och andra föremål som var förbjudna – påståenden som börjat rasa samman långt före mötet i Säkerhetsrådet och som fortsatt att sjunka ihop sedan dess.

Jag fortsatte med att kommentera ett av de exempel som Colin Powell hade talat om i sin föredragning för Säkerhetsrådet. Det handlade om en anläggning som vi kände väl till. Som jag tidigare har förklarat hade vi inte genom det framlagda materialet kunnat dra slutsatsen att det funnits kemiska vapen vid den anläggningen strax innan inspektörerna kom dit. Jag hade talat om för Condoleezza Rice att jag skulle framföra reservationer i fråga om upplysningar som vi fått från underrättelsetjänsterna och hon hade inte försökt avråda mig från att göra det. Colin Powell, som jag talade med under lunchuppehållet, tycktes inte ha blivit det minsta stött av min kommentar. Av vissa mediereaktioner att döma var det emellertid nästan som om jag hade förolämpat USA. De hade velat att jag skulle bidra med argument för ett krig. Istället hade jag hällt kallt vatten över ett av de fall som USA presenterat.

Mitt viktigaste budskap till Säkerhetsrådet var att Irak hade vidtagit en del åtgärder som skulle kunna vara början till ett aktivt samarbete för att lösa en del stora olösta avrustningsfrågor. Även om jag uttryckte mig mycket försiktigt var tonfallet inte lika kritiskt mot Iraks samarbete som det hade varit när jag rapporterade till Säkerhetsrådet 27 januari. Senare har jag ofta fått frågan varför tonläget förändrades så mellan de båda talen och jag har brukat förklara att om man ska rapportera om vädret måste man komma med en annorlunda rapport när vädret har förändrats.

Jag avslutade mitt anförande genom att besvara frågan om hur mycket mer tid vi behövde för att slutföra vårt uppdrag i Irak. Jag sa att resolutionerna uppställde två huvuduppgifter: inspektion och eliminering av alla eventuella vapen och vapenprogram som hade förbjudits 1991 och övervakning i avskräckande syfte för att kunna upptäcka om några vapenprogram väcktes till liv igen. Det fanns ingen tidsgräns för denna övervakning. Om Irak hade samarbetat fullt ut 1991, sa jag, skulle man med hjälp av vapeninspektionerna ha kunnat uppnå avrustning på mycket kort tid, sanktionerna skulle ha kunnat hävas och övervakningen skulle ha fortsatt. Tyvärr hade det inte gått så. Vid denna tidpunkt, tre månader efter det att novemberresolutionen antagits, skulle avrustningen fortfarande kunna gå snabbt, sa jag, om samarbetet med UNMOVIC och IAEA skedde omgående, villkorslöst och aktivt.

Mohamed ElBaradei uttalade sig mindre återhållsamt än jag gjort. Han sa att för IAEA återstod vissa tekniska frågor – men inga ”olösta avrustningsfrågor”. Avslutningsvis rapporterade han att IAEA inte hade funnit några bevis för pågående kärnvapenprogram eller aktiviteter som var relaterade till sådana program i Irak. Denna kommentar stod i stark kontrast till Colin Powells påstående ett par dagar tidigare om att det faktiskt existerade ett kärnvapenprogram.

Utrikesministrarna drabbar samman i Säkerhetsrådet

Den debatt som följde på de rapporter Mohamed ElBaradei och jag hade gett liknade en drabbning där deltagarna bara hade sju minuter var på sig att skicka iväg argument och ord som färgglada spårljusprojektiler genom rummet. Improvisationer var något som sällan hördes här. Vid viktiga offentliga diskussioner brukar ambassadörerna oftast ha fått sina tal godkända av sina ministrar och undviker att göra utvikningar eller frångå sina instruktioner. Nu talade de personer som i vanliga fall gav instruktionerna. De visste vad de kunde tillåta sig att säga. Även om de inte avvek från sina regeringars politiska linjer gjorde de avsteg från de texter som skrivits i förväg. Det blev en mycket ovanlig debatt. Med utrikesministrarna i rummet fick de olika länderna och deras profiler liv.

Colin Powell sa att Irak hade underlåtit att göra det som krävdes i novemberresolutionen från 2002. Den deklaration som Irak lämnade in den 8 december hade varit ett "tidigt prov på Iraks uppriktighet" och Irak hade svarat med att försöka ta reda på vad man kunde komma undan med. Inspektionerna kunde inte fortsätta i det oändliga. Colin Powell yrkade inte på att man omedelbart skulle göra något eller fatta något beslut, men han bad Säkerhetsrådet att man "inom en inte alltför avlägsen framtid" skulle överväga frågan om "allvarliga konsekvenser".

Den brittiske utrikesministern Jack Straw påminde Säkerhetsrådet om att Irak 1991 hade fått 90 dagar på sig för att avrusta. Vad hade man gjort under elva år, sju månader och tolv dagar? De diplomatiska påtryckningarna hade backats upp med trovärdiga hot om att tillgripa maktmedel; att dra sig för att använda dem och ge obegränsad tid åt ett minimalt samarbete skulle göra avrustningen i Irak och i andra länder mycket svårare. Med detta påpekande framförde Straw ett argument som antagligen hade stort stöd också i Washington. Om man ingrep mot Irak skulle detta sända en tydlig signal till andra länder som kunde vilja skaffa kärnvapen. Var det Iran, Nordkorea och kanske Libyen och Syrien som han hade i tankarna? Han slöt upp bakom USA genom att göra "ett strategiskt beslut" från Iraks sida till den centrala punkten, men han talade snarare om behovet av ett sådant beslut än om bristen på ett:

> Jag hoppas och tror att en fredlig lösning på denna kris fortfarande är möjlig. Men detta fordrar att Saddam omedelbart genomför en dramatisk förändring.

Straw kanske föreställde sig att den dramatiska förändringen skulle ske som ett resultat av att Irak "gav vika" inför USA:s och Storbritanniens beslutsamhet och ett ultimatum som hotade med krig och som helst uttrycktes i eller stöddes av en resolution från Säkerhetsrådet. Att man övervägde en sådan resolution hade Condoleezza Rice bekräftat under vårt samtal ett par dagar före mötet. Om resolutionen inte resulterade i någon dramatisk förändring skulle den i alla fall underförstått godkänna det väpnade ingripande som förbereddes. Majoriteten av Säkerhetsrådets medlemsländer var medvetna om detta men eftersom de tvivlade på att det skulle ske någon ”dramatisk förändring” och var ganska nöjda med inspektionerna ville de inte stödja en resolution av det slag som väntades.

Ansträngningarna att få fram en resolution hade inte underlättats av de anföranden som Mohamed ElBaradei och jag hade hållit i Säkerhetsrådet. Tvärtom hade våra tal antagligen stärkt motståndet mot ett väpnat ingripande mot påstådda hot från Irak, som för de flesta huvudstäder tedde sig långt ifrån påtagligt eller nära förestående.

Den franske utrikesministern, Dominique de Villepin, sa att inspektionerna inte hade hamnat i någon återvändsgränd. Tvärtom började vi se framsteg och Frankrike ville att inspektionsorganisationen skulle göras ännu starkare. Man kunde kanske tro att ett krig skulle kunna vara en snabbare lösning, men så fort ett krig har vunnits måste freden byggas upp och ingen kunde vara säker på att alternativet med krig skulle ta kortare tid än alternativet med inspektioner. Frankrike uteslöt inte att man en dag kanske skulle tvingas tillgripa våld. Det var emellertid det samlade världssamfundet som gemensamt måste bedöma om våld var berättigat och garantera att det blev effektivt.

De Villepin avslutade sitt tal med att säga att han representerade ”ett gammalt land” och alla i mötesrummet kom ihåg att Donald Rumsfeld, den amerikanske försvarsministern, nyligen hade talat ganska föraktfullt om ”det gamla Europa”, som inte gick med på ett väpnat ingripande i Irak, medan ”det nya Europa” – alltså de östeuropeiska staterna – såg mera positivt på en sådan aktion. De Villepins kommentar framkallade skratt och när han hade talat färdigt fick han en applåd.

De Villepins slagfärdiga kommentar fick flera av utrikesministrarna att ta upp samma tråd och tala om hur gamla de länder var som de representerade. Tang Jiaxuan från Kina påminde om att Kina var ”en mycket gammal civilisation”. Jack Straw sa att han talade för ett mycket ”gammalt land som grundats 1066 av fransmännen”. Powell erkände att USA var ”ett relativt nytt land” men noterade att det var den ”äldsta demokratin” som var representerad vid bordet. Detta var lättsamma inslag i en i övrigt spänd debatt.

Den kinesiske utrikesministern sa att han, liksom majoriteten i Säkerhetsrådet, ansåg att inspektionerna fungerade och borde ges den tid som behövdes för att genomdriva novemberresolutionen från 2002. Den tyske utrikesministern undrade varför inspektionerna skulle stoppas nu. Han var överens med Frankrike om att förstärka inspektionerna och sa att organisationen för den långsiktiga övervakningen borde byggas upp för att förhindra att det blåstes liv i vapenprogrammen på nytt. Återhållandets politik måste vara permanent.

Den ryske utrikesministern, Ivanov, anslöt sig till de medlemmar i Säkerhetsrådet som ville att inspektionerna skulle fortsätta och sa att en överväldigande majoritet av staterna i världen hade den åsikten. Sedan framförde han en tanke som blev central under veckorna direkt efter mötet. Han påminde Säkerhetsrådet om att resolution 1284 (1999) instruerade UNMOVIC och IAEA att framlägga sina handlingsprogram för Säkerhetsrådet tillsammans med listor på ”viktiga kvarstående avrustningsfrågor”. Ivanov, som uppenbarligen var kritisk mot det ospecificerade påståendet att Irak inte hade fullgjort sina skyldigheter enligt novemberresolutionen 2002 och inte hade visat någon vilja att avrusta, påpekade att om inspektionsorganisationerna antog handlingsprogrammet så skulle dessa ge objektiva och specifika kriterier som man skulle kunna bedöma Bagdads samarbete mot.

När mötet närmade sig slutet hade parterna inte kommit varandra märkbart närmare. På ena kanten fanns USA, Storbritannien och Spanien som framhöll att Irak inte hade ändrat inställning och att tiden närmade sig då man måste fatta ett allvarligt beslut – en eufemism för att godkänna ett militärt ingripande. På den andra fanns alla de som ansåg att inspektionerna inte gick dåligt och att det var för tidigt att tillgripa våld. Trots denna polarisering – eller kanske på grund av den – letade man efter en medelväg och under dagarna efter mötet började en sådan också ta form.

Om Irak uppnådde kontrollpunkter i avrustningsprocessen skulle det kunna visa att man ändrat inställning

Tanken på kontrollpunkter – att bedöma Iraks uppfyllande av precisa krav snarare än att bedöma om Irak ”hade ändrat inställning eller ej” eller om landet hade ”fattat ett strategiskt beslut” – var ganska tilltalande. Det var emellertid uppenbart att USA inte skulle gå med på att vänta till slutet av juli på uppfyllandet av precisa krav, vilket skulle blivit fallet om man följt resolutionen från 1999. Efter mötet i Säkerhetsrådet föreföll en utväg vara att kräva att Irak löste ett antal precisa nedrustningsfrågor – klarade av några kontrollpunkter – inom en begränsad tid.

När jag lämnade Säkerhetsrådet efter sessionen den 14 februari berättade jag för Jack Straw om ett dokument som UNMOVIC hade tagit fram för att kunna välja ut kvarvarande viktiga avrustningsuppgifter inför handlingsprogrammet. Detta dokument innehöll knippen, eller ”kluster”, med olösta problem som punkt för punkt och exakt visade vad som krävdes av Irak. Kanske skulle man kunna använda dessa knippen för att ställa upp ”kontrollpunkter”? Han blev mycket intresserad. Det blev också Colin Powell när vi alla efter mötet åt smörgåsar i Säkerhetsrådets lobby och jag fick tillfälle att tala med honom. Han bad att jag skulle ringa honom för att diskutera det hela under helgen.

Man tycktes börja överväga om det gick att förena kravet på en ”förändrad inställning” eller ”ett strategiskt beslut” (som påstods vara grundat på novemberresolutionen från 2002) med kravet att Irak skulle uppfylla vissa bestämda ”kontrollpunkter” som tecken på ett sådant beslut, vilket var grundat på decemberresolutionen från år 1999. Om man uppfyllde dessa punkter skulle det kanske kunna ses som ett tecken på ett strategiskt beslut? Idén att kräva att vissa kontrollpunkter skulle uppfyllas låg i luften men fanns inte nedpräntad på något papper på Säkerhetsrådets bord.

I Washington var man besviken över resultatet av mötet i Säkerhetsrådet och de uttalanden som ElBaradei och jag hade gjort. De hade inte stöttat USA:s linje som gick ut på att få till en resolution med ett ultimatum där man underförstått godkände ett militärt ingripande. Man gav inte luft åt denna besvikelse på officiell nivå, men den återspeglades snart i en del massmedia. Under dessa omständigheter fanns det begripligt nog ett intresse för att i alla fall undersöka idén med vissa bestämda kontrollpunkter.

Frankrike skulle liksom många andra länder vidhålla att det för ett väpnat ingripande krävdes att Säkerhetsrådet uttryckligen godkänt aktionen. Även om detta argument inte godtogs skulle det helt klart bli mindre svårt att få ett godkännande om inspektionsrapporter pekade på ett uppträdande av Irak som rimligen kunde karaktäriseras som antingen ”ett väsentligt brott” eller visade att man inte uppnått vissa bestämda mål som ställts upp av Säkerhetsrådet. För närvarande beskrev inspektörernas rapporter Iraks uppträdande som grått, inte svart. En stor del av USA:s dossié över Irak åberopade en lång rad lögner, och att Irak tidigare använt kemiska stridsmedel och långdistansmissiler. Inget av detta utgjorde dock bevis, enbart indicier. Man saknade de ”rykande pistoler” som skulle ha kunnat göra intryck på allmänheten. USA:s biträdande statssekreterare för icke-spridning, John Wolf, citerade talesättet att om något går som en anka, simmar som en anka och låter som en anka är det antagligen också en anka. Problemet var emellertid, som någon påpekade, att allmänheten ville se en ”rykande anka”. Det var säkert därför Colin Powell hade lagt fram de fall han fått från underrättelsetjänsten för Säkerhetsrådet.

Britterna, som var de som varmast talade för en FN-resolution med ett ultimatum och som hade märkt hur motståndet stärktes, kom på att det kanske skulle underlätta om man bytte fokus: resolutionen skulle kunna kräva en deklaration där Saddam Hussein förklarade att han hade ändrat hållning. För att visa att en sådan deklaration var uppriktigt menad skulle resolutionen dessutom kunna kräva att Irak uppnådde vissa bestämda kontrollpunkter inom en begränsad tid.

Vid UNMOVIC hade vi vår väldokumenterade lista över olösta avrustningsfrågor som var och en avslutades med tydliga och precisa anvisningar om vad Irak skulle kunna göra för att lösa dem. Frågor som hade samband med varandra hade, som jag berättat, samlats i knippen. Det var detta dokument jag hade nämnt för Jack Straw och Colin Powell efter mötet i Säkerhetsrådet den 14 februari. Jag hade konstaterat att de genast blivit intresserade. Bakom de kategoriska ståndpunkter som USA och Storbritannien intog var man trots allt intresserad av att uppnå samförstånd inom Säkerhetsrådet.

Lördagen den 15 februari, dagen efter mitt samtal med Colin Powell i FN, ringde Condoleezza Rice upp mig i min lägenhet i New York och frågade om dokumentet. Utanför fönstret rörde sig en stor demonstration mot kriget upp mot avenyerna. Jag kände mig uppmuntrad av hennes intresse och förklarade att UNMOVIC nästan var klar med dokumentet och att det inom kort skulle läggas fram för diskussion i vårt rådgivande organ, College of Commissioners. Jag lovade att jag följande vecka skulle visa det aktuella förslaget för John Wolf som var medlem av rådet.

På söndagen ringde jag Colin Powell som han hade föreslagit. Jag förklarade återigen vad som var syftet med och innehållet i "klusterdokumentet". I det fanns precisa krav på vad Irak skulle behöva göra för att lösa olika avrustningsfrågor. Om Säkerhetsrådet ville ställa upp bestämda kontrollpunkter kunde man ha nytta av det. Mohamed ElBaradei hade talat om för mig att han trodde att de återstående frågorna angående kärnvapen skulle kunna vara uppklarade den 15 april om Irak samarbetade fullt ut. Problemen i fråga om biologiska och kemiska vapen och missiler var mycket större, men jag frågade Colin Powell om det skulle räcka om det var klart den 15 april. Han sa att det var för sent.

Opinionen mot krig får några regeringar att söka efter en medelväg

Mötet i Säkerhetsrådet den 14 februari hade nästa dag följts av omfattande demonstrationer. En bred och högljudd allmän opinion mot krig engagerade miljontals människor i hela världen, även i USA. I New York tågade de på andra och tredje avenyerna, i närheten av det hus på Manhattan där jag hade en lägenhet, och jag hamnade mitt i demonstrationen när jag gick ut för att köpa lite mjölk. Jag var faktiskt lite orolig för att man skulle känna igen mig som "chefsinspektören" och dra upp mig på någon av demonstranternas lastbilar där jag kunde användas som maskot. (Senare gav mig Sveriges FN-ambassadör Pierre Schori, som bodde i samma område, ett plakat som han hade hittat på gatan strax efter demonstrationen. På ena sidan stod det BLIX – NO BOMBS! Nu hänger plakatet hemma på min vägg.)

Regeringen i Washington tycktes totalt okänslig för opinionen mot krig. *New York Times* rapporterade att president Bush hade sagt att en ledare ibland måste "strunta i opinionen" och att "en ledares roll är att föra en politik som siktar på säkerhet". Dessutom stod det att han gick vidare med en strategi "för att övertyga motsträviga allierade om att FN:s vapeninspektörer inte kunde säkerställa avrustningen i Irak" och att han avsåg att "fatta ett beslut om att inom de närmaste veckorna använda vapenmakt mot Irak, vad Säkerhetsrådet än gör".

Det är möjligt att den hårda amerikanska offentliga inställningen var avsedd att förmå Irak att "backa ur" och att man ville se till att landet inte hade några illusioner om att Bush-administrationen skulle ge efter för en opinion som var emot ett krig. Jag är snarast benägen att tro att USA:s ledning var i full fård med att planera för ett krig men att man var beredd att ställa in det om Irak skulle "bryta samman", något som man dock bedömde som ganska osannolikt.

Andra länder och deras regeringar reagerade på olika sätt på opinionen mot ett krig. I opinionsundersökningar i Italien och Spanien visade det sig att det fanns en stark majoritet mot ett krig, men regeringarna fortsatte att bestämt stödja USA. Den franska regeringen – som inte uteslöt användandet av vapenmakt som en sista utväg – anslöt sig till den dominerande opinionen mot ett krig och representerade den. Kanadas premiärminister, Jean Chrétien, talade om för sitt parlament att han tänkte motsätta sig ett militärt ingripande som inte var uttryckligen sanktionerat av Säkerhetsrådet. Hans åsikter delades av många länder som brukar stödja FN, däribland Sverige. I Tyskland visade en undersökning att ungefär 86 procent var mot krig och den tyske utrikesministern, Joschka Fischer, sa att krig inte var rätt sätt att åstadkomma avrustning.

Flera av medlemmarna i Säkerhetsrådet, till exempel Mexiko och Chile som representerades av de skickliga ambassadörerna Adolfo Zinser och Gabriel Valdes, sökte aktivt efter en medelväg. Deras regeringar utsattes för allt större påtryckningar från Washington att kliva på krigståget, men den allmänna opinionen i deras länder var emot en väpnad intervention. För Mexiko måste situationen ha känts lika paradoxal som plågsam. Mexiko hade under många år medvetet avhållit sig från att försöka bli invalt i Säkerhetsrådet men hade helt nyligen bestämt sig för att de ville vara med där för att fullt ut kunna spela sin roll som ett viktigt latinamerikanskt land. Nu såg man sig lönad för sin ambition att vara en god världsmedborgare genom att hamna i kläm mellan å ena sidan behovet och nödvändigheten av att utveckla goda relationer med den store grannen i norr, å andra sidan hemmaopinionen som var klart emot ett krig. Chile befann sig i en liknande situation.

Jag kunde inte se att de offentliga demonstrationerna hade någon direkt inverkan på den internationella scenen. Däremot sammanföll många länders krav på fortsatta inspektioner och deras sökande efter en medelväg och en "tillämpning av kontrollpunkter" med den växande opinionen emot ett krig.

Mina egna idéer om hur de speciella kraven i klusterdokumentet skulle kunna användas som kontrollpunkter

Måndagen den 17 februari var helgdag i USA, President's day, och FN var stängt. Det var tur, för New York hade precis råkat ut för snöoväder. Jag, som kommer från Stockholm där snöröjning är ett vanligt inslag och oftast sker snabbt och bullrigt, njöt av den tysta stillhet som sänker sig över Manhattan när det snöar. Min hustru och jag gick nedför andra avenyn, som var täckt av ett tjockt vitt snötäcke. Inga bilar fanns där. Däremot en och annan skidåkare som gladde sig åt att för en kort stund ha övertag över fotgängare och bilar.

Det var en bra dag för att arbeta på mitt kontor i den öde FN-byggnaden och tänka färdigt kring hur man skulle kunna utnyttja vårt arbete på olika kluster eller knippen. Jag skrev ner mina idéer i form av ett resolutionsförslag till Säkerhetsrådet tillsammans med ett papper med bakgrundsinformation och bestämde mig för att visa alltsammans för Sir Jeremy Greenstock, Storbritanniens permanente representant vid FN, som skulle besöka mig senare under dagen för att tala om "klusterdokumentet". Jag kände Sir Jeremy väl, tyckte bra om honom och uppskattade hans skicklighet och goda omdöme. Han skulle kunna tala om ifall jag hade kommit på någonting som man kunde använda sig av. Och i så fall hade han en plats i Säkerhetsrådet (det hade ju inte jag som var ämbetsman och underställd Säkerhetsrådet) och skulle kunna lägga fram förslaget. Om han ansåg att det var värdelöst fanns det en papperskorg i närheten. Han ville inte fälla något omedelbart omdöme och jag gav honom både bakgrundsinformation och resolutionsförslag att fundera över. Han vidarebefordrade bådadera till amerikanerna. Under de veckor som följde använde sig britterna ganska mycket av idén med kontrollpunkter, medan amerikanerna snabbt tappade intresset. Kanske ansåg USA att det oundvikligen skulle ta viss tid att uppnå preciserade kontrollpunkter och få dem verifierade och att det kanske inte skulle visa sig vara en väg att i samförstånd få ett godkännande av väpnade insatser. Processen skulle kunna göras snabbare om man förklarade att Irak inte hade visat någon vilja till förändring – och det kunde man göra på egen hand, unilateralt.

I mitt papper med bakgrundsinformation försökte jag identifiera förutsättningarna: militära påtryckningar var och förblev nödvändiga för att framkalla medgörlighet hos Irak; många delegationer ansåg att inspektionerna inte fått tillräckligt mycket tid; elva veckor var ganska kort tid för att dra slutsatsen att man inte kunde nå fram till avrustning genom inspektioner och att man måste överge den vägen. Det skulle inte vara orimligt, skrev jag, att ställa upp en "tydlig tidsgräns" inom vilken samarbetet skulle vara tillfredsställande och viktiga kvarstående avrustningsärenden lösta. Det var en politisk fråga att bestämma hur lång tid detta skulle ges.

Det skulle vara Säkerhetsrådets sak att bedöma – efter en rapport från vapeninspektörerna – om samarbetet och den påföljande avrustningen hade varit tillfredsställande. Man skulle kunna välja ut ett antal kontrollpunkter som Irak var tvunget att uppnå på den stipulerade tiden istället för att kräva att hela listan med olösta problem skulle klaras av. UNMOVIC:s "klusterdokument" med dess specifika krav på Irak skulle snart kunna vara tillgängligt om Säkerhetsrådet så önskade.

Mitt utkast stipulerade att UNMOVIC/IAEA den 1 mars skulle lägga fram en lista med nyckelpunkter (bland de nedrustningsfrågor som för närvarande fanns kvar) och samtidigt visa vad Irak skulle göra för att lösa dem. Utkastet angav ett antal krav som Irak skulle uppfylla, inklusive att alla missiler som förbjudits av UNMOVIC skulle förstöras. Där föreskrevs vidare att UNMOVIC/IAEA före ett visst datum, som lämnades öppet, skulle rapportera till Säkerhetsrådet och redogöra för om Irak hade gjort det som krävdes. Slutligen stipulerades att om Säkerhetsrådet skulle komma fram till att Irak inte hade fullgjort det som krävdes och således "inte hade dragit nytta av inspektionsprocessen", skulle inspektionerna avslutas och Säkerhetsrådet skulle "överväga andra åtgärder för att lösa avrustningsfrågan". Denna punkt avspeglade min åsikt att inspektionerna gav Irak en möjlighet som inte stod öppen i all oändlighet och att det var Säkerhetsrådets uppgift – men inte dess enskilda medlemsländers – att överväga och fatta beslut om alternativ till inspektion.

Krav på att al-Samoud 2-missiler förstörs

En punkt om att förstöra missiler fanns med i mitt utkast eftersom UNMOVIC stod i begrepp att kräva att Irak skulle förstöra 100 al-Samoud 2-missiler. En internationell specialistgrupp som UNMOVIC hade kallat in hade enhälligt kommit fram till att missilerna hade större räckvidd än tillåtna 150 kilometer och vi hade föregående vecka diskuterat frågan med vårt rådgivande organ, College of Commissioners. Som jag hade nämnt i Säkerhetsrådet den 14 februari hade vi kommit fram till att det var otillåtet för Irak att ha dessa missiler. Jag var emellertid inte helt säker på att Irak skulle gå med på att förstöra missilerna. Det skulle i själva verket bli ett prov på Iraks vilja att samarbeta i fråga om avrustning i sak till skillnad från samarbete i fråga om tillvägagångssätt, exempelvis obegränsad tillgänglighet för inspektion. Det passade bra i resolutionen om kontrollpunkter.

Jag vill inte påstå att jag var skakad av att irakierna hade överskridit den tillåtna räckvidden. Jag var oroligare för att Irak skulle ha tagit fram ritningar till missiler med ännu större räckvidd och att vi ännu inte hade funnit dem. Sedan jag talat med en av de experter vi kallat in utifrån oroade jag mig också för att Irak, liksom Indien, kanske planerade att låta sina al-Samoud 2-missiler få mycket längre räckvidd genom att utrusta dem med två motorer istället för en.

Jag trodde att besked om att så många missiler hade förstörts skulle göra intryck på regeringarna och på världen. Det visade ju att avrustning genom inspektion inte bara kunde spåra upp mindre mängder senapsgas eller några bortglömda tomma stridsspetsar. Om krig undveks genom att inspektioner sågs som en lovande möjlighet kanske förstörelse av missilerna var den bästa användningen som missilerna kunde ha fått. I denna stilla förhoppning skulle jag bli besviken.

I efterhand kan jag konstatera att Irak faktiskt tillmötesgick vårt krav även om Saddam Husseins första reaktion i en TV-sänd intervju med Dan Rather den 24 februari hade låtit trotsig. Det var ingen liten sak att förstöra dessa stora tingestar. Från irakiernas sida bad man oss att inte publicera bilder av denna operation i Bagdad och sa att det var smärtsamt för dem. Kanske var det sant. Det låg säkert en viss stolthet i att de hade lyckats konstruera och producera dessa missiler, och sorg över att behöva förstöra dem. Det var tänkbart att detta också var anledningen till att irakierna, som de påstod, 1991 valde att förstöra biologiska och kemiska stridsmedel utan att inspektörerna var närvarande. De kan ha känt sig sårade i sin stolthet. Vi hade alltid utgått ifrån att det unilaterala agerandet utan observatörer hade syftat till att göra det möjligt för Irak att i hemlighet undanhålla en del vapen. Då missilerna förstördes var våra inspektörer närvarande. Vi publicerade inte några bilder.

Destruktionen av missilerna fick inte mycket internationell uppmärksamhet och USA:s inställning tycktes en smula vacklande. I ett brev den 3 januari 2003 hade biträdande statssekreteraren John Wolf uppmanat mig att agera kraftfullt i fråga om alla förbjudna föremål: de skulle förstöras snarare än avlägsnas eller oskadliggöras. Den 28 februari sa Condoleezza Rice till mig i telefon att det bekymrade henne att irakierna släpade benen efter sig när det gällde nedmonteringen. Emellertid sa hon den 5 mars att den pågående nedmonteringen bara syftade till att föra oss bakom ljuset. Jag frågade henne om hon skulle ha föredragit att irakierna vägrat. Hon svarade inte och senare slog det mig att hon faktiskt kanske skulle ha föredragit en vägran, eftersom det skulle ha inneburit ett tydligt brott mot novemberresolutionen från 2002.

Med Rices kommentar i minnet tog jag två dagar senare, den 7 mars, tillfället i akt att presentera nedmonteringen som ”ett prov på verklig avrustning”. ”Det är inte tandpetare man bryter av”, sa jag. ”Det är livsfarliga vapen som förstörs.” På detta svarade Colin Powell: ”Jag vet att det inte är tandpetare utan riktiga missiler. Men problemet är att vi inte vet hur många missiler som finns och hur många tandpetare som finns. Vi vet inte om möjligheterna att tillverka nya också har identifierats och förstörts.”

Allt som allt förstördes ungefär sjuttio al-Samoud 2-missiler under vår övervakning och vi beräknade att det fanns ungefär ytterligare trettio utplacerade i landet. Vi hade en ganska god uppfattning om tillverkningsmöjligheterna, dels baserad på deklarationer från irakierna, dels genom inspektioner på plats. Jag tvivlar inte på att USA, som förberedde sig på att invadera Irak, var uppriktigt intresserat av att dessa missiler förstördes och att bagatelliserandet av vad vi gjorde bara var en del i den övergripande strategin att måla upp en bild av ett Irak som vägrade avrusta.

Dagen efter mitt samtal med Storbritanniens ambassadör, Sir Jeremy Greenstock, den 18 februari, åt jag lunch med USA:s ambassadör, John Negroponte, biträdande statssekreteraren Wolf och chefen för ickespridningsfrågor i Nationella säkerhetsrådet. Jag hade med mig min ställföreträdare, Dimitri Perricos. Jag förklarade hur mitt "klusterdokument" var upplagt och sa att det inte var min uppgift att driva Säkerhetsrådet i någon riktning utan bara att visa hur man skulle kunna använda sig av dokumentet. Efter lunchen följde John Wolf med mig till mitt kontor och jag lät honom bläddra genom utkastet till "klusterdokumentet" så som det då såg ut. Jag fick en bestämd känsla av att han inte var speciellt entusiastisk.

Trots att *New York Times* knappast kunde ha sett mitt utkast fanns ändå tanken på kontrollpunkter i luften och den 18 februari hade tidningen en ledare där man slog fast att president Bush borde arbeta tillsammans med Säkerhetsrådet och att Washington borde förtydliga vilka mått och steg som Bagdad måste vidta för att hejda det hotande kriget, kort sagt kontrollpunkter. På nyhetsplats i samma tidning fanns en rapport om att USA och Storbritannien hoppades att ett uttalande från EU inte skulle utesluta att vapenmakt skulle kunna komma till användning mot Irak och att det "i kombination med möjliga kritiska uttalanden av Hans Blix om Iraks samarbete under de kommande veckorna ... till slut skulle kunna ge grund för medlemmarna i Säkerhetsrådet, inklusive Frankrike, att stödja att vapenmakt kom till användning". Artikeln fortsatte med följande egendomliga rader:

> Administrationen förväntar sig att Blix ska göra en mer negativ bedömning av Iraks samarbete än vad han på fredagen gjorde i Säkerhetsrådet. Regeringstjänstemän har sagt att Blix privat gett dem det intrycket.
>
> Blix är pressad av USA att under kommande veckor upprätta särskilda kontrollpunkter som kräver att Irak uppfyller sina förpliktelser på åtminstone tre olika områden: de ska tillåta obehindrade utfrågningar av vetenskapsmän, de ska förstöra förbjudna missiler och utan att uppställa några villkor tillåta överflygningar av spaningsplan.

Dessa uttalanden kan inte ha gjorts av mina lunchgäster, för de trycktes samma dag som vi åt lunch och inte heller hade jag sagt någonting som skulle kunna ge anledning till denna kommentar, faktiskt inte till *någon* kommentar, om framtida bedömningar. Kanske trodde några politiska rådgivare i Washington att de skulle kunna påverka mig att komma med en mer negativ bedömning av Irak nästa gång. Den tidpunkten var emellertid inte inplanerad förrän till den 7 mars, nästan tre veckor fram i tiden. Och ville man i Washington verkligen använda sig av idén med kontrollpunkter? De tre som hade nämnts var i allra högsta grad genomförbara. Alltsammans var ganska förbryllande och antydde att det eventuellt fanns olika åsiktsriktningar i den stora huvudstaden Washington.

Kanadas försök att hitta en medelväg

Jag var långt ifrån den ende som försökte hitta en medelväg. Vid ett möte den 19 februari, där alla FN:s medlemsstater kunde uttala sig om Irakfrågan, hade ambassadör Paul Heinbecker från Kanada uttryckt visst stöd för USA:s linje men framhöll att UNMOVIC borde definiera de uppgifter där det var mest angeläget att man fick bevis på att Irak samarbetade. Det betydde i själva verket att man skulle upprätta kontrollpunkter. Det borde sättas ”en tidig tidsgräns” – inte 120 dagar – inom vilken Irak måste lägga fram bevis. En sådan process, sa ambassadören, skulle ge Säkerhetsrådet en grund att stå på för att kunna bedöma om Irak uppfyllde de krav som ställdes på landet.

Han slutade med att säga att ansvaret vilade på Saddam Hussein att i detta sena skede skrida till handling, men la till några rader som återspeglade stämningen i regeringen i Ottawa – men knappast stämningen i Washington – nämligen att han var övertygad om att en fredlig lösning fortfarande var möjlig och att multilaterala institutioner är nödvändiga för att styra vår allt mer integrerade värld.

Ett samtal med Tony Blair den 20 februari

Den 20 februari hade jag på den säkra linjen från ambassadör Greenstocks kontor ett långt telefonsamtal med premiärminister Tony Blair angående hans initiativ. Premiärministern sa att amerikanerna hade blivit besvikna över min rapport den 14 februari. Den hade underminerat deras tro på att gå genom FN. Ja visst, tänkte jag, de hoppades att FN:s agerande skulle leda till ett godkännande av den militära vägen. Han sa att amerikanerna till viss del var intresserade av en andra resolution från Säkerhetsrådet, men att de inte ansåg att de behövde någon sådan. Det fanns risk för att FN skulle bli marginaliserat och att det internationella samfundet splittrades. Han ville erbjuda USA en alternativ strategi, ett slags ultimatum, som skulle omfatta en tidsgräns inom vilken man måste lösa vissa avrustningsfrågor och som skulle tvinga Saddam Hussein att samarbeta aktivt. Om han inte gjorde det skulle det vara ett brott mot novemberresolutionen.

Jag förstod att Tony Blair både ansåg att en tydligt uttalad förändrad inställning var enda sättet för Irak att undvika ett väpnat ingripande och var positiv till tanken på kontrollpunkter som Saddam Hussein måste uppnå och därmed visa sin förändrade inställning. Han sa att vi behövde definiera vilket samarbete som krävdes, kanske genom att göra upp en lista med olika kategorier som samarbetet skulle kunna bedömas efter. USA talade om att gå till handling i slutet av månaden.

Jag sa att idén med en tidsgräns – ett ultimatum – tilltalade mig. I själva verket hade jag tagit med den i det dokument jag gett till Storbritanniens ambassadör. Jag sa till Tony Blair att helhjärtat samarbete skulle kunna definieras eller – som han nyss hade uttryckt det – listas i olika kategorier. Jag nämnde exempel: utfrågningar utanför Irak, att man inte hindrade övervakningsflygningar med U 2-plan eller andra flygplan, förstörelse av al-Samoud 2-missiler. Jag nämnde vidare att UNMOVIC följande vecka skulle ha en förteckning över det som krävdes av Irak – klusterdokumentet. Jag sa också att Irak hade blivit mycket aktivare. Jag fick numera en "uppsjö av halva löften". Kanske började irakierna gripas av panik. Jag behövde mer tid. Condoleezza Rice hade försäkrat mig att vädret inte hade någon betydelse för de amerikanska planerna. Det borde finnas utrymme för en kompromiss i den amerikanska inställningen. De gick alldeles för fort fram.

Tony Blair sa att irakierna skulle ha kunnat visa en vilja till förändring i deklarationen den 8 december, men att de inte hade gjort det. USA trodde inte att Saddam Hussein skulle samarbeta. Det gjorde inte han heller. Men, sa han, vi behöver hålla samman det internationella samfundet.

Jag sa att jag hade frågat Colin Powell om en tidsgräns till den 15 april och att han hade svarat att det var för sent. Jag tyckte egentligen att det var för tidigt. Tony Blair sa att han skulle fortsätta på vägen med ett ultimatum – en tidsgräns – och försöka skaffa mig så lång tid som möjligt. Det borde vara möjligt att bedöma om Saddam samarbetade eller ej. Jag svarade att kraven på samarbete måste förknippas med vad som var realistiskt. Med det menade jag att kontrollpunkter borde vara något som irakierna faktiskt kunde uppnå om de ansträngde sig. Den snabba nedmonteringen av al-Samoud 2-missilerna hade varit ett bra exempel på det.

Delar av mitt samtal med Blair rörde kvaliteten på de underrättelseuppgifter vi fått. Jag sa – liksom jag hade sagt till Condoleezza Rice – att även om jag uppskattade de underrättelser vi fick måste jag notera att de inte hade varit speciellt övertygande. Bara vid tre av de anläggningar som vi besökt på grund av dessa underrättelser hade besöken gett några resultat.

Personligen var jag böjd att tro att Irak fortfarande dolde massförstörelsevapen, men jag behövde bevis. Kanske fanns det trots allt inte många sådana vapen i Irak. Blair sa att till och med de franska och tyska underrättelsetjänsterna var övertygade om att det fanns sådana vapen; det var egyptierna också. Jag sa att de verkade osäkra i fråga om mobila fabriker för biologiska stridsmedel. Jag tillade att det skulle vara paradoxalt om 250 000 soldater skulle invadera Irak utan att finna särskilt mycket. Blair svarade att underrättelsetjänsten var övertygad om att Saddam åter hade väckt sitt program för massförstörelsevapen till liv. Blair litade helt klart på underrättelsetjänsten, medan min tilltro till den hade blivit rubbad.

9

Dödläge

Fredagen den 21 februari, dagen efter det att jag hade talat med premiärminister Tony Blair, ringde Condoleezza Rice upp mig och vi hade ett kort samtal. Hon började med att tala om att hon hade hört att jag dagen efter vårt samtal den 11 februari hade varit missnöjd, då tidningarna publicerat totalt missvisande historier om vad som hade sagts, bland annat att hon skulle ha "förmanat" mig att säga si eller så. Hon ville att jag skulle veta att hon också var missnöjd. Jag fick en känsla av att hon menade vad hon sa.

Jag kunde mycket väl förstå att hon var missnöjd om det förhöll sig så som jag kommit att misstänka, nämligen att information getts till media om vad någon politisk central önskade eller förväntade sig att Condoleezza Rice skulle säga, utan att man brytt sig om att ta reda på vad hon i själva verket hade sagt. De höll på att skapa sin egen virtuella verklighet! Inte förrän långt senare har det slagit mig att detta var en mycket obetydlig virtuell verklighet jämfört med den stora och hotfulla bild av vapen i Irak som vävdes av tunna trådar med hjälp av uttalanden på högsta nivå.

Jag tackade Rice och eftersom jag för min del gärna ville hålla henne underrättad om vad vi höll på med berättade jag om brevet som vi just sänt till Irak där vi krävde att alla al-Samoud 2-missiler skulle förstöras.

Kanske hade hon först och främst ringt upp för att säga det hon sagt. Hon fortsatte emellertid trycka på att vad vi än kunde säga om samarbetet från Iraks sida, så inte hade det skett ”omedelbart”. Jag insåg att hon sökte efter en grund på vilken Irak kunde anklagas för att ha brutit mot resolution 1441, som krävde ”omedelbart” samarbete. Hon hade skäl för det hon sa. Trots att irakierna sedan ett antal veckor tillbaka hade blivit mycket mer aktiva – till och med desperata – i sitt samarbete, hade det till att börja med inte gått särskilt snabbt. Jag sa att jag inte skulle glömma bort att nämna detta, och det gjorde jag också när jag talade i Säkerhetsrådet den 7 mars. Jag tror att detta var det längsta Rice någonsin gick när det gällde att tala om för mig vad hon tyckte att jag borde säga. Jag tyckte inte att detta inkräktade på mitt oberoende. Jag upplevde alltid våra samtal som rättframma. Hon kom från en universitetsvärld som krävde empirisk kunskap, kritiskt tänkande och logisk argumentation till den politiska världens bubblande häxkittel med dess blandning av känslosamma appeller, polemik, personlig ambition, mediehantering och vinklade uttalanden. Det kändes alltid som om hon bevarade en smula av den osentimentala och rationella akademiska världen runt omkring sig. För mig blev det på det sättet lättare att tala med henne.

Den 24 februari delade USA, Storbritannien och Spanien ut utkastet till en resolution ”som blåkopia”, det vill säga som ett förslag som inte tilldelats något dokumentnummer och som ännu inte ska behandlas eller bli föremål för omröstning. Där fastslogs att Irak inte hade uppfyllt resolution 1441 från november 2002 eftersom man inte samarbetat fullt ut och i deklarationen den 8 december kommit med falska uppgifter och förtigit sanningen. Där hävdades vidare att denna omedgörlighet utgjorde ett hot mot internationell fred och säkerhet. Den operativa delen av resolutionen var kort och skulle för en lekman som läste den kanske inte ha sett det minsta operativ ut. Den ”fastslog” helt enkelt att Irak inte hade utnyttjat den sista möjligheten som man fått genom resolution 1441 och att ”frågan skulle fortsätta att ligga på Säkerhetsrådets bord”. Förslaget skickade inga signaler om väpnad intervention. Det var som om en jury hade avgett en fällande dom utan att ännu ha bestämt straffet.

Som Storbritanniens ambassadör, Sir Jeremy Greenstock, sa när han presenterade utkastet, krävde initiativtagarna inte något omedelbart ställningstagande. Säkerhetsrådet skulle i resolutionen uttrycka som sin åsikt att Irak hittills hade valt fel väg, men att man fortfarande hade tid att göra ett riktigare val, att visa en ”vilja till förändring”. Jag noterade att även om hans uttalande var mycket kraftfullt och även om han där talade om 8 500 liter antrax, 2 100 kilo material för bakterieodling, 1,5 ton av nervgiftet VX och 6 500 kemiska bomber undvek han att säga att dessa mängder existerade, och sa försiktigtvis att vi inte *visste* vad som hade hänt med allt detta material. Alltså anklagades Irak inte för att tekniskt ha materialet utan för att inte ha redogjort för det. Det var en nyansskillnad jag uppskattade.

Trots att Tony Blair hade talat om för mig att han, precis som amerikanerna, inte trodde att irakierna skulle samarbeta, ville han antagligen visa större tålamod än vad USA:s regering skulle bry sig om att göra. *New York Times* hade ungefär en vecka tidigare (den 18 februari) rapporterat att resolutionen skulle bli ”rakt på sak” och att Irak ”kunde räkna med allvarliga konsekvenser” – återigen en eufemism för väpnat angrepp. USA:s otålighet återspeglades tydligt. I samma artikel citerades president Bush där han föraktfullt hade menat att Saddam Hussein fått en sista chans ”om och om och om igen”. Trots det gav den text som Storbritannien tillsammans med USA och Spanien framlade den 24 februari Irak just den chansen. Att man inte nämnde risken för ”allvarliga konsekvenser” kan mycket väl ha varit taktik. Man fruktade kanske att det skulle ha cementerat skillnaderna mellan Storbritannien och de länder i Europa som var mot ett krig, snarare än mildrat oppositionen mot ett väpnat ingripande.

Frankrike, Tyskland och Ryssland framförde inte sina synpunkter i ett resolutionsförslag. Istället förklarade de i ett memorandum till Säkerhetsrådets ordförande att det mest angelägna borde vara att med fredliga medel uppnå fullständig och effektiv avrustning av Irak och att villkoren för ett väpnat ingripande inte hade uppfyllts. Trots att misstankar kvarstod fanns inga bevis för att Irak fortfarande hade massförstörelsevapen eller ens möjlighet att framställa sådana: vapeninspektionerna hade precis kommit igång på allvar och vapeninspektörerna arbetade utan att bli hindrade.

I detta memorandum föreslog man att UNMOVIC och IAEA skulle framlägga ett program för sitt arbete redan den 1 mars istället för vad som sagts tidigare. Programmet skulle lista återstående avrustningsuppgifter i prioriteringsordning och tydligt definiera vad som krävdes av Irak. Vapeninspektörerna skulle när som helst rapportera till Säkerhetsrådet om Irak hindrade inspektionerna eller inte fullföljde sina skyldigheter. De skulle vidare avlägga rapport om resultaten var tredje vecka och efter 120 dagar göra en utvärdering.

Medan Storbritanniens, USA:s och Spaniens utkast hade byggt på den ”otåliga” resolutionen från november 2002, låg Tysklands, Frankrikes och Rysslands förslag nästan helt i linje med den ”tålmodigare” resolutionen från december 1999. Vapeninspektörerna borde få den tid som behövdes och ökade resurser, men det betonades också – och det var viktigt – att ”de kan inte fortsätta i det oändliga”.

24 februari: en sammandrabbning i UNMOVIC:s College of Commissioners

Vår rådgivande församling, College of Commissioners, hade ordinarie sammanträden både den 23 och den 24 februari för att diskutera och rådfrågas om den kvartalsrapport vi skulle lägga fram för Säkerhetsrådet den 1 mars och för att informeras om händelseutvecklingen. Under detta sammanträde i den normalt mycket sansade expertgruppen hettade det till i en del irriterade ordväxlingar, i synnerhet mellan John Wolf och mig angående ”klusterdokumentets” roll och innehåll. Mötena i gruppen var informella och konfidentiella, och diskussionen var därför rättfram och obehindrad.

Utkastet till kvartalsrapporten till Säkerhetsrådet var en detaljerad redogörelse för UNMOVIC:s arbete i Irak från den 1 december 2002 till den 28 februari 2003. Det berörde även den allmänna och politiskt brännande frågan om Irak hade samarbetat ”omedelbart, ovillkorligt och aktivt” – en fråga som besvarades negativt i det resolutionsförslag som Storbritannien, USA och Spanien hade presenterat. UNMOVIC:s bedömning var mer nyanserad. Trots smärre motsättningar hade Irak hjälpt till ”under arbetets gång”. I själva sakfrågan, skrev vi, skulle Irak ha kunnat göra större ansträngningar för att finna kvarvarande förbjudna föremål eller kommit med trovärdiga bevis som förklarade varför de inte fanns. Alltså hade resultatet av avrustningen dittills varit begränsat. Vi tillade att det var svårt att förstå varför en del av de åtgärder som nu vidtogs av Irak inte kunde ha påbörjats tidigare. Om de hade påbörjats tidigare skulle de nu ha hunnit bära frukt. Vi drog följande slutsats:

> Det var inte förrän i mitten av januari och därefter som Irak vidtog ett antal åtgärder som eventuellt kan resultera antingen i att man visar upp förbjudna lager eller föremål för att dessa ska kunna förstöras, eller i att man visar upp trovärdiga bevis som ger svar på avrustningsfrågor som sedan länge stått obesvarade.

Vår kvartalsrapport till Säkerhetsrådet beskrev det ”klusterdokument” som vi nu la fram som ett utkast för vår rådgivande församling att kommentera. I rapporten poängterades att klusterdokumentet förutom att det skulle fungera som grund för urvalet av ”viktiga kvarvarande avrustningsuppgifter” också skulle kunna ge måttstockar vid bedömning av Iraks avrustningsåtgärder – med andra ord kontrollpunkter.

Vid den här tidpunkten kände Säkerhetsrådets medlemmar till att klusterdokumentet existerade men visste inget om dess innehåll. Både Tyskland och Ryssland var angelägna om att det skulle offentliggöras för att visa att det gick att ställa detaljerade krav på Irak istället för svävande önskemål om ”strategiska beslut” och förändrad inställning. På den andra sidan motsatte sig varken USA eller Storbritannien att man tog bort hemligstämpeln på något som fortfarande var ett internt dokument. Det visade sig att både USA:s och Storbritanniens utrikesministrar hade fått kopior av det fortfarande hemligstämplade förslaget, förmodligen genom ländernas medlemmar i vårt rådgivande organ.

Tysklands och Frankrikes utrikesministrar, som gärna skulle ha använt sig av dokumentet, hade inte lika bra kontakter för att snabbt kunna få det. De fick inte kopior av den slutgiltiga texten förrän vid Säkerhetsrådets möte den 7 mars och kunde inte använda det för att ge exempel på hur konkreta kontrollpunkter skulle kunna se ut. Deras kollegor i USA och i Storbritannien kunde däremot i hög grad, och i förtid, utnyttja det för att demonstrera hur opålitligt Irak tidigare varit, både i fråga om deklarationer och i agerande. Colin Powell, som välkomnade sammanställningen, sa att den tydligt visade på ”Iraks strategiska beslut att försena och att förleda”. Jack Straw sa att han hade gått igenom samtliga 167 sidor på planet till New York och tyckt att det var en kuslig läsning. Han höll upp sitt exemplar som var fullt med understrykningar så att alla skulle kunna se det och han berömde det noggranna arbete som låg bakom dokumentet. Detta var den 7 mars.

Klusterdokumentet var en aktuell och objektiv analys av alla frågor rörande irakiska vapen som var kända för oss. I denna sammanfattning hade vi som utgångspunkt använt en rapport som skrivits av UNSCOM 1999, men uppdaterat den med ny kunskap som vi fått genom exempelvis dokument som irakierna överlämnat, satellitbilder och – framför allt – resultaten av våra egna inspektioner.

Efter diskussionen av dokumentet i vår rådgivande församling skulle ledamöterna till måndagen den 3 mars komplettera sina muntliga kommentarer med skriftliga och ange vilka frågor som de ansåg borde prioriteras. När vi hade fått deras kommentarer skulle vi kunna framlägga vårt urval av "viktiga kvarvarande avrustningsuppgifter" för Säkerhetsrådet, något som några av medlemmarna i rådet ville skulle ske snart för att man lättare skulle kunna välja ut kontrollpunkter.

John Wolfs invändningar mot klusterdokumentet hade inte så mycket att göra med vad det innehöll och vilka frågor som analyserades där, som vad det *inte* innehöll och om det var relevant på det här stadiet. Enligt honom hade resolution 1441 krävt omedelbar avrustning (egentligen omedelbart samarbete), något som gjorde att Irak behövde fatta ett "strategiskt beslut". Vad som nu behövdes var betygsättning, sa han. Dokumentet gav enbart en läsbar historisk redogörelse för irakiskt vilseledande. Dessutom var det bara några få sidor som ägnades åt händelser efter 1998. Vad hade irakierna gjort sedan dess? Det fanns heller ingen tillfredsställande redogörelse för frågan om UAV:s, obemannade flygplan, som Colin Powell hade talat om. Och det fanns inga tecken på att irakierna hade ändrat attityd, vilket var det enda som egentligen betydde något.

Jag fick intrycket att Wolf – och förmodligen USA:s regering – nu underkände de riktlinjer som Säkerhetsrådet hade bett oss att följa och som vi faktiskt under flera år med Säkerhetsrådets godkännande hade följt. Trots att Wolf talade om UAV:s ansåg han uppenbarligen att enskilda avrustningsfrågor nu hade sekundärt, om ens något, intresse och liten betydelse. Det förbryllade mig att han inte lämnade den minsta öppning för den linje med kontrollpunkter som Washington måste förstå att britterna arbetade på. Jag kan inte föreställa mig att Wolf skulle ha uttalat sig så kategoriskt om det inte hade varit på uppdrag av Washington. Trots det skulle hans kommentarer ha kunnat vara hövligare i tonen. Det föraktfulla tonfallet chockerade och överraskade de andra medlemmarna i rådet. Jag kände indignation och dolde det inte. Vi hade arbetat länge och energiskt enligt en linje som hade Säkerhetsrådets, inklusive USA:s regerings, fulla godkännande. Nu såg det ut som om den regeringen helt och hållet övergav linjen. Okej, men var det då rättvist att kombinera detta med kritik av vårt arbete genom att kalla det irrelevant och otillräckligt?

Det upprörda meningsutbytet var en sak. De konkreta frågor som Wolf hade väckt angående perioden efter 1998 och angående spaningsrobotar var en annan. Det var förvisso ett problem att vapeninspektörerna under nästan fyra år, från slutet av 1998, inte hade varit i Irak. Vi hade mycket lite pålitlig information bortsett från satellitbilder där man kunde se en mängd återuppbyggnadsarbeten och nya byggnader som till stor del hade kontrollerats av vapeninspektörerna utan att de kunnat finna någonting förbjudet där. Vi måste erkänna att – som någon så träffande har uttryckt det – ”man vet inte vad man inte vet”.

Liksom andra medlemmar av rådet kompletterade John Wolf sina muntliga kommentarer med ett brev. Han skrev där att klusterdokumentet var en utmärkt sammanfattning av frågor som var olösta vid slutet av UNSCOM:s period, en sammanfattning som uppdaterats med senare material. Det gav emellertid inte någon tillfredsställande grund för att man skulle kunna lösa de kvarstående frågorna så som det stipulerats i resolution 1441. Att förlita sig på ”andrahandskällor”, till exempel dokument eller utfrågningar i landet, skulle inte ge tillräcklig säkerhet. Istället, fortsatte han:

> skulle en verkligt ’dramatisk omsvängning’ från Iraks sida ha krävt att man öppet, och inte efter påtryckningar, erkände att man hade och fortfarande har massförstörelsevapen och program för massförstörelsevapen. En sådan omsvängning skulle ha gjort att Irak frivilligt tog med vapeninspektörerna till de hemliga förvaringsplatserna. Irak skulle ha visat upp de fabriker där framställningen har ägt rum/äger rum. Irak skulle ha beskrivit de illegala anskaffningssystemen ... Det gjorde inte Irak. Det gör Irak fortfarande inte. Om man försöker välja ut en uppsättning kontrollpunkter, eller uppgifter, kommer man bara att uppnå att kravet på fullständig avrustning som stipuleras i resolution 1441 blir urvattnat.

När jag gick igenom hans formuleringar förstod jag att det han egentligen sa var: *Häxorna existerar och ni har fått i uppgift att ta itu med dessa häxor; att pröva huruvida det finns häxor är bara ett sätt att urvattna häxjakten.*

En artikel i *New York Times* den 2 mars talade om besvikelsen i vissa kretsar i Washington över att jag inte stödde deras sak i Säkerhetsrådet, och där fanns några intressanta kommentarer om hur man i samma kretsar såg på frågan om kontrollpunkter. I artikeln hävdades det – felaktigt – att det hade förekommit omfattande diskussioner mellan mig och amerikanska regeringstjänstemän angående frågan om kontrollpunkter. Som jag har visat hade de utförliga samtalen i själva verket förts med engelsmännen. Artikeln förklarade vidare att:

> Vissa regeringstjänstemän sa att de hoppades att arbetet med kontrollpunkter fortfarande skulle kunna belysa Iraks underlåtenhet att avrusta. Andra sa att de önskade att tanken på kontrollpunkter aldrig hade dykt upp.
>
> ”Frågan om kontrollpunkter har kommit att dra uppmärksamheten från huvudfrågan som gäller huruvida Saddam Hussein uppfyller sina åtaganden eller ej”, sa en tjänsteman vid utrikesdepartementet.

Det var tydligen denna inställning som John Wolf uttryckte i det brev som jag läste dagen efter det att artikeln hade publicerats.

Wolf gjorde även några kommentarer angående enskilda frågor som diskuterades i klusterdokumentet. I fråga om biologiska stridsmedel påpekade han att dokumentet inte utnyttjat delad information ”som delgivits oss” om aktiviteter efter 1996. Vad gäller mobila laboratorier påpekade han särskilt att ”vi har försett er med information om att Irak inte enbart har sådana mobila fabriker utan också att man nyligen har producerat stridsmedel”. På liknande sätt påpekade han angående kemiska vapen att klusterdokumentet inte utnyttjat ”den information som delgivits som visar att man har fortsatt programmet efter Kuwaitkriget”.

Jag tvivlar inte på att Wolf var övertygad om att det som den amerikanska underrättelsetjänsten hade kommit fram till var sant – det som man vänligt ”hade låtit oss få ta del av”. Vi försökte under våra inspektioner verifiera sådana uppgifter. Vi ville emellertid inte presentera det som underrättelsetjänsterna hävdade som vårt bevismaterial, om vi inte också själva funnit bevis som var trovärdiga. Flera olika underrättelsetjänster hade till exempel hävdat att det fanns mobila laboratorier för att producera biologiska stridsmedel. Vi tog detta på stort allvar och letade efter sådana laboratorier och vi undersökte olika platser där de skulle ha kunnat vara inkopplade för att få vatten och elektricitet. Så länge vi inte fann bevis ville vi emellertid inte påstå att de existerade, något som Wolf tydligen ansåg att vi borde göra.

Efter flera månaders ockupation har man nu insett det pinsamma i påståendena att några lastbilar som man hittat var dessa beryktade biologiska laboratorier. Jag känner över huvud taget inte till att någon av den information som vi fick "ta del av" har kunnat styrkas av trovärdiga bevis.

Condoleezza Rice den 28 februari och den 5 mars: Vi närmar oss ett vägskäl

När Condoleezza Rice ringde till mig den 28 februari var det inte för att tala om kontrollpunkter. Hon hade antagligen låtit John Wolf ta hand om den saken. Istället ville hon uttrycka oro för att Irak skulle komma att använda sig av mänskliga sköldar, i synnerhet amerikanska och engelska medborgare. Risken för detta skulle kunna bli större ju mer vi närmade oss en omröstning om resolutionen. Jag svarade att om resolutionsförslaget från Storbritannien, USA och Spanien innebar att vapeninspektörernas arbete skulle upphöra – i den text som delats ut fastslogs bara att Irak inte hade utnyttjat den "sista möjligheten" – borde det kanske finnas med en klausul om att vapeninspektörerna skulle dras tillbaka. Jag hade det operativa ansvaret men Säkerhetsrådet hade det politiska.

Rice sa att vi ännu inte hade kommit dithän. Men *vi närmade oss ett vägskäl*. Resolution 1441 hade krävt omedelbart och ovillkorligt samarbete. Irak hade missat tillfället. Jag inskööt att i UNMOVIC:s kvartalsrapport, som vi hade diskuterat i den rådgivande församlingen, skulle det komma att stå att irakierna borde ha kunnat agera snabbare. Nu var de mycket aktiva och när det var dags för mig att framlägga kvartalsrapporten för Säkerhetsrådet skulle det kanske finnas mer att säga, till exempel om förstörelsen av al-Samoud 2-missiler. Rice sa att hon oroade sig över att Irak drog ut på tiden när det gällde att förstöra missilerna, men även om de förstörde allihopa var det kanske ändå bara toppen på ett isberg. Vi var överens om att det låg i Iraks intresse att påbörja förstörelsen omedelbart och att fortsätta med den utan några dröjsmål.

Rice nämnde också svårigheterna med att ha en hel armé som sitter och väntar. Hon var dessutom helt klart bekymrad över att jag kanske skulle tala om för Säkerhetsrådet exakt hur mycket tid som UNMOVIC skulle behöva för inspektionerna. Hon hade ingen anledning att oroa sig. Hur skulle jag uppriktigt kunna säga hur mycket tid som skulle behövas för att lösa alla kvarstående avrustningsfrågor? Jag talade om för henne att jag tänkte säga att om irakierna samarbetade fullt ut skulle det röra sig om månader, inte år men inte heller veckor, för att nå fram till ett resultat. Det var precis vad jag senare sa.

Rice ringde mig igen den 5 mars. Återigen uttryckte hon sin oro för vapeninspektörerna från USA och Storbritannien eftersom de skulle kunna vara särskilt utsatta om det kom till en väpnad konflikt. Storbritanniens permanente representant vid FN, ambassadör Greenstock, hade påpekat samma sak två dagar tidigare. Jag hade då svarat att om vi drog tillbaka inspektörer samtidigt som man gjorde stora ansträngningar för att finna en fredlig lösning, skulle det se ut som om man insåg att ett krig var oundvikligt. Jag sa vidare att alla vapeninspektörerna var FN-tjänstemän och att vi inte kunde göra någon skillnad på dem.

Ett par dagar senare fick vi reda på att ett par amerikaner som vi hade utbildat och anställt som nya vapeninspektörer och som skulle resa till Bagdad, av de amerikanska myndigheterna hade avråtts från att resa. Vi rådde aldrig någon att lämna Bagdad på grund av sin nationalitet. (Till slut flögs alla ut därifrån – med aktiv hjälp från Iraks sida.) Men vi hindrade å andra sidan aldrig någon anställd att lämna Bagdad före kontraktstidens utgång. Endast ett fåtal gjorde det, och några amerikaner och engelsmän insisterade på att få resa till Bagdad eller stanna kvar där trots att myndigheterna i deras hemländer hade rått dem att göra motsatsen.

Det viktigaste som Rice hade att säga den 5 mars var att hon hoppades jag skulle behålla resolution 1441 som min vägvisare när jag bedömde huruvida irakierna uppfyllt de krav som ställdes på dem att samarbeta ”omedelbart, aktivt och ovillkorligt”. Jag påpekade att detta syftade på samarbetet, inte på avrustningen, som aldrig skulle kunna ske omedelbart. Jag talade vidare om för henne att jag inte enbart skulle hänvisa till resolution 1441 utan också till resolution 1284, eftersom det var denna resolution som krävde en kvartalsrapport från mig och eftersom klusterdokumentet hade upprättats och skulle framläggas på grund av den resolutionen. Den här gången slutade vårt samtal med att jag påpekade att någon amerikansk general hade sagt att USA:s mål i Irak var avrustning, inte att bli av med Saddam Hussein. Visste de var dessa massförstörelsevapen fanns? Nej, sa hon, men det skulle avslöjas genom förhör efter befrielsen. Jag är säker på att hon talade i god tro. Jag sa bara att det var egendomligt att vi inte hade fått några tips som hade kunnat leda oss till platser med massförstörelsevapen.

Händelserna hade utvecklats betydligt i Washington sedan jag talade med Colin Powell den 16 februari. Hade det varit det brittiska intresset för kontrollpunkter som fått USA att granska den möjligheten? Hur som helst stod det klart för mig att USA-administrationen nu tyckte att det skulle vara enklast att förklara att Irak inte hade samarbetat så som man borde ha gjort. Fullföljde man tanken om kontrollpunkter skulle det kunna dra ut på tiden och bli alltför långvarigt. Jag kunde inte låta bli att undra hur diskussionerna med engelsmännen hade varit eftersom britterna verkligen ansträngde sig för att driva denna tanke. Trots USA:s negativa inställning fortsatte engelsmännen att arbeta på detta.

Intensiv diplomati före mötet i Säkerhetsrådet den 7 mars

För var dag som gick tycktes amerikanerna allt mer beslutna att överge inspektionsvägen. Nu väntade en invasionsstyrka på 250 000 man på tröskeln till Irak, och det enda stora hindret som skulle kunna orsaka ett dröjsmål tycktes vara om man inte fick tillåtelse att transportera trupper genom Turkiet. Trots att man erbjöd Turkiet miljardbelopp för att försäkra sig om ett sådant tillstånd och den turkiska regeringen ställde sig positiv, ville parlamentet i Turkiet inte gå med på det. Det var en smula paradoxalt att höra hur vissa amerikanska politiker talade om välsignelsen med en framtida demokrati i Irak, samtidigt som man inte visade mycket förståelse för den olust som det demokratiskt valda parlamentet i Turkiet hyste.

I lika hög grad som USA var för invasion, var fransmän, tyskar och ryssar för fortsatt vapeninspektion. Deras utrikesministrar träffades den

5 mars i Paris och förklarade att det var möjligt att genomföra en avrustning av Irak genom inspektioner, och att inspektionerna "gav allt mer uppmuntrande resultat". De sa emellertid också att "dessa inspektioner inte kan fortsätta i det oändliga". Deras uttalande tycktes peka på idén om att ställa upp kontrollpunkter. Ett handlingsprogram för UNMOVIC borde utan dröjsmål presenteras, det borde ske en prioritering av de avrustningsfrågor som återstod, detaljerade tidsplaner för varje fråga måste fastställas och därefter skulle Säkerhetsrådet få rapporter om utvecklingen för att kunna utvärdera resultaten.

Redan nu spekulerade man om huruvida en resolution som förklarade att Irak ej uppfyllt sina skyldigheter skulle kunna få de nio röster som krävdes, och stormakterna i Säkerhetsrådet ägnade mycket uppmärksamhet åt Bulgarien, Angola, Kamerun, Chile, Guinea, Mexiko och Pakistan. Det kom rapporter om stora ekonomiska och diplomatiska påtryckningar på dessa länder och till och med om hemlig avlyssning vid deras beskickningar i New York. Bulgarien skulle få förmånen att ekonomiskt betraktas som "marknadsekonomi" medan Chile hotades med att ett frihandelsavtal med USA skulle skjutas på framtiden. Det berättades en historia om hur USA 1991 hade dragit tillbaka sitt stöd till Jemen som årligen uppgått till 24 miljoner dollar, eftersom landet då inte stödde en resolution som sanktionerade Kuwaitkriget. Diplomater från USA hade talat om för ambassadören från Jemen att han precis hade lagt sitt livs dyraste röst.

Den punkt i deklarationen från mötet i Paris som fick störst uppmärksamhet var att de tre länderna "inte skulle låta ett resolutionsförslag som sanktionerade ett väpnat ingripande gå igenom". Även om man inte demonstrativt talade om ett veto, fastslogs i texten ändå att "Ryssland och Frankrike kommer som permanenta medlemmar av Säkerhetsrådet att uppfylla alla sina skyldigheter på den här punkten". Dessa två länder, men inte Tyskland, hade möjlighet att inlägga veto, så antydningen fanns där.

Samma dag sa Colin Powell i rysk television att även om han knappast trodde på det, fanns det fortfarande möjlighet för fred om Saddam Hussein gjorde allt man uppmanade honom att göra och fattade det "strategiska beslutet" att frivilligt avrusta. Han sa att irakierna bara gjorde det minsta möjliga för att minska påtryckningarna mot dem. USA skulle invänta vapeninspektörernas rapport den 7 mars och därefter tillsammans med sina allierade besluta om man skulle kräva en omröstning om en resolution eller ej. Enligt *Times* i London sa han att arbetet med att förstöra missiler var humbug och att Irak i början av februari hade börjat flytta känsligt material var tolfte eller fjortonde timme. Det förklarades inte om det var material som hade med massförstörelsevapen att göra eller om det var konventionella vapen som förflyttades på grund av krigsrisken. *Reuters* rapporterade att USA och Storbritannien ännu inte hade de nio röster som krävdes och att Storbritannien prövade vissa omskrivningar i det föreliggande förslaget för att det skulle kunna få fler röster.

Så var det politiska klimatet då vi närmade oss mötet i Säkerhetsrådet.

Den 6 mars, dagen före mötet, besökte en delegation från Arabförbundet generalsekreterare Kofi Annan. Min kollega Mohamed ElBaradei och jag inbjöds att delta. De skulle resa till Bagdad och ville höra våra synpunkter. Kofi Annan förklarade läget med sedvanlig klarhet. Det fanns olika möjligheter: resolutionen från USA, Storbritannien och Spanien som förklarade att Irak inte uppfyllt de krav som ställts på landet; Frankrikes, Tysklands och Rysslands linje som gick ut på att klarlägga avrustningsmålen, få täta rapporter från vapeninspektörerna och efter 120 dagar göra en utvärdering; Kanadas idé att avrustningsmål skulle sättas som kontrollpunkter och att dessa mål skulle vara uppfyllda redan i slutet av mars.

Kofi Annan sa att irakierna behövde vara proaktiva. De måste visa att de kommit på andra tankar och bland annat tillåta utfrågningar utanför Iraks gränser. Jag höll med honom och sa att Saddam Hussein skulle kunna hålla ett tal där han offentliggjorde de ”strategiska beslut” som krävdes. ElBaradei påpekade att vi hade haft ett uppehåll på fyra år och att inspektionerna nu bara pågått i fyra månader. Han sa att ”en förändrad inställning” var ett subjektivt kriterium. Genom att identifiera ”viktiga kvarvarande avrustningsmål” skulle man kunna få objektiva kriterier. Klockan i USA tickade fort, sa han, men Saddam Hussein brydde sig inte om det och talade om vapeninspektörerna som spioner.

Fredagen den 7 mars: en lång dag

På torsdagskvällen hade jag och mina rådgivare arbetat till klockan elva för att få färdigt det tal jag skulle hålla då jag presenterade UNMOVIC:s tolfte rapport för Säkerhetsrådet. Jag var nu en ömtålig pjäs på schackbrädet och måste flyttas under beskydd, inte minst på grund av media som gjorde allt för att ligga i bakhåll. På morgonen den 7 mars kördes jag ner i FN:s garage tillsammans med den trevlige säkerhetsvakt FN tilldelat mig, Eric Brownwell. Vi gick förbi soptunnor och flyttkartonger till hissarna i källarvåningen där jag aldrig tidigare hade varit. Det stod till och med en hiss och väntade på oss. När vi kom upp till trettioförsta våningen dit jag skulle var det emellertid slut på lugnet. Korridoren var full av journalister och kameror. De väntade inte så mycket på mig som på den tyske utrikesministern, Joschka Fischer, som kom dit på ett artighetsbesök före mötet. Mohamed ElBaradei var redan på mitt kontor och vi tre talade en kort stund medan kamerorna surrade och klickade. Mohamed frågade om jag i mitt tal hade poängterat att vapeninspektionerna var i full gång och att de skulle kunna ge resultat. Jag sa att den tanken fanns i talet.

Mohamed och jag for upp till generalsekreterarens kontor på trettioåttonde våningen, och sedan åkte vi tillsammans med Kofi Annan ner till Säkerhetsrådets mötesrum som var fullt med folk. Guineas utrikesminister, som var klädd i en praktfull afrikansk dräkt, skulle vara ordförande. De flesta medlemsländer var representerade på utrikesministernivå. Colin Powell, Jack Straw, Igor Ivanov, Dominique de Villepin, Joschka Fischer... TV-kameror och radiomikrofoner var redo att sända ut talen över hela världen. Mohamed och jag inbjöds att sätta oss vid bordet och man bad mig att tala först. Mitt tal var inte särskilt långt. Jag hade tidigare rapporterat ofta och mycket till Säkerhetsrådet och jag la nu formellt fram UNMOVIC:s kvartalsrapport som låg framför medlemmarna och som beskrev vårt inspektionsarbete under perioden den 1 december till den 28 februari. Jag behövde bara komplettera rapporten med uppgifter om vad som hade skett sedan rapporten skrevs.

Senare fick jag av goda vänner i Washington reda på att det som USA:s administration skulle ha velat höra – och som de saknade – i mitt tal var allmänna åsikter om irakiernas bristande samarbete. Bilden var emellertid mycket mer komplicerad nu än den hade varit när jag rapporterade den 27 januari. Nu gjorde amerikanska U 2-plan och franska Mirage-plan övervakningsflygningar över Irak för UNMOVIC:s räkning och snart skulle ryska flygplan och tyska spaningsrobotar komma. Det saknades fortfarande dokumenterade bevis, något som jag beklagade: "När förbjudna föremål inte ansetts redovisade så är det framför allt trovärdiga redovisningar som behövs – eller de förbjudna föremålen, om de existerar." Jag diskuterade hur vi försökte få klarhet i frågan om den påstådda existensen av mobila laboratorier och hur inspektionsarbetet fortsatte i fråga om obemannade fjärrstyrda miniflygplan. Jag poängterade att al-Samoud 2-missiler förstördes. För att bemöta de förringande kommentarer som fällts om detta, upprepade jag: "Vi övervakar inte att man bryter tandpetare." Det var fråga om "nedrustning av stora mått – faktiskt den första sedan mitten av 1990-talet".

Jag påpekade också att framsteg gjorts i fråga om utfrågningarna. Veckan innan hade vi genomfört sju utfrågningar "på våra villkor", det vill säga utan närvaro av irakiska tjänstemän och utan bandspelare. Jag sa att Irak ansträngde sig för att möjliggöra en objektiv uppskattning av den mängd kemiska och biologiska vapen som ensidigt förstördes 1991. Genom detta liksom på andra sätt, sa jag (och underströk därmed det som min vän Mohamed ansåg vara viktigt), "fortsätter inspektionsarbetet och kan komma att ge resultat." Jag preciserade detta ytterligare – utan att släppa försiktigheten i formuleringen – genom att säga:

> Vad ska vi anse om dessa aktiviteter? Man kan knappast undgå att få intrycket att det, efter en period av ganska motvilligt samarbete, under slutet av januari har skett en ökning av initiativen från Iraks sida. Detta välkomnar vi, men värdet av dessa åtgärder måste bedömas nyktert genom att vi tar reda på hur många frågetecken de faktiskt lyckades räta ut. Det är ännu inte klart.

Som svar på de icke ovanliga men överdrivna antydningarna om att vapeninspektörerna hade nyckeln till fred och krig, betonade jag att det var Säkerhetsrådet som, med utgångspunkt i mina faktiska beskrivningar, skulle bedöma om Irak hade samarbetat så "omedelbart, villkorslöst och aktivt" som bestämts i resolution 1441. Jag noterade icke desto mindre att även om Irak hade blivit "aktivt" eller till och med "proaktivt" kunde de här initiativen som tagits tre till fyra månader efter den nya resolutionen inte sägas innebära något ”omedelbart” samarbete. Det var Säkerhetsrådet och inte jag som skulle göra en helhetsbedömning.

Senare sa jag till en mycket erfaren vän som är amerikansk politiker att det skulle ha varit förmätet av mig att göra en sådan bedömning och han svarade: ”Hans, de ville att du skulle vara förmäten.” Kanske det, om allt gick i den riktning som de ville, men inte om det hade gått åt andra hållet!

Mot slutet av mitt tal informerade jag Säkerhetsrådet om att det fanns ett ”klusterdokument” och att vi hade tagit bort hemligstämpeln på det och att det fanns tillgängligt för den som ville.

Många hade nog velat att jag skulle säga att jag bara behövde ytterligare ett par månader för att kunna lösa avrustningsfrågorna. Mohamed ElBaradei hade sagt det vad gällde den nukleära delen. Han hade emellertid bara ett fåtal frågetecken kvar. Jag sa att till och med om irakierna visade en proaktiv attityd, ”på grund av fortsatta påtryckningar utifrån”, skulle det inte ta år, inte heller veckor men månader att komma fram till en avrustning som gick att bekräfta. Jag tillade att ”varken regeringar eller vapeninspektörer skulle vilja att avrustningsinspektionerna fortsatte i evighet” och påminde Säkerhetsrådet om att efter att avrustningen bekräftats måste ett varaktigt inspektions- och övervakningssystem förbli på plats för att kunna slå larm om det fanns några tecken på förnyelse av förbjudna vapenprogram.

Mohamed ElBaradei som talade efter mig sa att IAEA efter tre månaders noggrann inspektion inte hade funnit vare sig bevis eller trovärdiga tecken på att något kärnvapenprogram återupptagits i Irak. Han framlade dramatisk information angående två frågor som nyligen hade stått i fokus: för det första hade IAEA efter omfattande utredning dragit slutsatsen att det inte var sannolikt att de omskrivna aluminiumrör som Irak hade försökt importera skulle användas till centrifuger för anrikning av uran, för det andra var det kontrakt som påstods ha upprättats mellan Irak och Niger för import av råuran – yellowcake – inte äkta. Detta var, om uttrycket tillåts, som att släppa en bomb! I sin iver att nagla fast Irak vid ett kärnvapenprogram hade den amerikanska administrationen låtit sin president peka på kontraktet för råuran i sitt tal om tillståndet i nationen, trots att man redan då visste att det var ett mycket tvivelaktigt bevismaterial. Nu skulle den tvingas leva med Mohameds avslöjande och sin egen dåliga kvalitetskontroll på information.

Slutligen sa Mohamed ElBaradei att IAEA inom en snar framtid skulle kunna ge Säkerhetsrådet en objektiv och grundlig bedömning av Iraks kapacitet att framställa kärnvapen. Han nämnde också, precis som jag hade gjort, att en fortsatt övervakning under lång tid i framtiden skulle kunna ge det internationella samhället fortgående garantier.

Den diskussion som följde i Säkerhetsrådet och under lunchen efteråt förde inte parterna närmare varandra. Ett grundläggande och viktigt påpekande som gjordes av både den tyske och den ryske utrikesministern var att olikheterna inte gällde målet – att förhindra vapenspridning – utan *hur* man skulle uppnå det: de slogs inte mot varandra, de slogs om hur de skulle behandla en tredje part! Medan flera av ministrarna anslöt sig till USA och Colin Powell genom att göra ett "strategiskt beslut" till ett kriterium för att resolution 1441 uppfyllts, frågade Mexikos utrikesminister hur man kan identifiera ett sådant beslut och utrikesministrarna från Tyskland och Chile frågade vilket värde det kunde ligga i ett strategiskt beslut som fattats av någon som inte var pålitlig.

De franska, tyska och ryska ministrarna förespråkade de principer man några dagar tidigare hade kommit överens om i Paris. Den tyske ministern frågade vad det var för mening med att förbereda för inspektion under två år och sedan bara ge inspektörerna två månader på sig för att utföra arbetet? Den franske ministern sa att om man satte en tidsgräns på ett par dagar för inspektionen skulle det bara skapa en förevändning för krig, men han var redo att minska den tidsgräns på 120 dagar som han själv hade föreslagit. Han föreslog också att man skulle hålla ett möte på statschefsnivå, en idé som ganska skoningslöst sköts i sank under lunchen då två ministrar sa att det var illa nog att man blottlade den existerande klyftan på utrikesministernivå.

Colin Powell bekräftade det vi hade hört genom John Wolf: det var ointressant att definiera olösta frågor, vare sig i "kluster" eller ej. Det enda som betydde något var det strategiska beslutet och det kunde fastställas genom den entusiasm som man hade kunnat se prov på i fallen med Sydafrika och Ukraina. Han bekräftade således att USA ansåg att Säkerhetsrådet genom resolution 1441 hade övergett den inställning man hade haft under 1990-talet. Powell förringade de åtgärder som Irak hade vidtagit, till exempel att förstöra missiler, och han försökte ifrågasätta IAEA:s trovärdighet. Han godtog inte heller Internationella atomenergiorganets ståndpunkt i fråga om aluminiumrören – en ståndpunkt som faktiskt hade godtagits av experter inom USA:s energiministerium, som själva driver anrikningsanläggningar. Han sa vidare att ”som vi alla vet” hade IAEA 1991 bara varit dagar ifrån att konstatera att Irak inte hade något kärnvapenprojekt. Som jag kommer att visa har varken detta påstående eller senare påståenden som gjorts av andra högre amerikanska tjänstemän om att IAEA skulle ha misslyckats att identifiera irakiska nukleära program 1995 och 1998 styrkts av förklaringar eller bevismaterial. Powell slutade sitt anförande genom att uppmana till en snabb omröstning om resolutionen.

Jack Straw, Storbritanniens utrikesminister, fick applåder efter ett kraftfullt improviserat anförande och därmed befann han sig jämsides med sin franske kollega, som hade fått applåder vid ett tidigare möte i Säkerhetsrådet. Straw framlade en ändring i Storbritanniens, USA:s och Spaniens resolutionsförslag från den 24 februari. Inledningen till det gamla förslaget hade lämnats oförändrad men de operativa punkterna var nya. I det gamla förslaget fastslogs bara att Irak hade underlåtit att ta tillvara den sista möjligheten man fått i resolution 1441 och att frågan fortfarande låg på Säkerhetsrådet bord. Som jag nämnt förklarades Irak skyldigt utan att man utdömde något straff. I den nya texten uppmanades Irak att omedelbart fatta de nödvändiga besluten ”i folkets och landets intresse” – alltså utan tvekan de ”strategiska” besluten. Nästa viktiga mening förklarade att Irak skulle anses ha ”underlåtit att ta tillvara den sista möjligheten” om inte Säkerhetsrådet den 17 mars 2003 eller tidigare skulle kunna fastslå att Irak hade visat prov på fullständigt, ovillkorligt, omedelbart och aktivt samarbete och lämnade ifrån sig *alla* vapen och andra förbjudna föremål samt upplysningar om vad som redan tidigare hade förstörts. Det fanns inga kontrollpunkter: ”alla” vapen skulle lämnas in. Det lät inte särskilt realistiskt. Men tidsgränsen fanns med. Rent teoretiskt tycktes nåd möjlig om snabb bot gjordes.

Det sjätte stycket i resolutionsförslagets inledning var besvärligare. Liksom tidigare stod det där att Iraks deklaration den 8 december hade innehållit ”falska uttalanden och utelämnanden” och att Irak hade ”underlåtit att rätta sig efter och samarbeta fullt ut för att verkställa kraven” i resolution 1441. Det var inte förvånande att Frankrike antydde att detta en krigsförklaring utfärdad i en preambel. Icke desto mindre tyckte jag att det här, den 7 mars, fanns något nytt: en teoretisk möjlighet att undvika krig. Saddam Hussein skulle kunna hålla ett tal, Irak skulle kunna överlämna förbjudna föremål. Först lite längre fram i processen, när idén om kontrollpunkter äntligen kom upp, insåg jag att Irak skulle befinna sig i större svårigheter om det var sant som de hade sagt: att det inte fanns några vapen som de kunde ”överlämna”. Vem skulle tro på dem? Absolut inte USA:s regering, där man lät mer och mer övertygad om att det fanns massförstörelsevapen och mer och mer irriterad på vapeninspektörerna som inte höll med dem om detta – felaktiga – antagande.

10

ElBaradei och jag blir slagpåsar

Den 7 mars besvarade jag inte frågan om Irak hade avrustat eller inte. Jag visste inte. Istället gav jag en skiftande bild, grundad på våra inspektioner i Irak. Samarbetet hade förbättrats, men jag påpekade att det inte hade kommit till stånd omedelbart, och även om det resulterade i att de missiler som vi hade bedömt var förbjudna förstördes, så hade det inte rätat ut några frågetecken. Säkerhetsrådet måste nu, med utgångspunkt från den detaljerade, faktiska rapport som jag hade lagt fram, bedöma i vilken utsträckning Irak hade eller inte hade uppfyllt kraven i resolution 1441 och därefter besluta hur man skulle gå vidare.

Många månader efter USA:s och dess allierades väpnade angrepp kan jag inte låta bli att undra hur världen skulle ha reagerat om vapeninspektörerna helt enkelt hade förklarat att de delade USA:s och Storbritanniens bedömningar – som senare visade sig vara felaktiga eller högst tvivelaktiga – i fråga om aluminiumrör, urankontrakt, mobila biologiska laboratorier, spaningsrobotar och så vidare. Tänk om Säkerhetsrådet då hade godkänt ett väpnat angrepp och man sedan funnit att det inte fanns några förbjudna vapen i Irak?

Finns det behov av inspektioner?

Att jag i mitt uttalande den 7 mars vägrade att utgå ifrån att ”icke redovisade föremål” verkligen existerade, väckte ogillande i vissa kretsar i Washington. Den 2 mars rapporterade *New York Times* att ”en högt uppsatt regeringstjänsteman” hade sagt ”att inspektionerna har visat sig vara en fälla ... Vi räknar inte med att Blix kommer att göra särskilt mycket för oss.” Och vidare: jag ansågs ha gjort trotsigt tvetydiga uttalanden och var nu ”mer intresserad av att göra alla sidor nöjda än att lägga fram fakta” om att Irak hade förbjudna vapen, och jag ville inte ”resa tillbaka till Sverige och ha orsakat ett krig”. Kritiken var tydligen grundad på den felaktiga övertygelsen att de bevis USA och Storbritannien hade var avgörande och att min enda anledning att inte svälja dem med hull och hår var att jag inte ville bli betraktad som den som hade banat väg för att Säkerhetsrådet röstat för ett godkännande av kriget.

I samma artikel rapporterades att det fanns stora förhoppningar inom Washington-administrationen om att man skulle kunna få de röster som behövdes för resolutionen, ”men allt mindre hopp om att Blix ska hjälpa till att *samla in dem”*. USA:s största intresse var nu att förmå FN att rösta för ett godkännande av kriget.

Kanske hoppades britterna fortfarande att Saddam Hussein skulle ge upp och visa prov på sin omvändelse genom att uppfylla några kontrollpunkter inom de tio dagarna före den tidsgräns som man föreslagit till den 17 mars. På amerikanskt håll framstod det antingen som en distraktion att sätta upp kontrollpunkter, eller i bästa fall (om irakierna förkastade dem) som ett sätt att demonstrera Iraks bristande vilja att samarbeta och att avrusta. Donald Rumsfeld argumenterade mot det franska förslaget att intensifiera inspektionerna genom att tredubbla antalet vapeninspektörer, och han ska enligt *International Herald Tribune* ha sagt att om man behöver inspektörer för att slå fast om Irak uppfyller sina skyldigheter, då skulle det räcka med en eller två. Med andra ord var det en bedömning som behövdes, inte inspektion. Man ansåg att det absolut måste bli krig och att en resolution som godkände det var önskvärd men inte nödvändig.

Att övertala Säkerhetsrådets medlemsstater att rösta för resolutionen

USA:s administration hade ingen lätt uppgift framför sig. Man måste övertala tillräckligt många av Säkerhetsrådets medlemsstater för att lyckas få nio röster för resolutionen. Opinionsmätningar pekade på att 86 procent av tyskarna var emot ett krig i Irak, så därför var det föga troligt att den tyska regeringen skulle kunna förmås att ändra inställning. Den allmänna opinionen i Chile och i Mexiko var också negativ till krig. Regeringarna i de afrikanska stater som var medlemmar av Säkerhetsrådet utsattes för påtryckningar inte bara av USA utan också av Frankrike, som var emot ett krig. Angolas ambassadör sa i Säkerhetsrådet att hans land av erfarenhet visste vad ett krig ville säga.

Jag har inga dokument som ger bevis för de påtryckningar som regeringar och ambassadörer utsattes för av USA under denna kampanj. Men det var lätt att se att de av Säkerhetsrådets medlemsländer som vid denna tidpunkt var övertygade motståndare till ett väpnat ingripande, kände betydande obehag. Det fick mig att fundera över vad regeringar legitimt kan grunda sina röstningar i Säkerhetsrådet på.

Rådsmedlemmarna har enligt FN-stadgan att bedöma och fastställa om det föreligger ett "hot mot freden, brott mot freden eller en angreppshandling" och de har utan tvekan rätt att avgöra om en stat, till exempel Irak, har efterlevt en bindande resolution från Säkerhetsrådet. Är det legitimt för en medlemsstat i Säkerhetsrådet att låta omständigheter som inte har något alls med frågan att göra påverka sin bedömning och hur den ska rösta? Är ett löfte från en annan regering att den som tack för en önskad röst ska skynda på ett frihandelsavtal eller att den ska ge generös hjälp en legitim anledning att avge den önskade rösten?

I USA:s kongress, och kanske i de lagstiftande församlingarna i en del andra länder, brukar medlemmar – och i ännu högre grad grupper av medlemmar – ibland lägga sina röster i en fråga beroende på om de får något i gengäld i en helt annan fråga. När sådan kohandel blir alltför påtaglig brukar allmänheten reagera. Jag tycker mig minnas en sådan reaktion när en medlem av USA:s kongress la sin röst för högre ersättningar i USA:s krigsmakt mot ett löfte om att en flygflottilj då skulle bli kvar i hans hemstat Oklahoma. Är det tillåtet med detta slags överenskommelser i FN:s Säkerhetsråd?

Medlemmarna av FN – nu 194 stater – överlåter det ”huvudsakliga ansvaret för att bibehålla fred och säkerhet” på Säkerhetsrådet. Dessutom är de överens om att när Säkerhetsrådet utövar detta ansvar ”agerar det i deras ställe”. Skulle till exempel Ruritanien handla korrekt i egenskap av medlem av FN, som valt in landet som medlem i Säkerhetsrådet, om man lät ett erbjudande om utländsk hjälp påverka sin röstning till förmån för en resolution där det förklarades att Irak inte uppfyllde sina förpliktelser? Mitt svar skulle bli nej, och mitt råd skulle vara att Ruritanien borde rådgöra med den grupp stater man tillhör och som nominerade landet till platsen i Säkerhetsrådet för att få reda på om det fanns en gemensam hållning i frågan. Om det fanns en sådan gemensam hållning skulle det vara mindre svårt att ignorera påtryckningar utifrån, och om den linjen följdes skulle tyngden och betydelsen av den röst man så småningom avgav bli ännu större.

Vi skulle antagligen reagera om en domare lät sin röst för dödsstraff i ett rättsfall påverkas av en domare som erbjöd sig att stödja honom i ett helt annat fall. Förhåller det sig annorlunda med en röst till förmån för ett godkännande av bruk av vapenmakt som kommer att leda till säker död och förstörelse?

När slutligen USA och Storbritannien beslöt att inte framlägga resolutionsförslaget för omröstning, eftersom de hade insett att det inte skulle gå igenom, var detta, som jag förstår det, ett belägg för den starka opinion hos folk och regeringar över hela världen (möjligen med undantag av Kuwait) som fanns mot ett väpnat ingripande *vid denna tidpunkt*. En formell omröstning ägde aldrig rum, men Säkerhetsrådets informella slutsats var ett klart nej. Några få ansåg att Säkerhetsrådet på detta sätt gjorde sig självt irrelevant och menade att rådet endast genom att stödja USA:s och Storbritanniens resolutionsförslag skulle ha blivit delaktigt i beslutsprocessen. Jag drog motsatt slutsats: genom att inte ge det önskade stödet – även om det inte var formellt begärt – tog Säkerhetsrådet avstånd från en väpnad aktion som de flesta medlemsstater inte ansåg var berättigad – i varje fall inte på det här stadiet.

Oberoende inspektion blir ett hinder för omröstning om intervention

Jag tror att inspektörernas inställning hade betydelse för motståndarna till väpnat angrepp. Till skillnad från USA och Storbritannien ansåg inte vapeninspektörerna att det fanns några bevis för att Irak hade massförstörelsevapen. Detta stärkte den vitt spridda uppfattningen att Irak i alla fall inte utgjorde något hot som man omedelbart och med vapenmakt måste ta itu med. Om ett väpnat ingripande skulle behövas, kunde det godkännas senare. Motståndarna till ett väpnat angrepp ansåg inte att inspektörerna var "trotsigt tvetydiga" utan snarare att de fullgjorde ett oberoende och trovärdigt inspektionsarbete på plats, att de såg på fakta med kritisk blick och att de försökte rapportera på ett objektivt sätt.

Även om regeringarna i USA och i Storbritannien inte ens för en sekund berördes av inspektörernas försiktiga bedömningar, erkände de att inspektörernas inställning hade blivit ett hinder när det gällde att få kriget godkänt av Säkerhetsrådet. I en tidningsnotis från Washington den 9 mars rapporterades att "amerikanska diplomater erkände att deras största utmaning låg i att övertyga världen och i synnerhet de andra medlemmarna av Säkerhetsrådet om att Blix och ElBaradei hade fel då de sa att inspektionerna fungerade väl och att de behövde längre tid för att genomföra dem". Hur hanterade de denna utmaning?

Först bör jag påpeka att såvitt jag vet var det endast den amerikanska regeringen som försökte påstå att inspektörerna hade fel i sina bedömningar. De andra regeringarna som stod bakom resolutionen – Storbritannien, Spanien och Bulgarien – yttrade sig inte i fråga om detta. För det andra kan jag konstatera att artikel 100:2 i FN:s stadgar ålägger medlemsstaterna att "respektera den uteslutande internationella karaktären hos generalsekreterarens och personalens uppgifter och att ej söka påverka dem vid fullgörandet av deras värv". Denna bestämmelse syftar till att skapa en pålitlig internationell förvaltning som tar order från de politiska organen i FN men inte från organisationens enskilda medlemsstater. Medlemsstaterna var således inte fria att utöva "påtryckningar" mot FN:s inspektörer.

Naturligtvis måste det dock stå medlemmar fritt att kritisera det arbete som utförs av FN:s anställda och i flera resolutioner som handlade om Irak uppmanades medlemsländerna att hjälpa inspektörerna, till exempel genom att föreslå anläggningar som borde besökas. Var går gränsen mellan å ena sidan olämplig påverkan och å andra sidan kritik och önskvärda påpekanden? Medlemmar av USA:s regering och förvaltning uttalade också kritik av inspektörerna, både direkt och ännu mer genom att förse media med information. Som jag ska visa var kritiken både ogrundad och orättvis. Icke desto mindre kände jag mig inte, med undantag för ett speciellt tillfälle, utsatt för otillbörliga påtryckningar från USA eller någon annan regering. Var jag alltför hårdhudad för att märka det? Jag vill hellre tro att det, trots den kritik som i stridens hetta framfördes när man försökte värva röster, på flera håll inom USA:s regering – kanske inte i Pentagon – fanns respekt för vår professionalism och att man var medveten om att vi lyssnade till råd men ignorerade påtryckningar.

Även om vicepresident Cheney så tidigt som i oktober föregående år hade talat om för ElBaradei och mig att USA inte skulle tveka att ”misskreditera” inspektörerna, kan administrationen ha kommit fram till att det inte skulle vara lämpligt att utöva påtryckningar mot inspektörer och att direkt kritik på hög nivå inte skulle tjäna sitt syfte. Vare sig det berodde på ett gemensamt övervägande eller på personligt beslut, var alla offentliga uttalanden av Colin Powell, Condoleezza Rice och ambassadör John Negroponte i fråga om inspektörernas inställning för det mesta återhållsamma och alla kontakter var korrekta.

Det är emellertid inte svårt att märka hur USA:s administration ändrade inställning från att ha sett inspektörernas rapporter som möjliga tillgångar för att underbygga ett framtida krav på väpnade insatser till att betrakta dem som ett hinder vars auktoritet USA behövde försvaga.

Även om Colin Powells presentation i Säkerhetsrådet den 5 februari 2003 av amerikanska underrättelsetjänstens fynd syftade till att visa världen vad USA – men inte inspektörerna – hade hittat, fanns det i hans presentation ingen uttalad kritik av inspektörerna. Han skrev faktiskt i den artikel i *Wall Street Journal* som föregick presentationen att den skulle ”understryka det som inspektörerna hade sagt i Säkerhetsrådet” och att ”vi tillsammans måste acceptera de fakta som vi fått av FN:s inspektörer och ansedda källor inom underrättelseväsendet”. Alltså tycktes han hålla med inspektörerna men gick längre än de då han hävdade att Saddam Hussein ”dolde bevisen för att han hade massförstörelsevapen, samtidigt som han behöll själva vapnen”.

Kritiken mot UNMOVIC

Det låg helt säkert underförstådd kritik i John Wolfs fråga vid sammanträdet den 23 och 24 februari med UNMOVIC:s rådgivande församling, College of Commissioners, varför vi i klusterdokumentet inte hade hänvisat till information som vi delgetts av USA:s underrättelsetjänst.

Det kan även tidigare ha funnits en viss besvikelse över att vi inte helt enkelt tog till oss och rapporterade de upplysningar vi fått från underrättelsetjänsten – till exempel uppgifter angående eventuell undangömd antrax som offentliggjorts eller som vi hade fått ta del av. Atmosfären blev ännu mer laddad när jakten på röster intensifierades och rapporter från nationella underrättelsetjänster användes för att övertyga de olika länderna om att det var nödvändigt med väpnat angrepp för att röja undan de massförstörelsevapen som Irak påstods ha. Vi hade tidigare kritiserats för att vi ogärna ville föra ut irakiska forskare ur landet för att kunna fråga ut dem. Det var i denna spända atmosfär som UNMOVIC och jag kritiserades för att vi inte i likhet med USA dragit slutsatsen att ett irakiskt obemannat flygplan och en klusterbomb som vi hade inspekterat i själva verket var avsedda för spridning av biologiska eller kemiska stridsmedel.

Klusterbomben och det obemannade flygplanet

Den 6 mars, dagen innan jag skulle tala inför Säkerhetsrådet, fick jag besök av USA:s biträdande statssekreterare John Wolf. Han kastade fotografier av ett obemannat flygplan och en klusterbomb på mitt bord och frågade med ganska ohövligt tonfall varför UNMOVIC inte drog slutsatsen att fynden av ett obemannat flygplan (Unmanned Aerial Vehicle eller UAV) och en klusterbomb som kunde sprida kemiska stridsmedel var brott mot Iraks skyldigheter.

Jag kände till frågan om det obemannade flygplanet. Det var ingen nyhet. Våra inspektörer hade noga studerat flera av dem och även om irakiernas förklaringar inte hade varit särskilt tillfredsställande hade vi ännu inte kommit till någon slutsats huruvida de var tillåtna eller inte. Hade någon av dem en räckvidd som överskred de 150 kilometer som var tillåten för missiler? Även om USA påstod att de hade sett hur den kunde flyga 500 kilometer, tycktes det ha varit i en cirkelbana för att visa att bränslet räckte för den distansen, medan den effektiva räckvidden kanske begränsades av hur långt styrsignalerna nådde. Var dess huvuddel, som byggts av bränsletankar, avsedd att bära med sig och sprida ut biologiska eller kemiska stridsmedel eller var den bara byggd för fotoutrustning? Dessa viktiga frågor var ännu inte tillräckligt utredda. Därför hade vi heller inte dragit några slutsatser.

Jag hade inte blivit informerad om klusterbomben, och sa att Wolf skulle kunna tala med våra experter om den. Han frågade då om jag inte kände till vad min personal sysslade med och jag svarade att så fort det dök upp något viktigt brukade de tala om det för mig. Jag var helt säker på att min närmaste man, Dimitri Perricos, aldrig skulle låta bli att berätta om några betydelsefulla fynd för mig. I efterhand vill jag gärna tro att Wolfs ohövliga ton till viss del kan ha berott på att han inte var medveten om hur svag hans sak var och därmed också hans démarche.

Jag frågade honom var han hade fått bilderna ifrån och han sa att han inte kunde tala om det för mig. Jag sa att jag skulle ta mycket illa upp om han hade fått dem genom UNMOVIC:s personal. Bilderna föreställde ingenting som måste hemligstämplas och om Säkerhetsrådet hade bett att få se dem skulle vi ha låtit dem cirkulera. De var emellertid inte offentliga handlingar. Jag kunde inte utesluta att någon i UNMOVIC:s personal hade läckt dem till USA, även om det skulle ha varit tjänstefel.

Jag skulle emellertid ha blivit mycket illa berörd om USA försökte få eller ens tog emot upplysningar från oss på det sättet. Jag kunde heller inte utesluta att USA hade lyckats knäcka krypteringen på vår fax som bilderna skulle ha kunnat skickas med. Den brittiska tidningen *The Observer* hade haft artiklar där de påstod att USA hade avlyssningsutrustning både på kontoren och i hemmen hos diplomaterna från de länder som var medlemmar i Säkerhetsrådet. Vilken förklaring som än fanns till hur Wolf hade fått tag på de bilder som han höll i handen, kände jag avsmak.

I den muntliga presentation som vi hade förberett och som jag skulle göra under mötet i Säkerhetsrådet följande dag (den 7 mars) nämndes kortfattat vår inspektion av fjärrstyrda pilotlösa flygplan i samband med en kommentar om att vi höll på att studera räckvidd och kapacitet hos de olika modellerna. Där fanns inget om klusterbomben och de tomma sfäriska småbomber man hade hittat.

Följande söndag, den 9 mars, hade *New York Times* en detaljerad artikel där tjänstemän i Washington avslöjade att inspektörerna nyligen hade upptäckt ”en ny variant av raket [klusterbomben] som tydligen var utformad för att kunna sprida små bomber fyllda med kemiska eller biologiska stridsmedel över stora områden”. Tjänstemännen släppte ut informationen för att styrka USA:s uppfattning att inspektörerna hade funnit ”graverande bevis i Irak”. De visade även upp fotografier av vapen, men enligt artikeln ”talade de inte om hur de kommit över fotografierna”. Tidningen fällde en försiktig kommentar om att det fortfarande var osäkert om dessa stridsspetsar för klusterbomberna hade utvecklats på senare tid eller om de var från perioden före 1998.

Efteråt fick jag av UNMOVIC:s experter reda på att klusterbomben och de mindre bomberna – kopior av en sydafrikansk modell som Irak hade importerat för länge sedan – hade hittats i en lagerlokal vid en gammal fabrik och tycktes ha varit rester från det förflutna snarare än något av aktuellt intresse. Det fanns inga spår av kemiska stridsmedel på dem. Detta vapen väckte ett kortvarigt men intensivt politiskt intresse: från torsdag till måndag, när det nämndes av USA:s ambassadör Negroponte under Säkerhetsrådets informella överläggningar. Därefter har vi aldrig hört talas om det igen, varken av USA eller av någon annan. Antagligen finns det kvar i lagret med gammalt, kasserat krigsmateriel, om det inte har blivit stulet på grund av metallvärdet.

Samma söndag, den 9 mars, framträdde Colin Powell i TV-kanalen Fox. Han sa att jag var ”en hederlig och ärlig man” – och det var ju vänligt sagt av honom vid den här tidpunkten – men att han ansåg att jag borde ha gjort mer av klusterbomben i det dokument som vi hade gjort tillgängligt för Säkerhetsrådet. Liksom i Säkerhetsrådet betonade han att detta dokument visade att Irak under åratal försökt bryta mot sina förpliktelser. Han koncentrerade sig på det obemannade flygplanet och sa att USA ”inom en vecka skulle se till att det hamnade på nyhetsplats”. Det gjorde det.

Detta var inte första gången som det obemannade flygplanet utnyttjades för politiska syften. President Bush hade redan i ett tal den 7 oktober 2002 – före omröstningen om ”krigsresolutionen” i USA:s kongress – uttryckt sin oro för att Irak skulle kunna använda obemannade spaningsrobotar (UAV:s) för uppdrag med USA som mål. Colin Powell hade sagt samma sak i sitt tal i Säkerhetsrådet den 5 februari 2003.

Det rådde inget tvivel om att administrationen den här gången var inställd på att dra upp det obemannade flygplanet och klusterbomben som viktiga frågor – kanske till och med som ”rykande pistoler” som ”vapeninspektörerna medvetet hade valt att bagatellisera”. Måndagen den 10 mars rapporterade *Reuters* att Vita Huset var oroat över att resolutionsförslaget skulle kunna bli nedröstat. För att värva röster hade både Bush och Powell suttit i telefon och talat med ledarna för sådana länder som Kina, Pakistan, Angola och Mexiko, som alla var medlemmar av Säkerhetsrådet. Nyhetsbyrån meddelade dessutom att Vita Huset hade ”uttryckt sin irritation” över att Hans Blix inte för Säkerhetsrådet hade nämnt ”ett irakiskt obemannat flygplan vars existens avslöjades” i ett icke längre hemligstämplat dokument som inspektörerna låtit cirkulera. Ari Fleischer, Vita Husets presstalesman, sa att USA:s delegater vid ett slutet möte i Säkerhetsrådet senare på måndagen skulle fråga varför det obemannade flygplanet inte fanns med i Blix' rapport. Colin Powell hade endast i milda ordalag beklagat sig över att jag skulle ha kunnat ”göra mer” av spaningsroboten. Nu sa man – felaktigt – att jag låtit bli att nämna den.

På så sätt blev historien bättre och bättre för var timme som gick. Och det skulle bli värre. Ett ”faktablad”, som utgav sig för att vara en sammanfattning av UNMOVIC:s klusterdokument, framlades av USA:s utrikesdepartement och försökte, återigen felaktigt, visa att våra slutsatser i flera olika frågor, däribland den om det obemannade flygplanet, visade på Iraks skuld.

James Bone, korrespondent för *Times* i London vid FN, överträffade emellertid lätt Washington. Han rapporterade det felaktiga påståendet från Washington att jag inte hade nämnt det obemannade flygplanet i min presentation för Säkerhetsrådet och karaktäriserade det som ”ett försök av doktor Blix att dölja ett avslöjande för att inte utlösa krig”. Han redogjorde – felaktigt – för att upptäckten skulle göra det lättare för dem som ännu inte bestämt sig att följa USA:s och Storbritanniens linje och han citerade en högt uppsatt diplomat från ett land som ännu inte bestämt sig, som hade sagt: ”Det är en stor grej.” Han skrev att brittiska och amerikanska regeringstjänstemän betraktade det obemannade flygplanet som en ”rykande pistol” och att Storbritannien och USA nu skulle tvinga Blix att erkänna att han hade hittat den.

Jag undrade om jag under ett slutet rådgivande möte för första gången skulle komma i konflikt med medlemmar i Säkerhetsrådet. Jag förberedde mig genom att få ytterligare information från min personal och jag planerade att försvara mig och UNMOVIC mot all orättvis och ogrundad kritik. Jag skulle inte ha behövt oroa mig. Enligt de anteckningar jag förde – det förs inte några officiella protokoll vid dessa möten – nämnde inte Storbritanniens ambassadör, Sir Jeremy Greenstock, de två frågorna om vapen, men han hade många påpekanden att göra angående en tänkbar kompromisslösning för en resolution. USA:s ambassadör, John Negroponte, tog upp ett par detaljer om det obemannade flygplanet och klusterbomben men utan att komma med någon direkt kritik mot UNMOVIC eller mig. Han sa att flygplanet inte hade deklarerats och att det var ett allvarligt utelämnande. Han sa att det hade ganska lång räckvidd och skulle kunna användas för att sprida biologiska och kemiska stridsmedel. Det skulle kunna vara ett brott. Vad tänkte UNMOVIC göra?

När jag mot slutet av den långdragna diskussionen fick ordet sa jag att informationsflödet var mycket stort och att allt inte förtjänade att rapporteras omedelbart utan kunde vänta till de regelbundet återkommande rapporterna. Vi hade offentligt och separat rapporterat vårt fynd av stridsspetsar för kemiska vapen och av dokument som rörde nukleära frågor, men vi hade inte rapporterat att vi i fabriken funnit resterna av en klusterbomb och materiel som antagligen en gång hade varit avsett som ett kemiskt vapen. Vi hade bedömt att detta fynd hade begränsad betydelse. Jag hänvisade till det pilotlösa flygplanet och sa att jag hade nämnt det för Säkerhetsrådet utan att gå in på några detaljer. Nu rapporterade jag att den hade en vingbredd på 7,45 meter och att Irak hade sagt att man testat den för en räckvidd på 55 kilometer med en last på 30 kilo och en flygtid på 30 minuter. Jag sa att den inte hade deklarerats så som den borde. (Irakierna förklarade senare att de hade gett oss en något felaktig deklaration.) Jag sa att vi fortsatte att samla in data om denna och andra modeller av flygrobotar. Fram till nu hade vi inte hittat några samband med massförstörelsevapen men vi behövde arbeta vidare på det för att verifiera den räckvidd man hade uppgett. Irak hävdade att dessa pilotlösa flygplan var avsedda för konventionella ändamål, till exempel övervakning, målsökning och för att störa elektronisk kommunikation. Om det visade sig att de hade större räckvidd än 150 kilometer eller var utformade för att kunna bära biologiska och kemiska stridsmedel, skulle de vara illegala. UNMOVIC höll på att utreda dessa punkter.

Ingen i Säkerhetsrådet hade några kommentarer till mina förklaringar.

Eftersom min kollega doktor ElBaradei inte var närvarande tog jag tillfället i akt att kortfattat nämna att offentliga yttranden om att IAEA hade låtit vilseleda sig av Irak till och med efter Kuwaitkriget, inte hade blivit dokumenterade och att de enligt min åsikt inte var berättigade.

Trots att dessa informella möten utan skrivna tal och officiella protokoll – som utgör den absolut största delen av Säkerhetsrådets arbete – i princip är konfidentiella är de långt ifrån hemliga. Som Havamal, den gamla isländska boken om vikingavisdom, lär oss: världen vet vad trenne veta. Medlemmarna i Säkerhetsrådet har naturligtvis ofta ett politiskt behov av att förklara för omvärlden vad de försöker göra, och massmedia har naturligtvis en plikt att bevaka den politiska processen. Efter de informella mötena i Säkerhetsrådet får ofta korrespondenter vid FN möjlighet att ställa frågor till deltagarna, som knappast kan undgå att passera den plats som är reserverad för pressen. Vid detta tillfälle låg det spänning i luften och eftersom UNMOVIC hade en viktig roll var journalisterna angelägna om att få höra mina kommentarer.

Jag påpekade att det inte sades någonstans i klusterdokumentet, som inte längre var hemligt, att Irak hade massförstörelsevapen, men att det påvisade flera motsägelser och ofullständigheter i Iraks redogörelser för sådana vapen. Jag sa att det var svårt och nödvändigt att samla in upplysningar genom underrättelsetjänst. Även om vi hade stor respekt för underrättelsetjänsterna måste vi bedöma resultaten nyktert. Det hade vi gjort när vi sammanställde klusterdokumentet. Bone, korrespondenten från *Times*, försökte följa upp sin egen nyhetsrapport och frågade mig varför vi inte hade lämnat några rapporter om de pilotlösa flygplanen. Jag nöjde mig med att helt enkelt säga att det fanns mycket om fällbara bränsletankar i vår rapport. På en direkt fråga om den amerikanska kritiken svarade jag: ”Alla försöker få ut så mycket som möjligt av vad vi säger.”

Även om tjänstemännen från Washington inte hade lyckats göra frågan speciellt brännande hade de i alla fall fått Bone upptänd. Nästa dag, den 12 mars, fanns det en artikel av honom i *Times* med rubriken: ”Blix borde rikta ’den rykande pistolen’ mot sitt eget huvud.” Han förklarade i artikeln att det var hög tid att jag drog mig tillbaka, att jag hade skämt ut mig och ”svikit alla de många miljoner människor i hela världen som litar på FN”. Han sa: ”doktor Blix har tydligen bestämt att han inte ska vara den som utlöser ett krig ... Även om han 'eftertryckligt' förnekar att han undanhåller Säkerhetsrådet någon information ... har han hållit på att begrava den." Han slutade sin artikel genom att säga: "När den här omvälvande periodens historia skrivs, kommer doktor Blix att utpekas som den man som försökte gömma 'den rykande pistolen'."

Vad var sanningen om de pilotlösa flygplanen?

Vi förteg verkligen ingenting. I efterhand verkar hela saken enkel: den amerikanska administrationen hade dragit slutsatsen – helt felaktigt tycks det nu – att spaningsroboten var ett brott mot Säkerhetsrådets resolution. I UNMOVIC var vi inte beredda att göra denna bedömning. Detta retade upp Washington trots att det måste ha varit känt att US Air Force inte trodde att Iraks pilotlösa flygplan var avsedda för att sprida biologiska och kemiska stridsmedel.

Samtidigt blev man i Bagdad tydligen orolig på grund av mediestormen i USA. General Amin, chef för National Monitoring Directorate, sammankallade till en presskonferens den 11 mars där han visade upp spaningsroboten för pressen. Han förklarade att den var utrustad med en tvåtakts motorcykelmotor, hade en räckvidd på 8 kilometer med markkontroll och enbart användes för spaning. Han sa att den kunde ta en last på 20 kilo och var byggd för att rymma en videokamera, inte biologiska stridsmedel. Han hävdade att Irak hade deklarerat den men hade gjort ett skrivfel och satt vingbredden till 14,5 fot (cirka 5,5 meter) istället för 24,5 fot (cirka 8,5 meter). En skribent från *AP* som varit närvarande rapporterade den 12 mars att vingarna var av balsaträ och hölls samman med isoleringstejp. *New York Times'* korrespondent i Bagdad rapporterade att det var "löjligt" att beskriva detta som någonting allvarligt.

Samtidigt som Washington kastade sig över spaningsroboten och klusterbomben och kritiserade mig och UNMOVIC för att inte ha spritt ljus över frågorna, rapporterade *New York Times* att vissa amerikanska regeringstjänstemän var tveksamma till att UNMOVIC:s klusterdokument skulle peka på överträdelser från Iraks sida. En tjänsteman vid försvarsdepartementet hade också sagt att det beskrivna pilotlösa flygplanet kanske inte var något effektivt sätt att sprida biologiska och kemiska stridsmedel. Flera månader senare, i juli, kom det fram att US Air Force, där USA:s största expertkunskap om pilotlösa flygplan finns, hela tiden hade tvivlat på att Iraks pilotlösa flygplan var byggda för anfall utan höll för troligt att de var avsedda för spaning. Denna åsikt stärktes av den undersökning av pilotlösa flygplan som blev möjlig efter ockupationen. Icke desto mindre verkar det som om CIA håller fast vid sina slutsatser. Kanske gör man en ansträngning för att få frågan att försvinna från scenen som en kontrovers snarare än som ett misstag?

IAEA:s och ElBaradeis trovärdighet undermineras

Ingenting skulle ha kunnat ge större politiskt stöd för ett föregripande väpnat angrepp mot Irak än övertygande bevis för att Irak hade eller höll på att skaffa kärnvapen. IAEA, som hade haft ansvaret för alla inspektioner i Irak som gällde kärnvapen, fann inga sådana bevis och ifrågasatte öppet en del av de bevis som USA och Storbritannien försökte stödja sig på under 2002 och 2003. För att försvara och stärka sina egna anklagelser försökte USA-administrationen underminera IAEA:s trovärdighet.

Trots att allt vi fått veta efter kriget visar att IAEA hade rätt i att ifrågasätta en del av USA:s och Storbritanniens bevis, har den grundlösa kritik som – för första gången någonsin – riktats av en regering mot IAEA inte dragits tillbaka och kan därför orsaka skada som inte borde ligga i någons intresse. Rötterna till den kritiken går antagligen så långt tillbaka i tiden som 1991.

Som dåvarande chef för IAEA hade jag ansvar för organisationens rapport till Säkerhetsrådet 1997 angående kärnvapeninspektioner i Irak. Doktor ElBaradei som efterträdde mig som chef för IAEA hade ansvaret för rapporten 1998. Slutsatsen i de två rapporterna var i stort sett densamma: IAEA hade skaffat sig fullständig insikt om Iraks kärnvapenprogram och hade undanröjt hela infrastrukturen för detta program och avlägsnat allt klyvbart material från Irak. Irak hade inte längre någon fysisk möjlighet att producera användbara mängder av material för kärnvapen. Det fanns inga tecken på att någon ytterligare avrustning behövdes på den nukleära sidan, men vissa andra frågor som man måste få klarhet i kvarstod.

Iraks regering var upprörd över att IAEA därför inte avslutade ärendet och gav Irak ett friskintyg. När doktor ElBaradei och jag i maj 2002 i New York träffade Dhia Jaffar, centralfigur i Iraks kärnvapenprogram, blev Jaffar återigen så upprörd att Amer Al-Sa'adi var tvungen att lugna ner honom.

Åsikten att frågan om kärnvapen i stort sett var löst i slutet av 1998 tycks ha delats av alla medlemsstaterna i Säkerhetsrådet, inklusive USA. Bush-administrationens tillträde medförde inga förändringar. I själva verket gick Colin Powell längre än till frågan om kärnvapen då han den 24 februari 2001 enligt ett citat ska ha sagt att Saddam Hussein inte hade ”någon egentliga utvecklingsmöjligheter när det gällde massförstörelsevapen”.

Inverkan av 11 september på USA:s bedömning av Irak

Terroristattacken den 11 september förändrade Bush-administrationens inställning. Även om man inte fått några nya bevis såg man nu i ett nytt hotfullt ljus Saddam Husseins tidigare bruk av kemiska vapen och missiler, hans tidigare ambition att skaffa kärnvapen och de svårigheter som inspektörerna stött på under hela 1990-talet. Så tidigt som den 14 november 2001 sa Richard Perle, den sällsamme superhöken med förbindelser i Pentagon, att det mest övertygande argumentet för att förklara krig mot Irak var att om Saddam Hussein fick tillräckligt mycket tid skulle han kunna anfalla USA med kärnvapen. ”Ska vi vänta på Saddam Hussein eller ska vi vidta förebyggande åtgärder?” frågade han. Ett halvår efter det att kriget inleddes, i september 2003, bekräftade president Bush att hans administration fortfarande i grund och botten hade samma åsikt. Han sa att attackerna den 11 september hade visat att ”vi måste ta itu med hoten innan de når våra kuster”.

I detta nya ljus började flera olika händelser och rapporter att ses som bevis för att Irak var på väg att skaffa kärnvapen, något som man inte misstänkt tidigare. I början av september 2002 förklarade president Bush att satellitfotografier av en ny byggnad vid al-Furat, Iraks tidigare anläggning för anrikning av uran genom centrifugering, visade att man hade återupptagit atombombsprogrammet. ”Jag vet inte vilka fler bevis vi skulle behöva”, sa han. Han skulle faktiskt ha behövt fler. Irakierna inbjöd omedelbart pressen till anläggningen som visats på fotografierna och de dussintals journalister som fördes med irakisk eskort till anläggningen såg inga centrifuger. I senare rapporter från USA och Storbritannien nämner man inte längre fotografierna.

Storbritanniens och USA:s rapporter om Irak i september 2002

Under samma månad som fotografierna från al-Furat släpptes presenterade både USA och Storbritannien rapporter där de räknade upp skälen till att de drog slutsatsen att Irak bröt mot de olika vapenförbuden. USA:s lista på den nukleära sidan var påtagligt kortare än den brittiska. Till skillnad från den brittiska rapporten citerade USA inte de påstådda försöken att importera råuran (yellowcake) från Afrika, något som president Bush däremot citerade i sitt tal till nationen den 28 januari 2003. Båda nämnde Iraks försök att importera specialdesignade aluminiumrör som enligt den amerikanska texten *"regeringstjänstemän tror* var avsedda som komponenter till centrifuger för att anrika uran" (min kursivering). Naturligtvis är en sådan formulering ett sätt att avsäga sig, eller i alla fall minska, ansvaret för det man offentliggör.

Det fanns en förvånansvärt stor skillnad i de två rapporternas bedömning av den tid som Irak skulle behöva för att skaffa kärnvapen. Det brittiska dokumentet var detaljerat på denna punkt och förklarade att så länge sanktionerna förblev effektiva skulle Irak inte kunna framställa kärnvapen. Detta var också IAEA:s bedömning. Om sanktionerna drogs tillbaka eller blev ineffektiva, skulle det enligt de brittiska handlingarna ta Irak minst fem år att producera det klyvbara material som behövdes för en bomb, och om Irak skulle kunna skaffa sådant material och andra nödvändiga komponenter från utlandet skulle det bara ta ett eller två år. Rapporten från USA undvek att göra en egen bedömning utan citerade IISS, Internationella Institutet för Strategiska Studier, och drog slutsatsen att Irak skulle kunna bygga en atombomb på några månader om man kunde skaffa fram klyvbart material. Detta var återigen ett sätt att sprida ett skrämmande budskap till allmänheten samtidigt som man begränsade sitt eget ansvar för riktigheten i det.

I USA:s rapport noterades vidare att Saddam Hussein ofta under de senaste två åren hade träffat sina kärnforskare och därmed "signalerat" sitt fortsatta intresse för att utveckla kärnvapen. Här gjordes inget försök att lägga ansvaret för uttalandet på någon annan. Man skulle emellertid kunna fråga sig hur tillförlitlig denna signal var. Vi har fått reda på under vilka usla förhållanden kärnforskarna arbetade vid denna tid, och vi har efter kriget fått veta att det helt enkelt inte fanns några möjligheter att bygga upp ett kärnvapenprogram. Gav Saddam Hussein medvetet omvärlden en signal i avsikt att felaktigt få den att tro att Irak, i motsats till de deklarationer man lämnat till FN, fortsatte sina försök att skaffa kärnvapen, eller försökte han helt enkelt hålla sina forskare på gott humör och inför Irak och de arabiska grannländerna låtsas att de vetenskapliga framstegen fortsatte som vanligt? Att forskarna försökte hålla Saddam Hussein på gott humör – och därmed se till att de fortfarande skulle få vissa ekonomiska resurser – tycks ha bekräftats genom flera rapporter.

Aluminiumrören

Aluminiumrören kom att leva som bevis mycket längre än de nya byggnaderna vid al-Furat, som president Bush ansåg gjorde alla vidare frågor onödiga. Detta är en smula förvånande eftersom en forskargrupp med gott rykte vid David Albright's Washington Institute for Science and International Security redan tidigt i diskussionen framförde allvarliga tvivel på att rören var avsedda som centrifuger. Det gjorde också IAEA, som hade stor kännedom om sådana frågor, sedan man fysiskt undersökt rören. Rören hade förvisso importerats illegalt, men alla illegala importer hade inte med massförstörelsevapen att göra. Senare framkom att även USA:s energidepartement, som har ansvaret för centrifugering och anrikning i USA, hade reserverat sig mot slutsatsen att rören skulle användas för centrifugering. Men regeringstjänstemän med politiskt ansvar ville tydligen ha denna slutsats.

Trots alla varningssignaler sa biträdande försvarsminister Wolfowitz att rören var viktiga bevis. Han erkände blygsamt att USA skulle kunna ha fel – men å andra sidan, sa han, skulle det också kunna vara så att IAEA hade fel. Den ironiska ordvändningen visade tydligt vem han ansåg att man kunde lita på här i världen. I sin presentation i Säkerhetsrådet den 5 februari hade Colin Powell också utpekat rören som bevis för att Irak hade ett kärnvapenprogram, men han tillfogade en brasklapp och sa att denna åsikt inte var enstämmig. En månad senare rapporterade ElBaradei till Säkerhetsrådet att Irak hade vidhållit att de 81 millimeter tjocka rören hade varit avsedda för raketframställning. Gruppen från IAEA hade gjort en grundlig utredning och hade kommit fram till att rören ”troligtvis inte hade haft någonting med byggandet av centrifuger att göra”. Trots att Colin Powell gjort sitt bästa för att behålla frågan som olöst tycks IAEA:s åsikt ha bekräftats. En rapport i *Washington Post* den 26 oktober 2003 av Barton Gellman avslöjade att även om inte alla i Washington ens då hade övergett den tidigare teorin, hade experter i Bagdad efter kriget förkastat den och visade nu inte längre något intresse för rören. En expert framförde åsikten att de kanske skulle komma att stjälas och användas som avloppsrör ...

Yellowcake

Historien om yellowcake, som dök upp i och med att Storbritannien publicerade sin rapport i september 2002 (precis i tid till sessionen i FN:s Generalförsamling), har fått lika mycket uppmärksamhet, för att inte säga skamlig ryktbarhet, som det påstående premiärminister Blair gjorde i förordet till den brittiska rapporten: Saddam Husseins planering ”gör det möjligt att en del massförstörelsevapen kan vara redo inom 45 minuter efter det att han gett order om att använda dem”. Rapporten hävdade att Irak hade ”försökt skaffa betydande kvantiteter uran från Afrika trots att landet inte hade något aktivt civilt kärnkraftsprogram som skulle kunna ha bruk för det”. Som jag tidigare nämnt finns inte fallet med i USA:s rapport som kom samma månad, men i januari 2003 skrev Condoleezza Rice om det och vid Världsekonomiskt Forum i Davos i Schweiz frågade Colin Powell: ”Varför försöker Irak fortfarande producera uran?”

Det främsta bevisföremålet i denna spännande affär var ett dokument som påstods vara ett kontrakt mellan Nigers regering och Irak angående leverans av råuran eller yellowcake. Råuranet nådde höjdpunkten i sin karriär då president Bush nämnde den i sitt tal till nationen den 28 januari 2003: ”Den brittiska regeringen har erfarit att Saddam Hussein nyligen sökt skaffa betydande mängder uran från Afrika.” Med tanke på att man utförligt redogjort för fallet i den dossié från Storbritannien som publicerats, skulle det kunna hävdas att presidentens uttalande var fullt korrekt. Men å andra sidan, med tanke på att det inom presidentens egen administration vid denna tidpunkt fanns vetskap om att det viktigaste beviset i denna sak var ett falsarium, framstår det som en skandal att denna mening inte hade strukits.

Lågvattenmärket för råuranet nåddes den 7 mars när Mohamed El-Baradei, som jag har nämnt i kapitel 9, rapporterade för Säkerhetsrådet att dokumenten var falska. Oj då, tänkte jag, men höjde inte ens på ögonbrynen. Mohamed hade inte talat om något för mig i förväg, så jag hade inte vetat vad han skulle säga. Jag hade emellertid under många månader tyckt att det var egendomligt att Irak skulle försöka köpa yellowcake. De flesta människor tänker genast på bomber så fort någon nämner ordet uran. Det uran som man hämtar i gruvor och koncentrerar till yellowcake måste emellertid genomgå en lång och mycket svår industriell och kemisk process innan det blir sprängämne för atombomber. Varför skulle Irak ha försökt köpa yellowcake när fabrikerna för sådan framställning hade förstörts? Om de en vacker dag skulle kunna bli kvitt sanktionerna skulle de kunna utvinna uran i sitt eget land, så som de hade gjort före Kuwaitkriget. Jag tyckte att hela historien med yellowcake stred mot sunt förnuft. Men å andra sidan var den historien inte det enda i Irakaffären som stred mot sunt förnuft och jag gav aldrig offentligt luft åt mina tvivel.

Trots att det tog ganska lång tid för IAEA att få en kopia från CIA på dokumenten som handlade om yellowcake, tog det dem inte lång tid att fastslå att de var förfalskningar, eller för att använda det mildare diplomatiska språk som är passande för en internationell tjänsteman: ”att de inte var autentiska”. Till att börja med kom det fram att dokumenten var undertecknade med namnet på en minister som inte satt i Nigers regering vid den tid då de signerades.

Orättvis kritik mot IAEA

Efter ElBaradeis tal ville Colin Powell inte kommentera det avslöjande om förfalskning som gjorts, men det måste ha varit ganska plågsamt. I ett försök att underminera IAEA:s trovärdighet sa han emellertid: *”Som vi alla vet* var det Internationella atomenergiorganet, IAEA, 1991 mycket nära att slå fast att Irak inte hade något kärnvapenprogram. Vi upptäckte snart att det förhöll sig annorlunda. Nu kommer IAEA fram till en liknande slutsats. Men vi måste vara mycket *försiktiga*" (min kursivering).

Kanske hade Colin Powells kommentar kommit från något samtal han haft inom administrationen och var ett försök att motverka IAEA:s inflytande på den förestående omröstningen. Den 9 mars intervjuades Condoleezza Rice i TV för ABC och sa: "IAEA missade *naturligtvis* [kärnvapen] programmet -91, missade programmet -95 och missade det -98." Hennes kommentar var slående lik Powells: "Vi måste vara *försiktiga* då vi drar dessa slutsatser, i synnerhet när det gäller en totalitär stat som Irak" (min kursivering).

I ElBaradeis uttalande den 7 mars hade han även sagt: "Vi har fram till i dag inte funnit några bevis för eller trovärdiga tecken på att man återupptagit ett kärnvapenprogram." I TV-programmet *Meet the Press* den 16 mars, strax före kriget, var det USA:s vicepresident Cheneys tur att angripa honom: "Ärligt talat tror jag att ElBaradei har fel ... Och jag tror att om man tittar på *Internationella atomenergiorganets tidigare meriter* i den här sortens frågor, i synnerhet vad gäller Irak, har man gång på gång underskattat eller missat det som Saddam Hussein höll på med. Jag har ingen anledning att tro att deras åsikter den här gången är mer välgrundade än vad de tidigare har varit" (min kursivering).

Mer än två månader senare, den 28 maj, gjorde biträdande försvarsminister Wolfowitz ett egendomligt försök att förklara varför USA:s ockupationsstyrkor ännu inte hade funnit några illegala vapen i Irak, genom att antyda hur illa IAEA hade skött sig. Han sa: "Jag menar, det tog ju lång tid 1991, om ni minns. Jag tror att det var tre månader efter kriget som IAEA var berett att förklara att det inte fanns några kärnvapenprogram, och det var först ungefär tre eller sex månader senare som de upptäckte att irakierna gick fram inte bara på en utan fyra olika vägar mot kärnvapen."

Denna kritik var den första och enda som någon regering kommit med mot IAEA i fråga om dess inspektioner i Irak. Man skulle kanske kunna bortse från den och se den som ett tillfälligt försök av USA att våren 2003 övertyga världen om att Irak hade återupptagit sina försök att skaffa kärnvapen. Jag anser emellertid att det är mer troligt att den hade djupare rötter, antagligen snarare i den militära sidan av den stora USA-administrationen än i utrikes- och energidepartementen, som båda har lång erfarenhet av att arbeta med IAEA. I kapitel 2 har jag beskrivit motståndet inom den amerikanska administrationen mot att Säkerhetsrådet skulle ge IAEA mandat att utföra inspektioner i Irak efter Kuwaitkriget.

Mot slutet av 2003 tycks några regeringstjänstemän i USA ha kritiserat IAEA för att man vid organisationens sekretariat inte var beredda att, enbart med utgångspunkt i Irans program för anrikning, dra slutsatsen att Iran försökte tillverka kärnvapen. I samband med Libyens deklaration lite senare om att landet var berett att överge alla försök att utveckla kärnvapen, tycktes USA:s regeringstjänstemän missnöjda över att IAEA:s experter efter ett besök i Libyen uttryckte åsikten att landet hade varit långt ifrån att uppnå kärnvapenkapacitet. I båda fallen kan man kanske se en tendens att visa att IAEA gjorde alltför milda bedömningar.

Kanske skulle det vara nyttigt att fundera över om problemet inte är det motsatta, att uttalanden och bedömningar från USA:s sida ibland har varit alltför alarmerande och överdrivna. De påståenden som USA under 2003 gjorde om Irak och kärnvapen tycks peka i den riktningen. Hur som helst torde den redogörelse jag presenterat i kapitel 2 om IAEA:s inspektioner i Irak visa att trots att IAEA ”missade” Iraks upparbetnings- och kärnvapenprogram när man före april 1991 arbetade enligt det traditionella kontrollsystemet enligt NPT (icke spridningsavtalet), gjorde man därefter ett fullt trovärdigt arbete som Säkerhetsrådets redskap för kärnvapeninspektioner. Historiebeskrivningen behöver rättas till.

11

Diplomati på avgrundens rand: sammanbrottet

Det formella ärende som stod på dagordningen för mötet i Säkerhetsrådet den 7 mars var den tolfte kvartalsrapporten från UNMOVIC, som gällde inspektionerna under december, januari och februari.

Resolution 1284, som 1999 beslutade att upprätta inspektionsregimen, krävde inte bara att vi skulle avlägga rapporter en gång i kvartalet. Vi skulle också efter en period med inledande inspektioner lägga fram ett förslag till "arbetsprogram" som Säkerhetsrådet skulle godkänna. Detta förslag skulle presenteras senast den 27 mars – det var fortfarande 20 dagar dit. Det skulle innehålla en uppräkning av vad vi ansåg vara "viktiga återstående nedrustningsuppgifter". Om vi inom 120 dagar hade gjort framsteg med att lösa uppgifterna skulle vägen ligga öppen för Säkerhetsrådet att suspendera – inte häva – sanktionerna. Om Irak samarbetade fullt ut skulle detta alltså kunna ske i slutet av juli. Enligt ryssarna, fransmännen och tyskarna var det inget fel på detta. De tyckte att inspektionerna gick ganska bra: vapeninspektörerna hade inte nekats tillträde någonstans och ett stort antal missiler höll på att förstöras.

För den amerikanska administrationen måste ett arbetsprogram som sträckte sig fyra månader in i framtiden ha framstått som helt oacceptabelt. Den hade – om än med några reservationer på det interna planet – dragit den felaktiga slutsatsen att Irak hade kemiska och biologiska stridsmedel och till och med kunde framställa dem i mobila fabriker, att landet tillverkade pilotlösa flygplan med lång räckvidd som kunde sprida dessa stridsmedel och att man höll på att blåsa liv i sitt tidigare kärnvapenprogram. Enligt USA var det så gott som säkert att de föremål som vapeninspektörerna ansåg inte var redovisade faktiskt fortfarande existerade. Den logiska slutsatsen var att Irak måste ha gett felaktiga uppgifter eller undanhållit saker i den deklaration landet lämnade i december 2002, och därmed ytterligare väsentligt brutit mot sina förpliktelser, något som skulle göra ett väpnat angrepp berättigat. Trots att vapeninspektörerna hade fått obehindrat tillträde hade irakierna enligt USA inte samarbetat som de skulle i fråga om utfrågningar, flygningar med U 2-plan och lagstiftning som förbjöd tillverkning av förbjudna vapen – även detta var väsentliga brott. Som väntat hade Irak inte heller tagit tillvara den sista möjlighet som landet hade fått genom resolution 1441, utan försökt slingra sig undan och göra så lite som möjligt.

Det var dags att tänka på handling, det vill säga väpnat anfall. USA:s officiella inställning var att det inte behövdes något speciellt godkännande av Säkerhetsrådet. Samtidigt ansåg man att det kunde vara en fördel att ha FN:s välsignelse och man var införstådd med att ett stöd från Säkerhetsrådet hade stor politisk betydelse för den brittiske bundsförvanten.

En "rykande pistol" eller frånvaron av ett "strategiskt beslut" som skäl för krig

Trots att Colin Powell, Paul Wolfowitz och David Kay var och en på sitt sätt hävdade att det inte alls behövdes någon "rykande pistol" råder det inget tvivel om att USA:s administration mycket gärna skulle ha velat finna en sådan och göra den till sitt främsta bevis i argumentationen för krig.

Den kritik som USA-administrationen riktade mot UNMOVIC för att vi inte velat peka ut vare sig det pilotlösa flygplanet eller klusterbomben som bevis för Iraks överträdelser, var antagligen menad att ge publicitet åt de påstådda "rykande pistolerna" lika mycket som att undergräva vår trovärdighet.

Den amerikanska administrationens informationskampanj under de första dagarna av mars fick det förväntade genomslaget, i alla fall i konservativa media. Jag fick reda på att man hade förtalat, korsfäst och idiotförklarat mig och jag förstod att jag hade sparat mycket adrenalin genom att nästan aldrig titta på TV och bara läsa några få kvalitetstidningar. Både elaka och roande budskap trängde emellertid igenom. I ett e-mail fick jag rådet att om jag inte kunde se en ”rykande pistol” borde jag vända mig till min optiker, och jag svarade genom att tacka för rådet och sa att jag då ville ha linser som inte var färgade. Denna kommentar framkallade ett nytt mail där avsändaren uttryckte sitt gillande över att jag skulle göra mig av med de rosafärgade linser jag tydligen hade. Jag har ännu inte talat om för min ”brevvän” att min påhittade optiker senare har rekommenderat förstoringsglas och att jag funderar på att köpa två och donera det ena till Pentagon ...

I ett annat mail fick jag reda på att jag inte var någon vakthund utan en fransk pudel. En kvällstidning hade rubriken ”Blix trix retar USA”. Jag kunde inte låta bli att beundra formuleringen och skulle gärna ha bjudit redaktören på en drink.

I stort sett stördes jag inte av dessa påhopp. Vi hade inte försökt ställa oss någonstans mellan USA/Storbritannien och Irak, eller över huvud taget mellan några regeringar. Vi var inte utsedda som medlare utan som inspektörer. Det faktum att Saddam Husseins regim var en av de mest brutala som världen hade sett, och länge hade varit en fara för hela regionen, berättigade emellertid inte till någon vinkling i rapporteringen eller någon okritisk inställning till bevismaterialet. Jag visste att våra inspektioner och rapporter var professionella, ärliga och utan några dolda försök att frikänna eller anklaga. Ingenting är perfekt, och vi skulle ha kunnat ha fel på en eller annan punkt, men jag var övertygad om att vi stod med båda fötterna på jorden och att vi återgav och bedömde verkligheten i stort sett korrekt. Vid något tillfälle sa jag till pressen att vi kanske inte var smartast i hela världen, men att vi i alla fall inte gick i någons ledband.

Den amerikanska administrationen förklarade att det inte behövdes några ”rykande pistoler” och hävdade istället att Irak inte hade fattat det nödvändiga ”strategiska beslutet” att avrusta. Detta påstående var inte lika imponerande och övertygande som framvisandet av en ”rykande pistol” skulle ha varit, men det var svårare att bestrida.

När jag ser tillbaka och vet att det är möjligt att Irak 1991 faktiskt fattade ”strategiska beslut” på alla områden utom i fråga om missiler, kan jag inte låta bli att undra varför man från Iraks sida inte försökte övertyga oss om detta under 2002 och 2003. Irakierna skulle ha kunnat peka på ett uttalande i den riktningen som Hussein Kamel, Saddam Husseins svärson, gjorde 1995 när han hade hoppat av till Jordanien. Hade det verkligen inte funnits några skrivna order daterade under 1991? Om det hade funnits sådana, varför visade man då inte upp dem? Varför var man från Iraks sida så sen med att visa upp en lista på de personer som man påstod hade deltagit i förstörandet av förbjudna föremål 1991? Varför lät man inte dessa personer bli utfrågade i december 2002?

Återstående viktiga avrustningsfrågor – som kontrollpunkter

Tanken på att fastställa kontrollpunkter som Irak borde uppfylla hade redan före mötet i Säkerhetsrådet den 7 mars legat i luften en tid. Liksom ”rykande pistoler” var det nästan en motsats till det ganska vaga begreppet ”strategiskt beslut”. Dessa kontrollpunkter skulle konkret fastställa vad Irak behövde uppnå. Den amerikanska administrationen tycks ha varit en smula ambivalent i frågan. Å ena sidan skulle Iraks regim genom att på ett acceptabelt sätt uppfylla vissa tidiga kontrollpunkter för att senare kunna förhala och ljuga, kanske lättare kunna ta sig igenom en kritisk period. Att successivt ge Irak grupper med kontrollpunkter att uppfylla kunde å andra sidan göra begreppet ”strategiskt beslut” mindre vagt, genom att kontrollpunkterna konkret pekade på vad som skulle vara godtagbara bevis för ett sådant beslut. Man tycks också ha förstått att om Irak fick svåra kontrollpunkter och mycket lite tid för att uppfylla dem, skulle detta misslyckande kunna göra det lättare att få det önskade godkännandet av Säkerhetsrådet för att använda vapenmakt. Slutresultatet blev att USA halvhjärtat stödde Storbritanniens försök att använda idén med kontrollpunkter som en snabbtest på Iraks samarbetsvilja.

Man skulle kunna säga att kravet i resolutionen från 1999 på att framsteg skulle göras för att lösa ”återstående viktiga avrustningsmål” var liktydigt med att sätta kontrollpunkter, fast det skulle kunna få dra ut på tiden, 120 dagar eller längre. Man skulle kunna se de utvalda viktiga avrustningsmålen som kontrollpunkter och när de uppfylldes skulle detta vara bevis på samarbete. Ryssarna, fransmännen och tyskarna ansåg att tillvägagångssättet med kontrollpunkter redan fanns med i resolutionen från 1999. Varför skulle man formulera nya kontrollpunkter – nya "viktiga frågor" – när UNMOVIC snart skulle lägga fram en lista på sådana i sitt arbetsprogram? De var medvetna om att UNMOVIC skulle välja ut de "viktiga kvarstående avrustningsfrågorna" från klusterdokumentet som höll på att sammanställas och de hade uppmanat UNMOVIC att lägga fram det dokumentet och sitt handlingsprogram så fort som möjligt, utan tvekan i syfte att stödja idén med kontrollpunkter och väva in den i det förfarande som beskrivits i resolutionen från 1999. Varken USA eller Storbritannien motsatte sig det tysk/fransk/ryska önskemålet att hemligstämpeln skulle tas bort från det nu färdiga klusterdokumentet.

Colin Powell och Jack Straw, som hade haft tillfälle att läsa ett tidigt utkast till klusterdokumentet som hade delats ut till medlemmarna i UNMOVICS rådgivande församling, utnyttjade det i hög grad under mötet i Säkerhetsrådet för att visa hur Irak hade ljugit och förtigit och för att underförstått tala om att inspektionerna inte fungerade. Det fanns ingenting som på ett tidigt stadium förebådade den besvikelse över att dokumentet inte hade pekat på någon "rykande pistol" som USA senare gav uttryck för, inte heller någon återklang av John Wolfs sura kommentar i UNMOVIC:s rådgivande församling om att dokumentet var av föga intresse och att allt som behövdes var ett konstaterande av att Irak inte hade fattat det strategiska beslutet.

Dominique de Villepin, som till skillnad från sina kollegor i USA och Storbritannien antagligen inte hade sett den utgåva av dokumentet som delats ut till medlemmarna i den rådgivande församlingen, uppmanade inspektörerna att så snart som möjligt presentera handlingsprogrammet och listan på de viktiga kvarvarande avrustningsfrågorna. Liksom ryssarna och tyskarna ansåg han att det var viktigt att Säkerhetsrådet snabbt tog itu med dessa uppgifter. Den 27 mars låg alltför långt fram i tiden. Han förklarade att han var beredd att uppmana inspektörerna att lämna rapport var tredje vecka över hur dessa avrustningsfrågor löstes och be Säkerhetsrådet att på kortare tid än de 120 dagar som föreskrivits i resolutionen från 1999 bedöma hur Irak fullföljde programmet.

Ett tal av Saddam Hussein med "strategiskt beslut"

Jack Straw klargjorde i sitt tal inför Säkerhetsrådet den 7 mars att man inte kunde förvänta sig att Irak skulle avrusta under den korta tid landet hade fått på sig enligt resolutionen (alltså fram till den 17 mars). Han föreslog inte att Saddam Hussein helt enkelt skulle tillkännage det strategiska beslutet, men vid de informella diskussionerna i Säkerhetsrådet på kvällen efter den offentliga sessionen sa Sir Jeremy Greenstock att det fanns tid för Irak att *tala* och handla så att man kunde övertyga alla om att man fattat ett strategiskt beslut om att avrusta frivilligt. Det som Sir Jeremy redan den här kvällen hade i tankarna, var antagligen ett tal av Saddam Hussein och en lista på åtgärder (kontrollpunkter) som var kortare än de återstående viktiga avrustningsåtgärderna som inom kort skulle listas av UNMOVIC.

Dagen efter mötet i Säkerhetsrådet träffade jag Amr Moussa, generalsekreterare i Arabförbundet och före detta utrikesminister i Egypten. Vi var gamla vänner. Jag hade känt honom ända sedan vi båda många år tidigare varit delegater vid Generalförsamlingens utskott för rättsliga frågor. Nu planerade han att å Arabförbundets vägnar besöka Bagdad för att träffa Saddam Hussein. Jag talade om för honom att även om det nu var osäkert vilken betydelse ett uttalande från Saddam Hussein om ett strategiskt beslut skulle få, tycktes det ändå nästan vara den enda väg som stod öppen, och ju fortare den prövades desto bättre. Jag skissade några punkter som jag trodde skulle kunna tas med i det tal som Saddam Hussein borde hålla i TV, till exempel:

- Att han ville göra fullständigt klart för världen att inget angrepp på Irak kunde berättigas med hänvisning till rädsla för att Irak hade massförstörelsevapen.
- Att FN:s inspektörer tidigare hade bevittnat förstörelsen av stora mängder sådana vapen, men eftersom det fortfarande rådde tvivel skulle han förklara att alla förbjudna vapen eller andra förbjudna föremål eller aktiviteter som fortfarande existerade skulle överlämnas till FN:s inspektörer.
- Att alla irakiska myndigheter – militära och civila, vetenskapsmän, ingenjörer och andra – ombads att ge FN:s inspektionsorgan fullständig och riktig information. Medborgarna skulle

uppmanas att vara uppriktiga mot FN:s inspektörer, vare sig de blev utfrågade inom Irak eller ombads att resa utomlands för att bli utfrågade.

Jag sa till Amr Moussa att en deklaration av detta slag kanske inte skulle räcka för att avvärja den omedelbara risken för ett anfall. Det hade under tidigare år ryktats att Saddam Hussein funderade på att stiga åt sidan. Han skulle kunna tillkännage att det var tid för honom att göra det och tala om vem som skulle bli ny ledare. Jag sa vidare att han skulle kunna inbjuda mig och ElBaradei att besöka honom och få försäkringar enligt de nämnda riktlinjerna. Slutligen sa jag att det kanske skulle vara bra att framföra till Saddam Hussein att om det trots allt kom till väpnad konflikt måste Irak avhålla sig från att ta gisslan och från att använda kemiska eller biologiska stridsmedel. Om man inte gjorde det skulle alla de människor i hela världen som nu opponerade sig mot en vapeninsats säga att det visat sig att angreppet varit berättigat.

Det visade sig sedan att Arabförbundets uppdrag blev inställt. Saddam Hussein fick aldrig lyssna till Amr Moussa och genom honom höra de påpekanden jag hade tänkt ut åt honom – i ett av de mer ovanliga tal jag skissat på.

Britterna agerar in i det sista

Under samtalen i Säkerhetsrådet var Storbritannien till att börja med en smula tvivlande till nyttan med ”en uppräkning av definierade åtgärder” – kontrollpunkter. Jag skrev i mina privata anteckningar att Sir Jeremy Greenstock sa att ”det skulle vara förblindande synligt” om Irak fattade ett strategiskt beslut. Jag skulle tro att han menade att det egentligen inte var nödvändigt att specificera vad som skulle betraktas som bevis på ett beslut. Eftersom britterna var medvetna om att andra inte ansåg det onödigt och eftersom de var angelägna om att få stöd för en resolution, gav de icke desto mindre efter ytterligare och fortsatte med att utarbeta ett dokument som definierade vad som skulle kunna anses som bevis på ett strategiskt beslut. Sir Jeremy försökte i ett soloframträdande övertala de övriga medlemmarna att fortsätta. Då USA:s representanter inte reste några invändningar förstod man att de hade instruktioner att under ett par dagar, men inte längre, tolerera de brittiska ansträngningarna. Kanske var man i Washington till och med en smula orolig för att Sir Jeremy skulle lyckas få gehör för en mätpunktsresolution och att irakierna skulle uppfylla den. Det var ett intressant ögonblick där det fanns en potentiell motsättning mellan de anglosaxiska allierade.

Resolutionsutkastet visade sig kräva två slags bevis på ett strategiskt beslut. För det första skulle Saddam Hussein tillkännage beslutet i ett tal som skulle TV-sändas. Dokumentet innehöll hjälpsamt nog ett antal specifika punkter som skulle tas med. För det andra skulle Irak före 17 mars uppfylla fem kontrollpunkter som skulle bevisa att beslutet var äkta och uppriktigt.

De punkter som räknades upp och som Saddam Hussein borde ta upp i sitt tal skilde sig inte mycket från dem jag hade diskuterat med Amr Moussa. Jag hade emellertid tänkt mig att Saddam Hussein skulle få ett muntligt råd i förtroende av en högt uppsatt arabisk tjänsteman. Storbritanniens förslag innehöll offentliga instruktioner till Saddam Hussein om vad han skulle säga. Det skulle också tvinga honom att tydligt erkänna att Irak tidigare hade försökt gömma undan massförstörelsevapen. Jag trodde att om man krävde av kejsaren av Mesopotamien att han skulle förödmjuka sig kunde man vara säker på att han skulle förkasta tanken. Och kanske var det avsikten? Syriens representant var den ende i Säkerhetsrådet som med kraft kommenterade punkterna. Han sa att de skulle upplevas som en förödmjukelse av det irakiska folket, inte bara av Saddam Hussein. Andra representanter frågade vad det var för mening med att be om en deklaration av någon som betraktades som en vanemässig lögnare.

Ett samtal med Tony Blair och kontrollpunkter som Irak borde uppnå

Klockan åtta på morgonen den 10 mars blev jag uppringd av en medlem av den brittiska delegationen. Han bad om ursäkt för att han störde mig vid ett så odiplomatiskt klockslag och undrade om jag skulle kunna vara på deras kontor om en halvtimme för att ta emot ett samtal från hans premiärminister. Jag insåg att i London var klockslaget då mer civiliserat, 13.30, hällde i mig en kopp te, struntade för en gångs skull i att bädda sängen och rusade ner till britternas kontor på 47:e gatan för att ta emot samtalet på den säkra linjen på Sir Jeremys kontor.

Tony Blair sa att de behövde fem eller sex punkter där Irak skulle kunna visa att de uppfyllde UNMOVIC:s arbetsprogram. Britterna hade förutom en deklaration av Saddam Hussein tänkt ta med antrax, det kemiska stridsmedlet VX, senapsgas, SCUD-missiler och pilotlösa flygplan samt uppriktigt samarbete i fråga om att ta med forskare (och deras familjer) ut ur Irak för att fråga ut dem. Denna process skulle inte kunna hålla på ända till april/maj, men kanske ett par dagar längre än till den 17 mars. Jag fick en känsla av att han hade haft svårt att få USA att gå med på det hela. Han sa att amerikanerna tvivlade på att de hade UNMOVIC:s gillande. Jag kommenterade inte detta.

När jag tänker tillbaka på det hela tror jag att den amerikanska administrationen antagligen fick den uppfattningen om oss när UNMOVIC inte brännmärkte det pilotlösa flygplanet och klusterbomben som "rykande pistoler". De hade ägnat detta stor uppmärksamhet. Det bekymrar mig inte att vi hade olika åsikter i fråga om beskaffenheten hos dessa föremål, men jag känner mig fortfarande förolämpad om de trodde att vår bedömning orsakades av en önskan att helst inte finna några komprometterande "rykande pistoler". Jag talade om för Tony Blair att inga av de punkter han hade nämnt skulle falla utanför vår lista med olösta avrustningsfrågor, men jag kunde inte säkert säga om de skulle finnas med på vår lista med nyckelfrågor.

Den slutgiltiga lista med kontrollpunkter som britterna bestämde sig för innehöll de punkter som Blair hade nämnt, med det undantaget att Irak istället för att redovisa senapsgas skulle redovisa och lämna ifrån sig mobila laboratorier avsedda för att framställa kemiska och biologiska stridsmedel. Vi hade länge och förgäves letat efter dessa laboratorier som västerländska underrättelsetjänster på den tiden var övertygade om existerade.

De andra medlemmarna i Säkerhetsrådet

Fransmän, tyskar och ryssar såg inget behov av en ny uppsättning kontrollpunkter eftersom UNMOVIC ett par dagar senare skulle presentera en lista med viktiga åtgärder som hade valts ut efter månader av grundlig analys. Alla var emellertid överens om att i en situation där man snabbt önskade få bevis för en opålitlig motparts vilja att uppfylla sina förpliktelser, erbjöd varianten med kontrollpunkter en möjlighet till "avbetalningar" som kunde genomföras successivt och med lämpliga mellanrum, den första kanske så snart som tio dagar efter det att resolutionen antagits. Man skulle då gradvis få allt större tilltro till att det uttalade "strategiska beslutet" var uppriktigt.

Den franske ambassadören förklarade för mig att Frankrike skulle kunna gå med på kortare tid för att klara av de återstående viktiga avrustningsåtgärderna än de 120 dagar som stipulerats i resolution 1284. Han talade fortfarande om hela den lista vi skulle lägga fram och menade inte den kortare lista med kontrollpunkter som skulle kunna uppnås på kortare tid. Han frågade hur lång tid UNMOVIC behövde för att sammanställa en sådan lista. Jag förklarade att vi skulle kunna välja ut ungefär sjutton nyckelfrågor och att det helt och hållet berodde på irakierna hur snabbt dessa mål skulle kunna uppnås. Även om de var ytterst samarbetsvilliga skulle det ta månader. Kanske kunde man föreslå den 1 juni som tidsgräns. Vi skulle i alla fall vara tvungna att lämna en kvartalsrapport vid den tidpunkten.

Det största problemet för fransmännen var emellertid inte om det skulle bli en lång eller en kort lista, eller ens hur lång tid det skulle ta, utan att USA ansåg att det inte fanns något behov av att Säkerhetsrådet i sista hand avgjorde om problemen hade lösts – eller om man uppnått kontrollpunkterna. USA vidhöll att det stod dem fritt att ensamma göra en sådan bedömning och dra egna slutsatser. Fransmännen motsatte sig, liksom många andra, att USA hade den friheten och betonade att det var Säkerhetsrådet – inte någon enskild stat – som måste ge sitt godkännande till krig. Jag sa att jag mycket väl förstod detta och höll med om att det fanns risk att USA skulle komma den 17 mars och ensamt göra bedömningen att Irak inte hade tagit den sista chansen och att man därför kunde inleda ett väpnat angrepp. Det fanns emellertid också en annan möjlighet, sa jag: om Irak gjorde en deklaration och tydligt uppfyllde tre av fem kontrollpunkter skulle man kunna få en ny dynamisk väg bort från att använda vapenmakt.

Att förstöra missilerna före den 17 mars var helt görligt, att skicka trettio forskare och deras familjer till Larnaca för att fråga ut dem var kanske inte lätt från praktisk synpunkt men det borde också vara genomförbart, och att få fullständig information om de obemannade flygplanen skulle kunna vara möjligt. Jag var mer pessimistisk i fråga om redovisningen av eller framtagningen av antrax eller VX och senapsgas. Vi hade ansträngt oss mycket för att få klarhet i dessa frågor. Jag kunde inte vara säker på att det fanns något kvar och inte heller vara säker på att Irak hade dokumentation om det.

Var det ändå inte värt att ta en chans? Det behövde inte nödvändigtvis innebära att man tillerkände USA och Storbritannien rätt att ensamma göra bedömningar och börja krig utan något tydligt godkännande från Säkerhetsrådet. Den frågan skulle kunna förbli kontroversiell precis som den var när resolution 1441 antogs. Jag hade emellertid en känsla av att fransmännen – och flera andra av Säkerhetsrådets medlemsländer också förresten – oroade sig för ett scenario där de gick med på resolutionen och Irak sedan på ett acceptabelt sätt klarade av en första grupp med kontrollpunkter, men där USA trots det började sitt krig. I en sådan situation skulle alla som hade gått med på resolutionen kunna påstås ha godkänt ett krig.

Fransmännen trodde att den amerikanska administrationen redan i januari hade bestämt sig för krig, och de ville inte välsigna det. Jag såg en smula annorlunda på det hela. Jag tvivlade inte på att man bestämt sig för att börja krig om inte några viktiga händelser – att Irak kungjort att man fattat det legendariska "strategiska beslutet" och att man uppfyllt vissa kontrollpunkter – inträffade före ett visst datum. I så fall skulle beslutet kunna förändras, skjutas upp eller upphävas, och den militära upptrappningen kunde saktas ner eller stoppas.

Inom Säkerhetsrådet sökte Chile och fem andra av de icke permanenta medlemmarna efter något slags kompromiss. De kände på sig att tiden höll på att rinna ut men hade ändå en känsla av att det var orimligt att kräva att kontrollpunkterna skulle ha uppfyllts före den 17 mars. Under en kort period rådgjorde de med andra medlemsstater om ett utkast som skulle innehålla en lista med kontrollpunkter lik den som britterna hade sammanställt, men där kravet på ett TV-sänt tal av Saddam Hussein ersatts av ett krav på ett mindre förödmjukande brev från den irakiska ledningen och där tidsgränsen för att uppfylla kontrollpunkterna utsträcktes till trettio dagar eller tre veckor (båda siffrorna förekom i det snabbt hopkomna dokumentet). Det var ett klart mer "realistiskt" dokument än det brittiska – bortsett från att tiden var längre än vad USA skulle gå med på. En annan viktig sak: som president Ricardo Lagos från Chile hade förklarat för mig i telefon när hans mycket duktige ambassadör Valdes besökte mig, och som tydligt framgick av det utkast Chile hade gjort upp, hade sex av de invalda medlemmarna i Säkerhetsrådet den åsikten att det var Säkerhetsrådet som gemensamt skulle bedöma om Irak hade uppfyllt kontrollpunkterna och bestämma om vidare åtgärder skulle vidtas. De var inte villiga att låta Säkerhetsrådet frånsäga sig denna befogenhet. USA var å andra sidan inte villigt att avstå från att hävda rätten att agera på egen hand.

Under de informella förhandlingarna i Säkerhetsrådet på torsdagen den 13 mars försökte Sir Jeremy desperat vinna stöd för det brittiska förslaget om kontrollpunkter. Om han bara fick en känsla av att man tog tag i förslaget skulle han kunna vara flexibel på ett antal punkter, till och med stryka det viktiga kravet i paragraf 3 eller till och med hela resolutionsförslaget som såg ut som ett ultimatum. Även om denna åtgärd presenterades som en sista eftergift skulle den politiska signalen från ett förslag som bara täckte kontrollpunkter antagligen också betraktas som ett ultimatum. Man skulle förstå att om ingen deklaration gjordes och/eller om kontrollpunkterna inte uppfylldes skulle det kunna få allvarliga konsekvenser.

Slutet

Fredagen den 14 mars hade alla försök att nå en överenskommelse i Säkerhetsrådet misslyckats. Det utkast som Chile och fem andra invalda medlemmar hade lagt fram drogs tillbaka, ambassadörerna från Europeiska Unionen träffades utan att kunna enas, och ett möte mellan de fem permanenta medlemmarna ställdes in. Det enda som rörde sig var stridsvagnarna i Kuwait.

Vi fick besked om att ägarna till de helikoptrar som vi hade chartrat och använt i Irak hade bestämt sig för att ta ut sina maskiner. De ville inte se sina helikoptrar inlåsta i Bagdad, så som de chilenska helikoptrarna hade blivit 1998. Vi hade inrättat ett larmsystem så att vår personal skulle kunna ge sig iväg med kort varsel och planerna var klara för utrymningen av vår personal. Naturligtvis var vi oroliga för att irakierna skulle försöka ta någon från UNMOVIC som gisslan eller att vår personal skulle bli fast i Irak medan striderna pågick. Vi hade fyllt vårt högkvarter i Bagdad med dricksvattenreserver, mat och andra nödvändigheter. I ett samtal jag hade med Kofi Annan sa han att när det behövdes en signal om tillbakadragande av personal från Irak skulle han ge den för all FN-personal, inklusive vapeninspektörerna.

Handlingsprogrammet som överlevde inspektörernas avfärd

Eftersom vi visste att USA inte skulle ge Irak ens ett fåtal dagar för att klara av en kort lista med fem kontrollpunkter var det nästan surrealistiskt att färdigställa UNMOVIC:s arbetsprogram, som gick ut på att identifiera viktiga punkter som förhoppningsvis skulle kunna lösas inom de närmaste fyra *månaderna*. Icke desto mindre gjorde vi det som vi enligt resolutionen från 1999 hade att göra. Efter att ha fått råd från medlemmarna i vår rådgivande församling om vilka uppgifter de ansåg skulle ges högsta prioritet, gjorde vi upp ett program som vi var klara med på måndagen den 17 mars.

Jag förmodar att Washington ansåg att allt det hektiska arbete som lades ner på resolutionen och på en procedur som de ansåg var överspelad, var bortkastat. Det tyckte emellertid inte tyskar, fransmän och ryssar. I en deklaration lördagen den 15 mars bad de UNMOVIC att lägga fram sitt arbetsprogram tisdagen den 18 mars, att Säkerhetsrådet skulle sammanträda på ministernivå för att godkänna det, att de viktigaste åtgärderna skulle tas upp i prioriteringsordning och att Irak måste samarbeta för att åtgärderna skulle kunna genomföras. De upprepade sin åsikt att ingenting berättigade till att man gav avkall på inspektionerna och att ett väpnat ingripande bara skulle användas som en sista utväg.

Till och med så sent som på måndagen den 17, efter det att USA hade bett oss att kalla hem inspektörerna, ville man i Säkerhetsrådet att handlingsprogrammet skulle läggas fram för godkännande, att inspektörerna skulle få en tidsgräns och att Säkerhetsrådet skulle samlas för att utvärdera resultatet. Den surrealistiska känslan blev total då jag presenterade programmet på onsdagen den 19 mars – dagen efter det att våra inspektörer hade kallats hem från Bagdad. Orsaken till att många av Säkerhetsrådets medlemmar ville ha programmet på bordet var utan tvekan att de var angelägna om att världen skulle se att inspektionerna formellt fortsatte enligt de regler som Säkerhetsrådet själv fastslagit. Att de avbröts berodde inte på att inspektionerna hade misslyckats. Det berodde på ett orättmätigt väpnat ingripande av USA och Storbritannien.

ElBaradei och jag blir inbjudna till Bagdad

I krissituationer är det naturligt med initiativ i sista minuten. Ett sådant initiativ var britternas anslutning till idén med kontrollpunkter, som de försökte använda för att bygga en bro mellan USA:s otålighet att se snabba resultat av ett ”strategiskt beslut” och den långsammare takten hos ett arbetsprogram. Andra initiativ som inte avslöjades offentligt vid den tidpunkten tycks ha kommit från inflytelserika personer inom Bagdadregimen, som utan framgång försökte skapa kontakter på hög nivå i USA för att erbjuda åtgärder som syftade till att undvika en invasion.

En åtgärd i sista minuten var ett brev till ElBaradei och mig från vår motpart i Bagdad, Al-Sa'adi. Det kom lördagen den 15 mars. Al-Sa'adi föreslog att vi skulle komma till Bagdad så fort som möjligt för att försöka skynda på inspektionsprocessen och slå fast vilka resultat man nått. Jag kontaktade omedelbart Mohamed som verkade vara ganska ivrig på att ge sig iväg. Det som Al-Sa'adi föreslog var emellertid inte tillräckligt långtgående med tanke på de idéer som fanns i Säkerhetsrådet om att Saddam Hussein i ett tal som sändes i television skulle erkänna tidigare vilseledande och tillkännage ett strategiskt beslut att uppfylla en rad kontrollpunkter för att ge bevis på att Irak menade allvar. Mohamed och jag hade tidigare kommit fram till att ett besök hos Saddam Hussein måste föregås av en deklaration från hans sida. Sedan skulle vi kunna komma och diskutera genomförandet. Den store kejsaren av Mesopotamien skulle knappast sänka sig till att förhandla med lågt stående varelser som vi, och vi kunde inte tillåta oss, minst av allt vid denna kritiska tidpunkt, att resa dit för att lyssna på plattityder. Det mesta vi skulle kunna hoppas uppnå genom ett personligt möte skulle vara att förmedla en dos verklighet, något som folk i hans omgivning kanske inte vågade göra.

Det hade precis tillkännagetts att Bush, Blair och den spanske premiärministern Aznar skulle träffas på Azorerna nästa dag. Eftersom jag tyckte att deras rådgivare borde vara medvetna om att vi fått en inbjudan till Bagdad informerade jag inte bara Kofi Annan utan också USA:s och Storbritanniens permanenta representanter vid FN. Sir Jeremy ringde snabbt upp mig. Utrikesministeriet i Storbritannien uppmanade oss att vara försiktiga. Man borde inte ge Saddam Hussein alltför stort spelrum. Vi måste ställa mycket höga krav om vi skulle resa. Det skulle inte bara krävas en deklaration utan även lite "avbetalningar". Här syftade London på kontrollpunkter. John Negroponte sa att USA avrådde oss från att resa. Från ingen av huvudstäderna var man kategorisk.

Vi hade aldrig tidigare begärt något tillstånd av Säkerhetsrådet innan vi rest till Irak och det tänkte vi inte heller göra nu. Ändå handlade vi inte i ett tomrum. Vi skulle knappast kunna tacka ja till inbjudan innan vi visste vad som skulle deklareras vid mötet på Azorerna. Kofi Annan krävde inte direkt någon deklaration i förväg från Irak men rådde oss att be Al-Sa'adi mer exakt klargöra vad han trodde vi kunde uppnå. Vi skulle också informera Säkerhetsrådets ordförande. Mötet på Azorerna skulle visa att initiativet hade kommit alltför sent.

Samma sak gällde det tal som Saddam Hussein plötsligt på eget initiativ höll samma dag som mötet på Azorerna ägde rum. Kanske var talet, som sändes ut via hans sons TV-kanal, avsett att vara något slags svar på kravet på en deklaration om ett strategiskt beslut. Saddam Hussein sa att Irak tidigare hade haft massförstörelsevapen, men förklarade att man nu inte längre hade det. Han nämnde emellertid ingenting om nedrustningsmål som han var villig att försöka uppfylla.

Överläggningar på högsta nivå på Azorerna, söndagen den 16 mars

Mötet på Azorerna var snarast ett spel för gallerierna, kanske avsett att demonstrera endräkten mellan de tre stater som tillsammans presenterat det resolutionsförslag som fortfarande låg på Säkerhetsrådets bord. När jag talade med Sir Jeremy på lördagen före mötet sa han att det snarare skulle handla om fred än om krig. Den deklaration som kom ut från mötet var emellertid i mitt tycke visserligen vag men mer krigisk än fredlig. Den talade om att Saddam Hussein under tolv år hade trotsat FN:s resolutioner. Ansvaret var hans. Om det skulle komma till en konflikt skulle USA och dess allierade söka värna Iraks territoriella integritet. Eventuell "militär närvaro" skulle vara tillfällig.

Jag såg sändningen från Azorerna i ABC:s studio på Manhattan, där jag väntade på att bli intervjuad av svensk TV. När jag senare satt framför kameran och lyssnade genom hörluren till frågorna från Stockholm, sa jag att jag tyckte att det hade varit skillnad mellan Bush och Blair i fråga om tonfallet. Bush hade talat om diktatorn och den grymma regimen och vilken ljus framtid Irak skulle gå till mötes om Saddam Hussein avlägsnades. Blair hade talat om att arbeta för freden in i det sista och att FN måste stoppa kärnvapenspridningen. Kanske hoppades Blair fortfarande att Saddam Hussein skulle ge upp – bekänna sina synder och bättra sig – om han ställdes inför en enhällig resolution från Säkerhetsrådet.

Det största problemet med en sådan resolution var för Frankrike och andra att USA och Storbritannien efteråt inte skulle känna sig tvingade att gå tillbaka till Säkerhetsrådet för att tillsammans med de andra rådsmedlemmarna bedöma Iraks handlande, utan känna sig fria att börja krig unilateralt om de ansåg att Iraks ansträngningar hade varit otillräckliga. Enligt Blairs åsikt kunde man inte ha en resolution som helt enkelt föreskrev vidare diskussioner. Enligt president Jacques Chiracs åsikt utgjorde Irak inget omedelbart hot som berättigade till omedelbart krig. Frankrike tänkte inte rösta för en resolution och därmed ge USA och Storbritannien fria händer att använda våld. Eftersom Frankrike hade gjort klart att man tänkte rösta mot en resolution, om en sådan kom upp till omröstning, hade Frankrike nu dragit på sig USA:s och Storbritanniens vrede. Men de franska åsikterna delades antagligen inte bara av Tyskland och Ryssland, utan också av en majoritet av Säkerhetsrådets medlemmar.

Vare sig det fanns skillnader i de förhoppningar som Bush och Blair hyste på Azorerna eller ej, blev uttalandet efter det en timme långa mötet vid denna sena tidpunkt kanske inte så mycket ett ultimatum till Saddam Hussein som till medlemmarna i Säkerhetsrådet: stöd resolutionen eller bli överkörda.

Spelet var över. Jag skulle få slutlig klarhet då jag återvände till mitt kontor senare denna söndagseftermiddag. När jag satt vid bordet tillsammans med några medarbetare fick jag samtalet från John Wolf i Washington som sa att det var dags att kalla hem vapeninspektörerna från Irak.

Man hade nyss i svensk TV frågat om jag inte längtade hem, och jag hade svarat att jag precis hade hört att snödropparna höll på att komma upp vid min stuga i Sverige. Naturligtvis längtade jag hem ...

12

Efter kriget: massförsvinnande av vapen

När man väl gick till väpnat angrepp mot Irak fördes kriget snabbt och skickligt till seger på mindre än en månad och därefter följde ockupation. En av de blodigaste regimer som världen skådat var nu störtad. Det dröjde många månader innan Saddam Hussein greps, men en jättestor staty som föreställde honom vräktes i början av april omkull inför ögonen på lättade irakier och hela världens TV-kameror. Det som världen nu väntade sig att få se var de fruktade massförstörelsevapnen.

Det väckte förvåning att de irakiska militära styrkorna gjorde så litet motstånd. En annan välkommen överraskning var att de inte använde kemiska stridsmedel. De hade i mycket stor omfattning använt sådana under kriget mot Iran på 1980-talet och mot sina egna medborgare, den kurdiska befolkningen i Halabaja, men efter bestämda amerikanska varningar hade de inte använts under Kuwaitkriget 1991. Den här gången hade man varit rädd att irakierna skulle använda dem om de kände sig inträngda i ett hörn.

USA:s militärledning tycks ha varit övertygad om att Irak hade ett stort förråd av okonventionella vapen. Skyddsdräkter hade delats ut till soldaterna och användes flitigt under den första delen av offensiven. Det var begripligt att man var försiktig. Det var emellertid något förvånande att man tydligen hade budgeterat flera hundra miljoner dollar för att förstöra de massförstörelsevapen som man skulle kunna finna. Det var mer än flera års budget för UNMOVIC.

Hade det inte gjort något intryck alls att vapeninspektörerna från UNMOVIC och från FN:s tidigare inspektionsorganisationer under ett antal år hade letat över hela Irak utan att finna några spår av kemiska stridsmedel? Deras rapporter var förvisso välkända för USA:s utrikesdepartement, försvarsdepartement och för CIA.

När president Bush och utrikesminister Powell kort före kriget hade talat om ”sanningens ögonblick” hade de antagligen menat att ockupationen av Irak skulle bekräfta att det definitivt fanns massförstörelsevapen i Irak och dessutom blottlägga regimens brutalitet. I det senare fallet visade det sig att de hade haft rätt, eftersom massgravar hittades och människor som slapp ut från regimens fasansfulla fängelser gav sina vittnesmål.

Däremot bekräftades inte existensen av massförstörelsevapen, det som man hade förklarat för världen var så säkert och som hade använts som det främsta argumentet för ett krig. Det gick helt enkelt inte att hitta dem.

Det spekulerades om att vapnen kanske hade flyttats till Syrien. Det gick emellertid inte att få fram bevis för det, och man kan undra om Syriens regering under allt större påtryckningar från USA skulle ha tagit emot en sådan förgiftad kalk. Skulle dessutom inte sådana transporter ha spårats av satelliter och annan övervakning? En annan förklaring som framkastades var att vapnen förstördes av regimen strax innan de amerikanska trupperna kom. Återigen gick det inte att peka på några bevis, och man kan undra om det skulle ha kunnat genomföras med inspektörer som for omkring i landet och intensiv övervakning från luften. Andra förklaringar, som heller inte gått att bevisa, gick ut på att vapnen skulle ha blivit stulna eller begravda.

Egendomligt nog verkade ingen böjd att pröva tesen att de försvunna kemiska och biologiska vapnen faktiskt hade förstörts 1991 – något som Irak envist hade försäkrat och som FN:s vapeninspektörer hade försökt verifiera. Var det alltför absurt att tänka sig att vapen som man letat efter under mer än tio år och som nu hade utlöst ett krig, under hela den tiden kanske inte alls hade existerat?

Amir Al-Sa'adi, som under mina förhandlingar åren 2002 och 2003 hade företrätt den irakiska regeringen, var den förste högt uppsatte irakier som gav sig till de allierade trupperna när han hade fått reda på att han tillhörde de tjänstemän som man letade efter. När han gav sig sa han i tysk TV (som hade hämtats dit av hans tyska hustru): "Det finns inga massförstörelsevapen och tiden kommer att visa att jag har rätt." Han sa inte när de hade förstörts, men när han talat med mig och mina kollegor hade han alltid hävdat att det hade skett sommaren 1991, på order av Hussein Kamel, Saddam Husseins svärson. Detta var faktiskt precis det som Kamel själv hade sagt när han hade hoppat av till Amman 1995 och talade med Rolf Ekéus, som på den tiden var chef för den första inspektionsorganisationen (UNSCOM). Det var också vad ett antal andra irakiska forskare och högt uppsatta militärer hade sagt ända sedan ockupationen inleddes.

Att det sommaren 1991 hade skett en omfattande förstörelse av kemiska och biologiska stridsmedel hade mycket senare verifierats av både UNSCOM och UNMOVIC. Problemet, som Al-Sa'adi var medveten om, var att den irakiska sidan inte hade någon pålitlig dokumentation som visade hur stora kvantiteter som hade förstörts. Man påstod att dokumenten hade förstörts tillsammans med de kemiska och biologiska vapnen. Det kan ha varit sant, men det var också möjligt – och det var vårt stora bekymmer – att dokumenten hade gömts undan och att mängder av kemiska och biologiska vapen också hade gömts undan. UNSCOM hade funnit stora mängder kemiska vapen senare än sommaren 1991 och dessa hade förstörts under kontrollerade former. Dessa vapen hade emellertid inte varit undangömda utan hade funnits vid anläggningar som deklarerats av den irakiska sidan.

Så långt som jag har kunnat kontrollera fann varken UNSCOM eller UNMOVIC någonsin vapen eller andra förbjudna föremål på platser som inte hade uppgetts av irakierna. Detta innebär absolut inte att man kan dra slutsatsen att det inte kan ha funnits några sådana platser, men hur som helst motsägs inte irakiernas påstående av några bevis. Sedan är det en helt annan sak att irakierna i många fall försökte gömma undan installationer och fabriker som hade använts för produktion och lagring av förbjudna vapen och aktiviteter. Syftet kan ha varit att skydda värdefulla byggnader som skulle kunna användas för andra ändamål – eller det kan ha varit att behålla infrastruktur för att underlätta en framtida omstart med vapenprogrammen. Hur som helst blev byggnaderna nu tömda och förstörda.

När jag i början av januari 2004 skriver sista delen av den här boken, har den återupptagna jakten efter vapen i Irak pågått under mer än ett år – före ockupationen genom UNMOVIC och därefter har amerikanska grupper, främst Iraq Survey Group (ISG), letat. Även om båda grupperna har identifierat verksamheter som varit knutna till missiler, däribland produktion av missiler vars räckvidd stred mot de restriktioner som bestämts av FN, förefaller det mycket osannolikt att några betydande lager med förbjudna vapen skulle ha undgått upptäckt om sådana lager hade existerat. Med tanke på den eländiga ekonomiska och sociala situationen bland irakiska vetenskapsmän, militärer och tekniska experter borde löftena om belöningar till personer som hjälpte till att avslöja sådana lager ha gett ledtrådar och resultat.

Sådana löften borde också ha stimulerat folk till att avslöja alla hemliga program som syftade till att vidmakthålla utvecklingsmöjligheterna i fråga om kemiska och biologiska vapen. Det är i och för sig plausibelt att sådana program kan ha existerat, åtminstone för att man skulle behålla möjligheten att snabbt kunna komma igång igen någon gång i framtiden, då Säkerhetsrådets restriktioner inte längre skulle gälla. Även om UNMOVIC:s vapeninspektörer inte fann några sådana program hävdade David Kay, chef för Iraq Survey Group, i ett uttalande om sin provisoriska rapport den 2 oktober 2003, att hans grupp hade upptäckt ”dussintals aktiviteter knutna till vapenprogram för massförstörelsevapen och betydande mängder utrustning som irakierna dolde för FN under de inspektioner som började i slutet av 2002”.

Eftersom man inte funnit några förbjudna vapen var det inte förvånande att USA:s och Storbritanniens regeringar betonade att sådana program existerade. Med tanke på hur många påståenden av detta slag som tidigare fallit sönder vid närmare granskning, måste uttalandet om rapporten från Kays grupp stödjas av bevis som läggs fram offentligt och kan granskas. Man säger sig ha funnit laboratorier, kemikalier och utrustning, till exempel fermentorer, som kan ha dubbel användning, alltså som både kan användas för legitima, fredliga ändamål och för förbjudna syften. Detta räcker emellertid knappast för att man ska kunna dra slutsatsen att de faktiskt användes till eller var avsedda för förbjudna ändamål. En annan, mer tekniskt juridisk fråga är om irakierna enligt novemberresolutionen från 2002 skulle ha varit skyldiga att deklarera dem, om myndigheterna var medvetna om dem.

I och med att Saddam Hussein greps i mitten av december 2003 kommer man kanske att kunna få tillförlitlig information om när de sista förbjudna vapnen förstördes och om eventuella hemliga program som kan ha hållits igång eller påbörjats. Nu vet vi att även om den väpnade operationen i Irak var framgångsrik tycks den diagnos som föregick operationen – existensen av massförstörelsevapen – ha varit felaktig. Det är som om man vid kirurgi i syfte att avlägsna något elakartat skulle upptäcka att det inte fanns något elakartat där. Dessutom berodde frånvaron av förbjudna vapen antagligen på inspektionerna, på att vapnen förstördes och att landet övervakades av FN med stöd av det militära trycket från USA och Storbritannien. FN och världen hade lyckats avväpna Irak utan att veta om det. I amerikansk terminologi före den 11 september 2001 kallades detta "att hålla Saddam Hussein kvar i hans låda". Colin Powell ska ha sagt: "Jag tycker vi måste säga att återhållandets politik varit framgångsrik. Vi har sett till att han stannat kvar i sin låda." Vicepresident Cheney ska enligt ett citat fem dagar efter den 11 september ha sagt: "Saddam Hussein är instängd." Senare framfördes helt andra argument, men de första var mer verklighetsförankrade.

Alla felbedömningars moder

Om vi kommer fram till slutsatsen att det inte fanns några lager med förbjudna vapen måste man fortfarande verifiera om dessa vapen till största delen hade förstörts 1991 eller senare, som man från den irakiska sidan påstod. Som jag konstaterat kan ett sätt vara att fråga ut ett stort antal irakier som sägs ha varit med om att göra det. Man måste dessutom klargöra hur USA:s och Storbritanniens bedömningar kunde slå så fel, inte minst vad gäller den viktigaste kategorin av massförstörelsevapen: kärnvapen.

Även om kärnvapen ofta buntas ihop med biologiska och kemiska vapen i det övergripande uttrycket "massförstörelsevapen", är de naturligtvis i en klass för sig. Omvärldens oro över Iraks vapen skulle aldrig ha varit så stor om det inte hade varit för de irakiska försöken att skaffa kärnvapen och för att irakierna 1990 hade framgångar när det gällde att anrika uran. Det är därför så mycket mer störande att kategoriska och viktiga påståenden om att Irak fortsatte att sträva efter och uppnå resultat på kärnvapenområdet, från år 2002 och framåt framkastades på högsta nivå inom USA:s och Storbritanniens regeringar. De var helt enkelt felaktiga och skulle ha kunnat undvikas om man varit en smula försiktig.

Jag påstår inte att Blair och Bush uttalade sig mot bättre vetande, men jag menar att det inte skulle ha behövts mycket kritiskt tänkande från deras sida eller från deras närmaste rådgivare för att undvika uttalanden som vilseledde allmänheten. Varför lyssnade de så lite till och varför tycks de, som fallet var med Cheney och Wolfowitz, ha hyst ett sådant förakt för IAEA:s bedömningar och analyser?

Även om det en vacker dag framkommer starka bevis för att Irak hade behållit något slags dolda illegala vapenprogram, skulle det inte förändra slutsatsen att de kategoriska påståendena om att det fanns massförstörelsevapen – och avfärdandet av alla tvivel på dessa påståenden – helt enkelt var felaktiga.

Undersökande journalister, i synnerhet i USA och i Storbritannien, har gjort ett enormt arbete då de granskat påståenden, avslöjat felaktigheter och sökt efter sanningen.

Orsaker till att underrättelsetjänsterna hade fel

Tyranner som Saddam Hussein låter sig inte bevekas av olivkvistar. FN:s stadgar, som skrevs efter det att diktatorer lidit nederlag, utesluter inte användandet av militära påtryckningar, väpnade styrkor eller underrättelsetjänster. Men man föredrar fredliga lösningar.

Underrättelseverksamhet är nödvändig för nationellt försvar och för att bekämpa omstörtande verksamhet och terrorism. Jag har stor respekt för de många människor jag träffat som ägnar sig åt detta svåra yrke, där en del av dem lever med helt andra risker än dem vi löper runt förhandlingsborden. Men trots alla de miljarder dollar som användes på satelliter och övervakning från luften, på elektronisk avlyssning, på exportkontroller, på förhör av avhoppare och på spionage, måste jag ändå dra slutsatsen att misslyckandet i fallet Irak var monumentalt.

Irak var ett brutalt land och spionage på marken måste ha varit svårt.

Det verkar som om USA (fast inte nödvändigtvis dess allierade) efter det kalla kriget hade minskat antalet agenter ute på fältet och inte hade några spioner inne i Irak. Avhoppare tycks ha spelat en mycket stor roll i USA:s dossié. Rumsfeld sa till exempel att man fick information genom avhoppare, inte genom inspektörer. Men man förlitade sig kanske i alltför hög grad på dem.

Inom Bush-administrationen fäste man alldeles för lite avseende vid FN-inspektionens försiktiga rapporter, som byggde på besök vid anläggningar, utfrågningar och ingående studier av dokument från Irak. När rapporterna användes på politisk nivå fanns en tendens att misstolka dem och använda dem som stöd för förutfattade meningar. Det förakt som både vicepresident Cheney och ledningen inom USA:s försvarsdepartement tycks ha hyst för internationella inspektioner berövade dem i själva verket en värdefull informationskälla.

Många av de felaktiga bedömningar som USA och Storbritannien gav offentlighet åt, skulle ha kunnat undvikas om de åtminstone hade korrekt återgett det som inspektionsorganen hade skrivit i sina rapporter istället för att förvrida det. Den 23 januari 2003 citerade till exempel Paul Wolfowitz siffror som UNSCOM hade presenterat 1997 angående de mängder biologiska och kemiska stridsmedel som inspektörerna beräknade att Irak en gång hade tillverkat eller kunde ha tillverkat. Den innebörd han gav dessa siffror var emellertid en helt annan än vad UNSCOM hade menat. I avsaknad av trovärdiga uppgifter om vad som hade hänt med de uppgivna mängderna drog UNSCOM slutsatsen att de "inte var redovisade". Detta innebar inte att man påstod att denna mängd fortfarande existerade, men det uteslöt heller inte den möjligheten. När Wolfowitz hade citerat antalet liter och ton från en UNSCOM-rapport drog han emellertid slutsatsen: "Trots elva års inspektioner och sanktioner, inneslutning och militära påtryckningar *behåller* Bagdad kemiska och biologiska vapen och framställer mer" (min kursivering).

Ett annat fall: Stuart A. Cohen förestod National Intelligence Council som 2002 gjorde en uppskattning av Iraks massförstörelsevapen. I en artikel som publicerades den 30 november 2003 fastslog han att man gjort uppskattningen "att Irak med stor sannolikhet *hade* kemiska och biologiska vapen". Han fortsatte: "Detta var till stor del samma slutsatser som drogs av FN och av ett stort antal underrättelsetjänster – både vänskapligt och fientligt sinnade." Det Cohen sa om andra underrättelsetjänster kan mycket väl vara korrekt, om jag ska döma av det intryck jag fått då jag träffat några av dem. Han gör emellertid samma feltolkning som Wolfowitz i fråga om FN-rapporterna. Om det inte är en medveten feltolkning är det ännu värre, för då skulle det innebära att denne tidigare högt uppsatte tjänsteman inom underrättelsetjänsten förutsatte att allt som "inte redovisats" verkligen existerade. Om landets underrättelsetjänst har den inställningen då man gör en uppskattning skulle det kunna leda till överdrivet illavarslande slutsatser.

Misstankarna att detta är exakt vad som skedde stärktes av en artikel i *International Herald Tribune* den 19 november 2003 som rapporterade att man i USA gjorde en bred omprövning av de underrättelser man fått angående illegala vapenprogram. Artikeln citerar en tjänsteman som förklarar behovet av översyn i fallet Irak. "Frånvaron av bevis för att Irak hade förstört sina kemiska och biologiska vapen tycks av underrättelsetjänsten ha tolkats som bevis för att landet hade kvar dem."

Ännu några tankar om varför underrättelsetjänsterna misslyckades...

Att regeringarna i USA och i Storbritannien var bergfast övertygade om att det existerade vapen, och förväntade att man skulle få bevis för detta, påverkade antagligen underrättelsetjänsterna i lika hög grad som det påverkade andra människor och media. En före detta chef för avdelningen för strategi, icke-spridning och militära frågor inom USA:s utrikesdepartement, Greg Thielmann, sa i juli 2003 att "denna administration [i USA] grundar sin inställning på tro när den uppifrån använder sig av underrättelseväsendet: vi vet svaren, ge oss rapporter som styrker dessa svar."

The Economist antydde den 4 oktober 2003 att tänkandet till viss del liknade det hos medeltida inkvisitorer som var övertygad om att det verkligen fanns häxor. Saddam Hussein passade perfekt i rollen som ond ande, och Irak var en skurkstat som vägrade öppna sina garderober fyllda med gifttunnor och provrör med bakterier. Varje löv i vinden tolkades som bevis som bekräftade åsikten att det fanns vapen. I en talande intervju i *Sunday Telegraph* den 23 november 2003 sa David Kay att det fanns en stor fördel med att befinna sig i Irak: "Vi behövde inte klamra oss fast vid minsta halmstrå till bevis."

Det förefaller som om en gemensam nämnare för dessa misslyckanden var *brist på kritiskt tänkande*. I sina försök att hitta sanningen använder domstolar sig av korsförhör där man tvingar fram en kritisk syn på bevisen. I den akademiska världen använder man ofta fakultetsopponenter för att garantera en kritisk granskning av vetenskapliga arbeten. Påståendet att Irak hade massförstörelsevapen har upprepats så ofta att en stor del av världen tog det för givet. Underrättelsetjänsterna borde själva ha stått för det kritiska tänkandet, men som alla andra tycks de i viss mån ha låtit sig ryckas med. Det har sagts att underrättelsetjänster hellre slår larm för ofta än för sällan. De blir inte anklagade för att ha överdrivit ett hot, men de skulle få hård kritik om de underskattade farorna eller inte upptäckte dem – något som hände före Kuwaitkriget 1991, då de liksom IAEA inte kände till Iraks kärnvapenprogram.

Det tragiska fallet med David Kelly, den brittiske vetenskapsman och regeringsrådgivare som begick självmord, tror jag visar hur det absolut nödvändiga kritiska tänkandet kan komma i kläm under politiskt tryck. Kelly använde sin kritiska vetenskapliga blick väl då han granskade dossién om Irak. Att använda samma kritiska blick i granskningen av brittiska rapporter och att reagera mot överdrifter blev mer problematiskt.

Varför lät inte UNMOVIC och IAEA sig ryckas med? Vi hade till skillnad från en del av de nationella underrättelsetjänsterna fördelen att inte vara lika utsatta för påtryckningar utifrån och uppifrån. Vi skulle vara lojala mot Säkerhetsrådet med alla dess medlemsländer och olika åsikter. I rättvisans namn måste jag också säga att trots deras förväntningar och önskemål hände det aldrig att någon av de inblandade regeringarna ens antydde att vi skulle bortse från kritiskt tänkande, vare sig det var irakiska eller andra dossiéer som vi granskade. En annan fördel var den traditionella ämbetsmannatradition som normalt härskar inom FN. Det hände inte vid något tillfälle att jag fann att anställda, vare sig de var amerikaner, engelsmän, fransmän, ryssar eller hade någon annan nationalitet, påverkades av det ställningstagande som regeringarna i deras hemländer hade gjort eller kunde förväntas göra.

Jag tror det främsta skälet till att man respekterade och accepterade UNMOVIC:s analyser och utvärderingar var att vi gjorde oberoende kritiska bedömningar. Liksom de flesta andra *misstänkte* vi inom UNMOVIC förvisso att Irak fortfarande kunde ha undangömda lager med kemiska och biologiska stridsmedel. Säkerhetsrådet hade emellertid aldrig bett oss att framföra misstankar eller bara framföra vittnesmål från avhoppare. Utvärderingar och bedömningar i våra rapporter måste bygga på bevis som skulle förbli övertygande även vid kritisk internationell granskning. Det var därför våra rapporter, till några regeringstjänstemäns förtvivlan, inte lånade sig till de kategoriska slutsatser som dessa tjänstemän ville dra. Vilket anseende skulle internationell inspektion ha i dag om vi helt enkelt hade sagt "amen" till alla de påståenden som påstods vara bevis och som senare rasade ihop som korthus?

Iraks uppträdande gav näring åt misstankarna att man fortfarande hade massförstörelsevapen

Hela världen kom ihåg katt-och-råtta-leken mellan Irak och vapeninspektörerna på 1990-talet. Man hade ett intryck av att Irak försökte gömma förbjudna vapen. Det var också det intryck som skapades då Irak under nästan fyra år inte släppte in inspektörerna. Om det var så, vilket nu verkar troligt, att det inte fanns några undangömda vapen och att de som "inte var redovisade" antingen aldrig hade existerat eller till största delen hade blivit förstörda så tidigt som 1991, då måste det finnas en annan anledning till att den irakiska regimen fortsatte att ge intryck av att man hade vapen – ett intryck som blev orsak till sanktioner under många år, sanktioner som förlamade landets ekonomi och underminerade folkets levnadsstandard. Enligt min åsikt kan följande ha varit av betydelse:

- Man trodde inte på irakiskt håll att bättre samarbete med vapeninspektörerna skulle ha lett till att sanktionerna hävdes. Saddam Hussein hade gång på gång hört från USA att detta bara skulle ske om han själv försvann. Varför skulle han då anstränga sig med att samarbeta?
- En känsla av förödmjukelse kan ha fått irakierna att vägra ge inspektörerna tillträde till vissa platser, i synnerhet till olika platser som var förknippade med landets suveränitet. Saddam Hussein såg sig som en modern kung Nebukadnessar och var enormt stolt över sig själv och över Irak. När han efter det att han hade tagits tillfånga tillfrågades om varför han inte hade släppt in vapeninspektörerna i sina bostäder om han inte hade några vapen, lär han ha sagt: "Vi ville inte att de skulle gå in i president-

palatsen och inkräkta på vårt privatliv." Om inspektörerna hade en känsla av att det var en katt-och-råtta-lek så tyckte kanske Saddam Hussein och regimen att det var smygtittande. Enligt *Los Angeles Times* ska en av ledarna för programmet för kemiska vapen, brigadgeneral Alaa Saeed, om ha svarat när han efter kriget tillfrågades om varför Saddam Hussein inte hjälpte FN att lösa hundratals olösta frågor om förbjudna vapen: "Jag vet inte. Kanske är han för stolt."

- Iraks regering krävde att FN skulle häva sanktionerna och påstod att Irak hade förstört alla förbjudna vapen och uppfyllt sina förpliktelser. Ändå hade den irakiska regimen kanske inte något emot att andra trodde att landet fortfarande hade massförstörelsevapen och fortfarande var farligt, ungefär som när någon sätter upp skylten VARNING FÖR HUNDEN utan att ha en hund.
- Den irakiska regimen ville kanske inte avslöja hemligheter i anknytning till platser där det fanns militära styrkor och konventionella vapen. Trots att sådana platser naturligtvis blev föremål för inspektion – var skulle man leta efter vapen om inte i närheten av militärförläggningar? – kan de nära relationer som fanns ända fram till slutet av 1998 mellan en del av UNSCOM:s inspektörer och försvarsmakten i de länder som bombade olika mål i Irak ha föranlett regimen att hindra besök på en del sådana ställen.

Invasionen av Irak handlade om massförstörelsevapen

I en uppmärksammad intervju sa USA:s vice försvarsminister Wolfowitz att Iraks massförstörelsevapen av "byråkratiska skäl" hade valts ut som skäl för kriget, och antydde därmed att även om det fanns en mängd andra orsaker var detta det enda logiska skäl som skulle kunna få starkt stöd av den amerikanska opinionen och som hade någon chans att vinna gehör utanför USA och inom FN.

Även om det fanns stor oro i världen (och i synnerhet i USA) för spridningen av massförstörelsevapen skulle det knappast ha varit möjligt att utveckla en politik som innefattade möjligheten av krig mot Irak om det inte hade varit för terrorangreppen den 11 september 2001. Tidigare hade det inte funnits någon allvarlig oro vare sig i USA eller någon annanstans i världen för att Irak kanske hade kvar kärnvapenprogram. Inte heller påstod man på allvar att det fanns några tydliga anknytningar mellan Iraks regering och dem som var ansvariga för terrorattackerna. Icke desto mindre fanns det ett teoretiskt samband mellan terrorister och massförstörelsevapen – till och med kärnvapen – och det hade funnits ett faktiskt samband mellan Irak och sådana vapen. Detta i kombination med det raseri som terrorattackerna skapade tycks ha fått den amerikanska regeringen att tänka att eliminerandet av al-Quaida och talibanregimen från Afghanistan borde kompletteras med eliminerandet av Saddam Hussein och de påstådda massförstörelsevapnen i Irak, eftersom det var en annan tänkbar källa till angrepp mot USA.

Den allmänna åsikten att Irak hindrade FN och världen att förstöra landets massförstörelsevapen var den självklara grunden för att påskynda ett sådant angrepp. Det var det enda skäl som lades fram som ett motiv i FN och det var det absolut viktigaste skälet som angavs inför USA:s kongress och den amerikanska allmänheten.

Det är föga troligt att vare sig USA eller Storbritannien skulle ha fått mandat från sina folkvalda att ingripa med vapenmakt om det enda skälet hade varit att eliminera Saddam Husseins skräckvälde. Det är också mycket osannolikt att de skulle ha fått ett sådant mandat från Säkerhetsrådet.

Det kommer kanske inom en inte alltför avlägsen framtid att inträffa att FN godkänner ett väpnat angrepp för att befria små eller medelstora länder från skräckregimer som länderna inte själva kan bli av med – en Saddam Hussein eller en Pol Pot. Jag för min del anser att en sådan utveckling vore önskvärd. Det största hindret för ingripande kommer emellertid antagligen att vara en ovilja att ta kostnaderna i liv och resurser för ett sådant ingripande, snarare än begränsningar i FN:s stadgar.

Kriget i Irak kan inte göras ogjort. Kostnaderna för kriget och ockupationen – förlorade liv, förstörd egendom, miljarder dollar, de skador FN och NATO lidit, de politiska ledarnas minskade trovärdighet, det ökade hatet och så vidare – finns på minussidan. Vad vi kan göra är att undersöka om det finns något på plussidan. Vi måste också fråga oss om det finns några lärdomar att dra.

Det första man självfallet ska skriva på plussidan är att en av de blodigaste regimerna och en av de mest hänsynslösa härskare som världen har sett efter andra världskriget störtades. Detta var verkligen ett välkommet resultat av kriget. Men det var varken det man påstod var syftet eller det man sa berättigade det.

Positivt är också om kriget kan komma att gynna en framväxande demokrati i Irak och andra delar av Mellanöstern. I och med att Saddam Hussein gripits och hans regim störtats har det irakiska folket blivit medvetet om att det inte är möjligt att återgå till gårdagens system. Man skulle verkligen önska att folket efter decennier av tyranni och krig skulle uppbåda sina egna betydande intellektuella resurser och få så mycket hjälp som möjligt från omvärlden för att gå i riktning mot en demokrati där de olika religiösa och etniska grupperna kan lära sig att samarbeta.

En tredje punkt gäller om terrorismen tilldelades ett slag genom det väpnade angreppet. En del skulle nog skriva under på det och hävda att alla terroristorganisationer nu kommer att förstå att USA efter erfarenheterna den 11 september 2001 kommer att ge sig på alla rörelser som uppfattas som ett hot. Andra kommer att påpeka att det, i synnerhet om USA gör fler misstag, finns stor risk att fler länder och folk runt om i världen kommer att betrakta USA som en global översittare och att många muslimer och araber kommer att betrakta ockupationen av Irak som en förödmjukelse och att den känslan kan ge upphov till hat – och ytterligare terrorism.

Det finns en fjärde punkt, något som Condoleezza Rice skulle betrakta som ett plus, men som jag nog inte kan hålla med om. I oktober 2003 försökte hon, en smula heroiskt tycker jag, hävda att om FN:s resolutioner ”inte hade genomdrivits [skulle] FN:s trovärdighet ha trasats sönder. Effektiviteten hos Säkerhetsrådet som ett instrument för att driva igenom världens vilja och bevara freden skulle ha försvagats.” Säkerhetsrådet uttalade sig inte mot genomdrivande med hjälp av vapen. En majoritet i Säkerhetsrådet ansåg att det var för tidigt att överge inspektionerna, som bara hade utförts under tre och en halv månad. Det ligger något egendomligt i argumentet att Säkerhetsrådets auktoritet skulle kunna upprätthållas genom att en minoritet av staterna i rådet struntade i vad majoriteten av staterna ansåg. Kan världens vilja genomdrivas genom att en eller några få stater agerar (i detta fallet i förebyggande syfte) även om detta agerande strider mot den vilja som världen uttryckt?

Några andra punkter har också framförts som försvar för kriget i Irak som ett sätt att hejda spridningen av massförstörelsevapen, trots att man inte fann några sådana vapen. Det antyds att kriget *sände en signal* till stater och rörelser som är benägna att skaffa massförstörelsevapen, att de skulle löpa större risk om de gjorde det än vad de skulle vinna i säkerhet. Beslutet som överste Khadaffi fattade i december 2003, att avsluta alla program för massförstörelsevapen som Libyen kan ha haft på gång, pekar möjligen i den riktningen.

Det är emellertid farligt att generalisera. Man behöver bara tänka på situationen i Iran och i Nordkorea. Det kan också hävdas att fallet med Libyen visar att det går att framgångsrikt verka mot spridning av massförstörelsevapen utan att använda vapenmakt. Vi vet nu att Irak under Saddam Hussein så gott som säkert inte hade några massförstörelsevapen kvar, att regimen faktiskt hade hindrats från att behålla eller återuppstarta förbjudna vapenprogram tack vare närvaron av FN-inspektörer och hotet från USA och Storbritannien. Den mycket förtalade och relativt billiga återhållandets politik hade fungerat och den kostsamma politiken med militära motåtgärder mot spridning hade inte varit nödvändig.

Mot denna bakgrund (att Irak med största sannolikhet inte hade några massförstörelsevapen) kan man inte utesluta möjligheten att irakierna skulle ha gjort det som överste Khadaffi gjorde. Detta var i själva verket vad britterna uppmanade Saddam Hussein att göra i det resolutionsförslag från Säkerhetsrådet man la fram vid ungefär samma tidpunkt som de tycks ha påbörjat sina samtal med Libyen – strax innan förhandlingarna i Säkerhetsrådet bröt samman och kriget i Irak började.

I en intervju i december 2003 sa president Bush att det inte gjorde någon egentlig skillnad om Saddam Hussein *hade haft* massförstörelsevapen eller kanske bara hade *avsikten* att skaffa sådana vapen. Hur som helst är världen bättre utan honom. Det är den. Man skulle emellertid vilja tro och hoppas att den första raden i president Bushs uttalande bara återspeglar en politisk ledares helt normala ovilja att erkänna att någonting gått fel. President Bush hade helt riktigt sagt att terrorister och tyranner inte varnar i förväg när de tänker anfalla; det förefaller säkert att han inte skulle ha beslutat sig för krig och bett USA:s kongress att godkänna det om han hade vetat att det inte fanns några massförstörelsevapen i Irak utan bara antydningar om att Saddam Hussein skulle försöka skaffa dem i framtiden.

Om det finns vapen eller ej borde faktiskt påverka hur man väljer att reagera. Det kan hävdas att ett tydligt hot om att använda massförstörelsevapen inom fyrtiofem minuter – eller till och med inom fyra och en halv månad – skulle kunna rättfärdiga ett omedelbart föregripande militärt angrepp. Det borde däremot vara svårare att påstå att möjligheten att sådana vapen kanske kommer att tillverkas inom fyrtiofem *månader*, och då utgöra vad president Bush kallade "en annalkande fara", skulle kunna berättiga till omedelbart militärt ingripande och ockupation. Om – och det tycks alla vara överens om – våld endast ska användas som en sista utväg, då borde sådana hotelser omedelbart utlösa motåtgärder som är mindre allvarliga än väpnad invasion.

Man kan kanske med rätta invända att dessa kommentarer grundar sig på kunskap som man inte hade i mars 2003. På den tiden kunde ingen – inte heller FN:s vapeninspektörer eller jag – *garantera* att Irak inte hade några massförstörelsevapen. Skulle man ha kunnat anföra att denna osäkerhet inte kunde tolereras och att man måste undanröja den med hjälp av väpnat ingripande? Det skulle man ha kunnat göra, men jag anser det som otroligt att ett sådant förslag skulle ha godkänts av USA:s och Storbritanniens lagstiftande församlingar, än mindre av FN och Säkerhetsrådet. Antagligen var det för att USA och Storbritannien var medvetna om detta som de påstod sig vara säkra på att det fanns massförstörelsevapen.

För att rättfärdiga sitt väpnade angrepp skulle USA:s och Storbritanniens regeringar vidare kunna säga att eftersom de var övertygade – trots att de hade fel – om att Saddam Hussein hade massförstörelsevapen och utgjorde en omedelbar fara, måste de göra ett väpnat ingripande i förebyggande syfte. De måste emellertid ha märkt att Irak i mars 2003 var en skugga av den militära makt landet hade varit då det förlorade i Kuwaitkriget 1991. Dessutom var just kärnvapen ett område där alla – även USA – länge hade trott att Saddam Hussein var avväpnad. Det krävdes mycket av tillrättalagda bevis, däribland ett förfalskat urankontrakt, för att frambesvärja ett förnyat kärnvapenhot från Irak, till och med ett som låg ett stycke in i framtiden.

Det är mer troligt att regeringarna var medvetna om att de överdrev riskerna för att få ett politiskt stöd som de annars inte skulle ha fått. Jag tror att det är den slutsats som en stor del av allmänheten också har dragit. Konsekvensen är minskad trovärdighet. Man förstår och accepterar att regeringar i demokratiska stater måste förenkla komplicerade internationella frågor för att kunna förklara dem för allmänheten. Men de är inte några småhandlare som försöker sälja varor, de är ledare som man bör kunna förvänta sig handlar med integritet när de tar ansvar för krig och fred i världen.

Inspektionens roll när det gäller att hindra spridning av massförstörelsevapen och se till att länder avrustas

Den allmänna diskussionen om Irakkriget har mindre handlat om inspektion och mer om hur kriget skulle kunna rättfärdigas, om unilaterala föregripande anfall, om Säkerhetsrådets roll och om underrättelseverksamhet. Ändå stod inspektionernas roll och resultat i centrum för hela historien. För hökarna i USA var det knappast något problem. De var övertygade om att det fanns massförstörelsevapen. Försvarsminister Donald Rumsfeld var övertygad om att avhoppare var pålitliga informationskällor och att vapeninspektörerna inte var det. Vicepresident Cheney ansåg att vapeninspektörerna i bästa fall var värdelösa. Tyskarna, fransmännen, ryssarna, kineserna och många andra ansåg i mars 2003 att vapeninspektörerna skötte sig ganska bra och att de borde ha fått lov att fortsätta, i alla fall en viss tid.

I Säkerhetsrådet uttryckte USA och Storbritannien liksom de andra länderna sin uppskattning av vad de såg som professionellt och effektivt arbete av inspektionsorganisationerna. Medan vapeninspektörernas rapporter var viktiga faktorer som fick en majoritet i Säkerhetsrådet att inte vilja ge sitt godkännande till krig, litade regeringarna i USA och Storbritannien mer på sina egna underrättelseorganisationers – felaktiga – rapporter än på vapeninspektörernas, som inte bekräftade att det fanns några massförstörelsevapen.

Efter kriget står det klart att inspektion och övervakning av IAEA, UNMOVIC och dess föregångare UNSCOM, med stöd av militära, politiska och ekonomiska påtryckningar, faktiskt hade fungerat i åratal, lett till att Irak avrustats och hindrat Saddam Hussein från att upprusta igen. Återhållandets politik hade med andra ord fungerat. Det har också framkommit att nationella underrättelseorganisationer och hökar inom regeringarna, men inte vapeninspektörerna, hade fel i sina bedömningar. Det är inte utan viss tillfredsställelse som jag kan citera ett uttalande från den 9 juli 2003 av Joseph Cirincione, chef för icke-spridningsprojektet vid Carnegie Endowment i Washington:

> I ljuset av de senaste tre månadernas fruktlösa sökande av amerikanska, brittiska och australiensiska experter, ser nu UNMOVIC:s inspektionsarbete i Irak ut att ha varit mycket bättre än vad kritikerna på den tiden påstod. Det verkar som om inspektionsarbetet fungerade och om man hade fått tillräckligt mycket tid och resurser skulle man ha kunnat fortsätta med arbetet och effektivt blockerat och förhindrat nya försök från Iraks sida att skaffa massförstörelsevapen. Aldrig har så få kritiserats av så många på så dåliga grunder.

Denna bedömning stärks av Carnegiestudien över hot från Saddam Husseins Irak som släpptes i januari 2004, där Cirincione och hans kollegor kommer till det ganska förödande resultatet att hoten var mycket överdrivna och förvridna av Bush-administrationen.

En viktig fråga är hur man i framtiden kommer att använda inspektioner för att förhindra spridning av massförstörelsevapen och säkra avrustning. De viktigaste inslagen i detta arbete är:

- En utrikespolitik som ger de enskilda staterna säkerhet och därmed minskar deras motiv att skaffa massförstörelsevapen. Det kan bestå av globala och regionala initiativ till avspänning, försvarsallianser eller säkerhetsgarantier.
- Utfästelser i fördrag som icke-spridningsavtalet och konventionen om kemiska vapen, men också regionala fördrag som upprättar kärnvapenfria zoner.
- Inspektion och övervakning som skapar förtroende för att utfästelser respekteras och att det inte förekommer fusk.
- Export- och transportkontroller som gör det svårare att anskaffa, flytta eller tillverka massförstörelsevapen.

Dessa inslag kan kompletteras med olika slags påtryckningar och stimulansåtgärder, som ekonomiskt bistånd. Avsikten är att de ska skapa förtroende och verka återhållande utan att tillgripa våld.

Motåtgärder mot vapenspridning (counter proliferation) består å andra sidan av mer aktiva insatser för att hindra vidare spridning av massförstörelsevapen eller för att hejda pågående spridning. Detta kan ske genom sabotage av laboratorier, fabriker eller kärnvapeninstallationer, genom bombangrepp och bruk av våld på olika sätt, inbegripet att gå i krig.

Före Kuwaitkriget hade ingen av de åtgärder som ingick i återhållandets politik lyckats stoppa Iraks försök att tillverka kärnvapen och andra massförstörelsevapen. Utländska underrättelsetjänster hade inte lyckats upptäcka Iraks vapenprogram, och det system med inspektioner som tillämpades av IAEA i Irak före Kuwaitkriget lyckades inte spåra de kärnvapenprogram som utvecklades. Därför ersattes detta övervakningssystem efter Kuwaitkriget av ett system med mycket närgående inspektioner och bevakning på uppdrag av Säkerhetsrådet under resolutionerna 687 (1991), 1284 (1999) och 1441 (2002).

Det man allmänt trodde och accepterade fram till terrorattackerna mot USA den 11 september 2001 har nu bekräftats, nämligen att detta system – stött av militära påtryckningar och av sanktioner som såg till att exporten kontrollerades – fungerade och lyckades förhindra att Irak behöll eller återskaffade massförstörelsevapen. Erfarenheterna från UNMOVIC visade att det var möjligt att bygga upp ett professionellt och effektivt system med inspektioner från FN som stöddes men inte styrdes av enskilda regeringar och som därför hade den legitimitet från FN som Säkerhetsrådet hade tänkt att det skulle ha.

Icke desto mindre övergav man 2003 återhållandets politik i fallet Irak till förmån för en politik med direkta motåtgärder mot spridning av massförstörelsevapen. En gemensam inspektionsstyrka från FN och IAEA, som bestod av färre än 200 vapeninspektörer som kanske kostade ungefär åttio miljoner dollar per år, kastades ut och ersattes av en invasionsstyrka på ungefär 300 000 man som kostade ungefär åttio miljarder dollar per år. Denna erfarenhet har visat vad man på mycket kort tid kan åstadkomma med en kraftfull direktinsats mot vapenspridning, men den har också väckt många besvärande frågor.

Det var inte rimligt att hävda att enskilda medlemmar av Säkerhetsrådet hade rätt att gå till väpnat angrepp för att försvara beslut i Säkerhetsrådet när en majoritet där ännu inte var redo att godkänna en sådan handling.

Rätten till självförsvar om det sker ett väpnat angrepp är erkänd och nödvändig, som fallet var då Irak angrep Kuwait 1990. När det hävdas att en stat i vissa situationer måste ha rätt att använda vapenmakt för att *förebygga* ett anfall – ett föregripande angrepp – väcks frågan om hur man faktiskt kan fastställa att det ska komma ett anfall. I vissa situationer skulle det kanske vara enkelt att fastslå detta och beslutet skulle bli allmänt accepterat. Det skulle inte behövas någon tillåtelse. Men i andra lägen, i synnerhet när det inte tycks föreligga något omedelbart hot, kan denna rättighet ifrågasättas och om de underrättelser man fått inte är tillräckligt övertygande kommer landet, om det går vidare med anfallet, att anklagas för att ha missbrukat sin rätt till självförsvar. Anfallet mot Irak 2003 stärkte inte ståndpunkten att det föreligger en rätt till föregripande anfall.

Det fanns en annan möjlighet för de stater som ville tillgripa militärt våld. De hade kunnat lyssna till Säkerhetsrådets begäran om mer tid för inspektioner. Man hade kunnat få stöd av Säkerhetsrådet för ett föregripande anfall om man fått fram övertygande bevis för att de påstådda förbjudna vapnen eller vapenprogrammen existerade, eller om Irak inte samarbetade med vapeninspektörerna. Utan det stödet blev det berättigade i hela aktionen ifrågsatt, regeringarnas trovärdighet undergrävd och Säkerhetsrådets auktoritet skadad.

13

Nio månader senare: oktober 2004

Mycket har hänt och mycket har skrivits om kriget i Irak mellan januari 2004 när de tolv föregående kapitlen färdigställdes och oktober 2004 när detta tilläggskapitel skrevs. Ockupationen av Irak förklarades avslutad i slutet av juni 2004. "Suveräniteten" överlämnades från ockupationsmyndigheten till en irakisk interimsregering, fastän ungefär 140 000 utländska soldater var kvar i landet. Paul Bremer som förestått den amerikanska ockupationsmyndigheten lämnade Irak. Ambassadör Negroponte överlämnade som chef för en ambassadstyrka på mer än tusen personer sina kreditivbrev till interimsregeringen. Trots att mycket beslutsfattande och myndighetsutövning överförts till en handplockad inhemsk regering genom de här förändringarna, har väpnade sammanstötningar och terrorangrepp fortsatt dagligen och dragit in de utländska trupper som upprätthåller en skakig kontroll av landet.

När detta skrivs ser den fortsatta vägen mot en demokratisk centralregering, som är ett uttalat mål för USA:s ockupation – knagglig ut. Det är inte lätt att bygga institutioner som garanterar rättvis representation och inflytande för olika grupper, och det finns en påtaglig risk för en "jugoslavisk" utveckling mot en uppdelning av landet i flera självständiga eller *de facto* självständiga politiska enheter. Liksom Jugoslavien föll i stycken när Titos diktatorshand försvann, skulle Irak kunna delas upp längs religiösa, etniska eller stammässiga skiljelinjer, när Saddams diktatur inte längre finns där. Eftersom skiljelinjerna är oklara och olika grupper i många fall bor på samma område, skulle en uppsplittring av landet inte ske smärtfritt.

Sedan januari 2004 har många böcker, rapporter och artiklar skrivits för att förklara kriget i Irak. Det kommer att ta sin tid innan vi vet om den klyfta som kriget föreföll skapa i säkerhetstänkande mellan (och inom) USA och många andra länder kommer att bestå, försvinna eller på något sätt överbryggas. Även om jag inte stött på något som tvingar mig att förändra vad jag skrivit i föregående kapitel, har jag hittat mycket information som bekräftar och kompletterar vad jag skrivit. Utvecklingen i Irak och utvecklingen av tankar och argument har fått mig att lägga till detta kapitel.

Medan jag hade möjlighet att se och beskriva hur vi vid FN i New York såg på vad Washington gjorde och sade, skildrar Bob Woodward och andra hur olika grupper i Washington såg på sina egna uttalanden och handlingar och på vad som sades och gjordes vid FN i New York. Min allmänna bedömning är att beslutsfattare och folk i andra länder än USA brukar se FN i New York som ett slags huvudscen i världen, medan beslutsfattare i den enda supermakten USA – särskilt Bush-regeringen – ser Washington som huvudscenen i världen och FN och New York som en sidoarena, där USA vid tillfälle förenar sig med resten av världen i överläggningar som man ibland kan uppfatta som värdefulla, oftare sega och irriterande eller betydelselösa.

Motiven för invasionen av Irak

Varför beslöt sig Bush-regeringen för att invadera Irak, när bevisen för kontakter mellan al-Qaida och Irak var så bristfälliga och när Nordkorea och Iran utgjorde de verkliga kärnvapenhoten? Alltmer kommer fram om vad som hände på vägen till ingripandet.

Redan innan Bush installerades som president i januari 2001, hävdade ett antal personer som skulle komma att inneha nyckelpositioner i Bushs regering, särskilt i försvarsdepartementet, att Saddam måste "slås ut". Andra, som utrikesminister Powell och vicepresident Cheney ansåg när de tillträdde att Saddam var isolerad och oskadliggjord. Enligt den första gruppen måste terrorangreppen den 11 september 2001 ha haft en koppling till Saddam Hussein och de tog omedelbart angreppen som intäkt för att ett väpnat angrepp mot Irak skulle vara berättigat. Andra var inte lika övertygade och menade att man i vilket fall som helst måste göra en sak i taget och att Afghanistan och talibanregimen hade första prioritet. Presidenten och militärerna i försvarsledningen delade den senare uppfattningen, som måste ha tett sig som sunt förnuft och lättare att förklara för allmänheten.

Tesen att Iraks regering var inblandad i attackerna den 11 september har aldrig varit väl underbyggd och har nu lagts till handlingarna av officiella amerikanska utredningar. Likafullt har dess förespråkare envetet hållit fast vid den. Men det är svårt att undvika intrycket att det snarare var USA:s ställning som enda supermakt i världen, som fick ledande beslutsfattare att känna att det inte fanns någon anledning att tolerera Saddam Husseins trots mot USA och FN och hans försök att vinna aktning och popularitet i Mellanöstern. Dessutom sågs ett militärt ingripande mot Saddam som ett sätt att ändra på den geopolitiska verkligheten, bidra till en lösning av konflikten i Mellanöstern, utrota terrorismen och skapa ett brohuvud för demokrati, frihet och mänskliga rättigheter. Av alla dessa motiv för att gå till anfall, anslöt sig Tony Blair och den brittiska regeringen åtminstone officiellt enbart till att det var nödvändigt att avlägsna massförstörelsevapen.

I Bob Woodwards redovisning av sina intervjuer med presidenten, framstår George Bush som ganska försiktig. Han var mycket tidigt beredd att utreda och förbereda ett militärt ingripande mot Irak. Men han ville inte alltför tidigt binda sig – eller låta det se ut som om han bundit sig. Likt Condoleezza Rice såg han det som möjligt fast kanske inte troligt att få Saddam Hussein att ”bryta ihop” genom att visa USA:s militära styrka och politiska beslutsamhet, inklusive att kongressens stöd för att använda våld. Samtidigt förefaller Bush lockad av det grandiosa i företaget och av möjligheten att göra stora saker för att förändra världen. Alldeles oavsett om Saddam verkligen var delaktig i den 11 september, måste han för Bush ha framstått som en verklig företrädare för *det onda*. Att göra sig av med honom måste också ha setts som en politiskt beslutsam fortsättning på det bestämda och allmänt prisade omedelbara svar som Bush och hans regering givit på den 11 september, al-Qaida och talibanerna.

Att bygga upp en demokrati, som blev ett av de mål och de skäl som kom att anges för kriget, stod i viss kontrast till den negativa inställning Bushlägret tidigare hyst mot att USA skulle delta i "nationsbyggande". När sedan demokratimålet blev allt svårare att uppnå, försköts tyngdpunkten mot "kriget mot terrorismen" som främsta rättfärdigande för ett militärt ingripande. President Bush sa 2004 att den 11 september hade varit Pearl Harbor för tredje världskriget, kriget mot terrorismen.

Handlade Bush och Blair i god tro när de hävdade att det fanns massförstörelsevapen i Irak?

Det är förståeligt att både president Bush och premiärminister Blair faller tillbaka på det säkra konstaterandet att "världen är bättre utan Saddam", när de sett hur det ena motivet för kriget efter det andra har fallit eller till och med slagit tillbaka mot dem. Därutöver vill de att vi ska vara övertygade om att de handlade i *god tro* när de i kraft av sina ämbeten och det genomslag de ger, bidrog till att vilseleda världen att tro att det fanns lager med massförstörelsevapen i Irak som var klara att använda. Jag har redan antytt ovan att det inte hade krävts mycket kritiskt tänkande av dem för att inse att deras bevis var bräckliga. Enligt nationella rättsregler ställs enskilda ofta till ansvar då de "förstått *eller borde ha förstått*" att någonting som de gjort kunde vara farligt. Minst sådant ansvar vill nu stora delar av den allmänna opinionen utkräva av de politiska ledare som inledde kriget.

Folk i underrättelsetjänsterna måste ta på sig skulden för en del dåligt arbete, vilket har kommit fram i offentliga utredningar, och framför allt för att inte ha stått fast vid sina egna reservationer och frågetecken. Men för den skull går det inte att hävda att detta var ett krig som drevs fram av underrättelseuppgifter. De ansvariga beslutsfattarna ville få sina förutfattade meningar bekräftade, inte höra om reservationer och frågetecken. Som Condoleezza Rice sa till mig: Irak står anklagat, inte underrättelseverksamheten.

Bob Woodward berättar om två tillfällen då president Bush måste ha blivit medveten om att beläggen för att det fanns massförstörelsevapen i Irak var mycket mindre övertygande än vad han och hans medarbetare hade fått det att framstå som i sina uttalanden: Efter en genomgång med presidenten den 6 september 2002 om hur Iraks Scud-missiler skulle kunna oskadliggöras i ett krig, påpekade general Tommy Franks att ”vi har letat efter Scud-missiler och andra massförstörelsevapen i tio år och har inte hittat några än, så jag kan inte säga att det finns några särskilda vapen på någon särskild plats. Jag har inte sett ens en första Scud-missil”. Som Woodward antyder kunde och borde det ”ha varit en varning, att om underrättelseuppgifterna inte var tillräckligt bra för att vara underlag för beslut om bombning, så var de troligen inte heller tillräckligt bra för att man vitt och brett inför allmänheten eller i formella underrättelsedokument skulle kunna hävda att Saddam ’utan tvivel’ hade massförstörelsevapen.”

Det andra tillfället var vid en genomgång som presidenten hade med ställföreträdande CIA-chefen McLaughlin den 21 december 2002. Presidenten lät sig uppenbarligen inte övertygas och sa att det här ”var inte något som mannen på gatan kunde förstå eller känna sig nöjd med”. Han vände sig till George Tenet, chefen för CIA, och sa enligt Woodward att ”jag har fått alla dessa uppgifter om massförstörelsevapen och är de det bästa vi har?” Tenet tillmötesgick honom genom att ge den försäkran som önskades. I ett nu berömt citat sa Tenet: ”Oroa er inte, det är lika klart som en dunk i basket.”

”Vi hade alla fel”, sa David Kay ett halvår efter invasionen, sedan han som chef för den undersökningsgrupp för Irak som USA tillsatt kunde rapportera att gruppen inte hade hittat några lager med massförstörelsevapen. Nåja, David Kay hade förvisso själv haft fel efter att ha varit en av dem som mest energiskt hävdat *att* Irak hade massförstörelsevapen, *att* fortsatta internationella inspektioner var värdelösa, *att* det var idiotiskt att leta efter ”rykande pistoler” och *att* det var dags att slå till militärt. Med det ofta citerade uttalandet hade han för avsikt att förminska sitt eget ansvar, liksom det ansvar den regering han tjänade hade. Vidare bortsåg Kay bekvämt nog ifrån att såväl jag själv som Mohamed ElBaradei långt före invasionen hade rest allvarliga och mycket tydliga tvivel om somliga bevis som regeringarna lagt fram och som vi hade möjlighet att kontrollera. Det skedde i säkerhetsrådet den 14 februari 2003. Hundratals miljoner människor världen runt lyssnade. Lyssnade inte regeringarna? Eller ville de inte höra?

Det känns dystert att konstatera att de tvivel som FN:s och IAEA:s inspektörer officiellt och öppet reste om rapporterna från nationella underrättelsetjänster, nonchalerades av koalitionen när det begav sig och i stor utsträckning har nonchalerats i efterhandsdiskussionen i USA och Storbritannien. En mening som ofta citeras är den om att amerikaner bor på Mars och är beredda att handla målinriktat och slåss, medan européerna bor på Venus och bara är beredda att diskutera och kompromissa. Det är slående att inte ens de mest uppmärksamma planetobservatörerna ser FN någonstans.

Multilateralism och tillbakahållande eller spridningsbekämpning?

Bush och hans regering har ofta fått utstå kritik – också före kriget i Irak – för att vara negativ eller skeptisk till multilaterala försök att lösa internationella problem. De vägrade att ansluta sig till de många industristater som skrivit under Kyotoprotokollet för att motverka växthuseffekten. De har kraftigt motsatt sig en internationell brottmålsdomstol. Är det vi bevittnar en ny, ideologiskt motiverad inställning, från en supermakt som anser att den kan hantera sina intressen på egen hand?

Verkligheten är att USA som alla andra världens stater måste samarbeta, och gör det också genom en oändlig mängd multilaterala arrangemang för alltifrån luftkvalitet till kabeldragning på havsbotten. USA samarbetar med resten av världen bilateralt, regionalt och globalt genom oräkneliga överenskommelser och organisationer. I olika frågor om säkerhet och mänskliga rättigheter, som Haiti och Sudan, vill USA ha ett gemensamt handlande i FN:s säkerhetsråd. Icke desto mindre är det uppenbart att Bush-regeringen har visat sig mer benägen att handla på egen hand än tidigare amerikanska regeringar, inte minst på säkerhetsområdet.

En jämförelse av hur de två presidenterna Bush hanterat fallet Irak är belysande. För att möta den rena aggressionen från Irak mot Kuwait år 1990, utnyttjade den äldre president Bush till fullo FN:s säkerhetsråd. Han byggde upp en bred allians av stater och *säkerhetsrådet gav Gulfkriget sin fulla uppbackning* i det begränsade uppdraget att befria Kuwait. Efter att det målet var uppfyllt, tillämpade man en *återhållandets* politik, som gjorde det möjligt för Saddam Hussein och hans regim att vara kvar vid makten men förhindrade dem att inneha massförstörelsevapen.

Läget år 2003 vid USA:s ingripande mot Irak kunde inte ha varit mer annorlunda. Det förelåg ingen aggression och få, om ens några, i världen såg Irak som ett akut och verkligt hot mot freden. Fastän Iraks föregivna innehav av massförstörelsevapen spelade en stor roll år 2003, vilket inte var fallet år 1991, togs premiärminister Blairs beryktade påstående i förordet till en brittisk rapport, att Irak hade sådana vapen redo att användas inom 45 minuter, knappast på allvar ens när det framfördes i september 2002.

Den civila ledningen i Pentagon och vicepresident Cheney utgick från USA:s odiskutabla militära styrka, kände sig uppmuntrade av de tidiga militära framgångarna i Afghanistan och förefaller ha velat inleda en invasion av Irak oavsett om det skulle finnas några allierade tillgängliga och helt utan att bry sig om FN. Den nationella säkerhetsstrategin som formulerats mot bakgrund av terrorattackerna år 2001 och tidigare diskussioner av begreppet spridningsbekämpning, gav ett doktrinstöd på hemmaplan för att handla föregripande – i förebyggande självförsvarssyfte. Intressant nog kom de viktigaste – och till slut misslyckade – försöken att hålla igen från Colin Powell, den förre generalen som var chef på utrikesdepartementet. Det verkar också som om flera av de höga militärerna i aktiv tjänst var mindre entusiastiska över ett krig i Irak (Woodward, s. 137).

Med motstridiga råd inifrån och förmodligen med uppmaningar att vara försiktig från premiärminister Blair utifrån, beslöt sig president Bush för att först vända sig till FN, men inte för att få mandat för kriget, vilket regeringen inte ansåg var nödvändigt, utan för att uppmana FN och i synnerhet säkerhetsrådet att handla. När Irak sedan gått med på internationella inspektioner, förberedde man i Washington ett resolutionsförslag, som innebar att inspektionerna i Irak skulle vara ett samarbetsprojekt mellan internationella FN-inspektörer och nationella militära enheter från de fem permanenta medlemmarna av säkerhetsrådet – men inte från andra stater. Inte en enda medlemsstat i rådet var beredd att gå med på ett så exotiskt upplägg. Enligt den ”urvattnade” version som antogs skulle inte någon militär från vare sig USA eller de andra permanenta medlemmarna komma in i Irak under FN-flagg. Men det tycks som om anti-FN-lägret i Washington likafullt hoppades kunna gillra fällor som snabbt visade att Irak var skyldigt till brott (Woodward, s. 222). På så sätt skulle det väpnade angrepp de strävade efter och planerade få ytterligare FN-legitimitet, även om man inte ansåg att det behövdes något särskilt godkännande av säkerhetsrådet. Att handla på egen hand förblev ett möjligt alternativ.

När Irak i december 2002 lämnade en deklaration på 12000 sidor av sitt tidigare vapenprogram och den inte visade sig användbar för att lösa några avrustningsfrågor, förklarade USA omedelbart att den var lögnaktig och ofullständig. Enligt USA fanns det väsentliga brott mot FN:s resolutioner som skulle göra ett väpnat ingripande berättigat. Medan USA vid detta tillfälle liksom tidigare vidhöll att det inte behövdes något beslut i säkerhetsrådet för en invasion, var Storbritannien starkt angelägen att ha ett, åtminstone av politiska skäl.

När det visade sig alltmer osannolikt att kunna mobilisera en majoritet i säkerhetsrådet för en resolution till stöd för krig, hävdade man från den amerikanska sidan att säkerhetsrådet skulle göra sig självt betydelselöst om det inte kunde anta en resolution. Härmed antydde man att USA skulle gå till handling utan en – i sig onödig – välsignelse från FN. När väl USA och Storbritannien insåg att majoriteten i säkerhetsrådet inte lät sig påverkas av hotet att betecknas som betydelselös, avstod de från att lägga fram ett resolutionsförslag för omröstning och att söka FN-godkännande. Invasionen inleddes och nu hävdade man på USA-sidan att säkerhetsrådets auktoritet upprätthållits genom att USA och dess allierade gått till väpnat angrepp. Det ovilliga världsorganet för fred hade räddats av en allians av villiga.

Inställning till inspektioner

Hela alliansen av villiga i Irak valde att bortse från de internationella inspektörernas kritik av de bevis som USA och Storbritannien lade fram. Men bara inom den amerikanska regeringen fanns det en uttalad negativ inställning till inspektioner som sådana. Det låg i linje med den övergripande skeptiska inställning till multilateralt samarbete som jag har redovisat tidigare och hade samma grund: Man litar i första hand på egna resurser, man är – i stort sett med rätta – övertygad om att knappast några inspektioner kan ge hundra procents säkerhet och man ser en risk att inspektioner kan skapa en felaktig och farlig känsla av trygghet. Inställningen till inspektioner var knappast samstämmig i Washington. På utrikes- och energidepartementen fanns – och finns – mycket större kunskap och förståelse för internationella inspektioner, för deras styrkor och svagheter, än på försvarsdepartementet och inom krigsmakten. Beredskapen att godta och använda sig av internationella inspektioner är då också mycket större. Den amerikanska krigsmakten är så väldig och dess maskineri för elektronisk övervakning, höghöjdsfoto (satelliter, förarlösa plan och U2-flygplan) eller vanligt enkelt spionage så välutrustat och finansierat till miljarder att det inte är svårt att förstå att det finns en misstro mot internationella kontrollprogram med låg budget.

I fallet Irak var den amerikanska krigsmakten, särskilt underrättelsedelen, som vi sett, beredd att samarbeta med UNSCOM under hela 1990-talet. Men det var ett samarbete där UNSCOM:s självständighet skadades och organisationen åtminstone ibland blev ett fjärrstyrt verktyg för USA:s underrättelseverksamhet. Richard Clarke berättar i sin bok *Against all enemies* hur han och hans kolleger i Washington till och med stod för planeringen av några viktiga kärnvapeninspektioner år 1991 och kunde placera personal från USA:s specialstyrkor som medlemmar av UNSCOM bland IAEA-medarbetare. Symbiosen gav förvisso några utmärkta resultat, åtminstone under de tidiga kärnvapeninspektionerna, men i långa loppet kostade den UNSCOM dess trovärdighet som FN-organ, bidrog till dess fall och ledde till att säkerhetsrådet klargjorde att all UNMOVIC-personal skulle vara lojal endast mot FN.

Intressant nog fick inte säkerhetsrådets inställning i denna fråga, som USA hade godtagit i rådet, Bush-regeringen att avstå från att lägga fram ett helt orealistiskt resolutionsförslag, som skulle göra det möjligt för de fem permanenta medlemmarna av säkerhetsrådet att skicka medarbetare till FN:s inspektionsgrupper. Det är också intressant att regeringen lagt märke till att jag försökte att hålla USA:s underrättelsetjänst på armlängds avstånd från UNMOVIC (Woodward, s. 239). På så sätt kunde UNMOVIC upprätthålla sin ställning som en självständig och trovärdig FN-myndighet. Men samtidigt kan det mycket väl ha kostat den internationella inspektionsorganisationen anseende och trovärdighet i militära, säkerhetspolitiska och underrättelseinriktade kretsar i Washington.

Både vicepresident Cheney och försvarsminister Rumsfeld hade den felaktiga uppfattningen att den bästa informationen om vapenprogram i Irak kom från avhoppare och inte från inspektörer. Woodward redovisar att jag, liksom många andra samarbetspartners, utsattes för direkta underrättelseoperationer – avlyssning, skulle jag förmoda – och att jag av somliga i Washington betraktades som en lögnare (s. 239–240). Jag kan med tillfredsställelse konstatera att Condoleezza Rice, som jag hade mest och viktigast kontakt med, inte återfanns bland dem.

USA:s missnöje med mig kom när regeringen verkligen skulle ha haft nytta av rapporter från FN-inspektörerna som intygade att USA och Storbritannien hade rätt i sina påståenden om att det fanns massförstörelsevapen. När det inte kom några sådana rapporter från inspektörerna i slutet av december 2002 och tidigt 2003, blev de enda förklaringarna att inspektörerna inte var ”aggressiva nog” eller att jag ljög och kom från det ”pacifistiska Sverige” och därför inte ville förklara Irak skyldigt och framkalla krig. Karl Rove, presidenträdgivare med norskt påbrå, ska enligt Woodward ha varit övertygad om att ”svenskar är förrädiska, eftersom Sverige invaderat Norge 1814 och styrt landet till 1905”. Om han bara vetat vilka utmärkta förbindelser som jag hade med Norges FN-representation och med utrikesdepartementet i Oslo, är jag rädd att han skulle uppfattat att hans gamla land befann sig i förfall. Vad gäller avlyssningen av mig, skulle jag bara önska att de hade lyssnat bättre på vad jag hade att säga.

Det enda intryck man kan få av allt detta, är att inflytelserika medlemmar av regeringen, alldeles oavsett deras allmänna misstro mot inspektioner som inte USA självt hade kontrollen över, var så bergsäkra på förekomsten av massförstörelsevapen att varje inspektör, som hade tillträde till alla känsliga platser i Irak och som inte rapporterade om några hittade massförstörelsevapen, som de såg det antingen drev egen politik, var ohederlig eller fick mycket mindre gjort än vad som hävdades. De här regeringsmedlemmarna föredrog uppenbarligen att tro på berättelser från irakiska avhoppare eller på osäkra underrättelseuppgifter som de själva fått fram. De verkar inte ha varit beredda att liksom inspektörerna se kritiskt på sina egna ”bevis” eller ens för ett ögonblick ägna en tanke åt möjligheten att det inte fanns några vapen.

Den brittiska ”översynen av underrättelseuppgifter om massförstörelsevapen” som Lord Butler of Brockwell lade fram den 14 juli 2004 ställer frågan varför vare sig brittiska beslutsfattare eller underrättelsekretsar i Storbritannien genomförde någon ordentlig utvärdering av kvaliteten på sina underrättelseuppgifter när det blev allt tydligare att UNMOVIC:s inspektioner uppvisade negativa resultat (s. 92 i rapporten). Ja, man kan undra...

Av Woodwards framställning är det uppenbart att president Bush blev alltmer otålig över inspektionerna i början av år 2003. Efter mindre än två månader med återupptagna inspektioner ställer han frågan "hur länge tror han (Blix) att jag kan hålla på med det här?" Han frågar general Franks hur länge han kan hålla öppet för inspektioner: "När måste jag senast fatta beslut?". Dessvärre höll den möjligheten, som han uppenbarligen ville ha öppen, snabbt på att försvinna med truppuppbyggnaden i Persiska viken. Politiskt hade det krävts något mycket iögonenfallande för att förklara att en invasion inte längre var nödvändig. Det väpnade angreppet genomfördes och visade sig vara mycket dyrbart – i människoliv, pengar och politiskt – för att fastställa att det inte fanns några massförstörelsevapen och för att konstatera att mer än tio år av ekonomiska sanktioner, internationella inspektioner och militära och diplomatiska påtryckningar faktiskt hade varit nog för att tygla Saddam Hussein.

Kommer man att göra systematiska ansträngningar att ta reda på varför underrättelsetjänster och regeringar lade fram så felaktiga bevis? Några framsteg har gjorts genom Lord Butlers rapport i Storbritannien, kongressens rapporter i USA och rapporten i oktober 2004 av Charles Duelfer för den av USA upprättade övervakningsgruppen. Duelfers rapport, som bygger på omfattande undersökningar och utfrågningar, innebär en reträtt från David Kays påstående att det fanns dussintals program för massförstörelsevapen.

Långt ifrån att finna dokument som bevisar att det funnits program för massförstörelsevapen rapporterar Duelfer att dessa hade avslutats – och vapnen förstörts – på order av Saddam Hussein år 1991 för att uppnå ett slut på de ekonomiska sanktionerna. Allt Duelfer finner är att Saddam gav sina medhjälpare intrycket att han var intresserad av att återvända till massförstörelsevapnen när sanktionerna hade upphört. År 2003 fanns inget tecken på att något sådant var på väg att hända. I vilket fall som helst skulle ett upphävande av sanktionerna ha lämnat övervaknings- och inspektionssystemen på plats. De skulle ha slagit larm vid tecken på att programmen återupptogs.

Duelfers rapport tycks bekräfta det som jag i föregående kapitel höll för sannolikt – att Iraks påstående var sanna, att såväl de biologiska vapnen som de icke deklarerade kemiska vapnen hade förstörts år 1991. Icke desto mindre kvarstår frågor. Vem förfalskade exempelvis kontraktet mellan Irak och Niger om import av uranoxid?

Framtiden: Massförstörelsevapen i händerna på stater och terrorister

Efter invasionen av Irak har större delen av den offentliga debatten om massförstörelsevapen rört det förflutna: om rättfärdigandet av kriget i Irak för att undanröja sådana vapen och om de nationella underrättelseorganens misslyckanden. Men det finns också en debatt som rör framtiden: hur världen bör angripa problemet med massförstörelsevapen, antingen om de hamnar i händerna på andra aktörer än stater (som terrorister), på hänsynslösa regimer (så kallade "skurkstater") eller på andra regeringar (som antas vara ansvarsfulla). Den debatten projicerar på framtiden många av de omstridda frågor som har gällt Irak: återhållandets politik och FN-stödda ingripanden, förebyggande unilateralt självförsvar – eller föregripande anfall – och rollen för internationella inspektioner.

Som ordförande i en internationell kommission om massförstörelsevapen är jag engagerad i dessa frågor. Med fall som Libyen, Iran och Nordkorea framför våra ögon och med dagliga rapporter om terroristverksamhet i olika delar av världen, är de här frågorna mycket aktuella.

Det är ingen tvekan om att för USA efter terrorangreppen den 11 september är den yttersta skräckföreställningen att terrorister skulle få tag på kärnvapen, kemiska eller biologiska vapen och deras vapenbärare, exempelvis missiler eller självmordsbombare. Bush-regeringen, som ser USA som det mest sannolika målet för sådana terroristangrepp, har satt den risken högst på dagordningen, har vidtagit åtgärder på hemmaplan för att skydda sin befolkning och infrastruktur och har förklarat att man "befinner sig i krig" mot terrorismen. Även i andra delar av världen, som Europa, finns en stark oro för terrorism och en insikt om att det behövs skyddsåtgärder och mer samarbete mellan underättelseorgan, polis och andra myndigheter. Dock är detta en oro bland andra och kopplingen till massförstörelsevapen står inte i fokus.

I motsats till de flesta regeringar avskräcks terrorister som är redo att begå självmordshandlingar inte av risken för vedergällning, allra minst om det inte är känt var de befinner sig. Det gör massförstörelsevapen särskilt farliga i deras händer. Samtidigt vet man att terrorister, eftersom de inte är statliga aktörer, med all sannolikhet inte skulle ha förmågan att framställa kärnvapen och långdistansmissiler och skulle ha svårigheter att handha biologiska vapen. Fastän man inte kan utesluta detta fullständigt, liksom inte heller att någon skaffar sig förmåga att framställa så kallade smutsiga (radioaktiva) bomber, så hävdar många att terrorister bland massförstörelsevapnen skulle föredra kemiska vapen. De är inte så svåra att hantera och beståndsdelarna är ganska tillgängliga. Exempelvis användes sarin vid terrordådet i Tokyos tunnelbana.

Påståendet från företrädare för Bush-regeringen att Saddam Husseins regim hade haft kontakter med al-Qaida och kunde ha fört över massförstörelsevapen eller lämplig kunskap, var menat att övertyga allmänheten om att det var nödvändigt att eliminera Saddam Hussein. Det var aldrig en särskilt trovärdig anklagelse och den förkastades av den officiella amerikanska undersökningen om attackerna den 11 september. Men spridningen av mjältbrand med vanlig post i USA hösten 2001 blev en påminnelse för allmänheten i USA och världen att biologiska vapen som kommit i icke-statliga aktörers händer kan sprida terror och skräck. På samma sätt gav upptäckten år 2004 att den pakistanska atombombens "fader", herr Kahn, hade skapat en stormarknad genom vilken kärnteknologi och utrustning överfördes till Libyen och Iran och kanske ytterligare några stater, än mer bränsle till debatten.

Jag ska först ta upp riskerna med att terrorister – icke-statliga aktörer – skaffar sig massförstörelsevapen och sedan gå vidare med riskerna att enskilda stater försöker skaffa sig eller redan har sådana vapen.

Vad göra med icke-statliga aktörer?

Icke-statliga aktörer dyker inte upp från ingenstans. De har internationella nätverk med kontakter, organisation och finansiering som alla kan brytas upp genom gemensamma internationella ingrepp.

Det är ur både praktisk och juridisk synpunkt möjligt att kräva att var och en av alla värdstater tar ansvar för att icke-statliga aktörer som de hyser inom sina gränser förhindras införskaffa och använda massförstörelsevapen, alldeles särskilt om värdstaten själv rättsligt bundit sig för att inte ha sådana vapen.

Om en värdstat känner att den inte förmår leva upp till sitt ansvar på egen hand, kan den begära hjälp och andra stater och säkerhetsrådet kan erbjuda bistånd. Genom program som syftar till att minska risken för utveckling, överföring eller försäljning av utrustning och kunskap av betydelse för massförstörelsevapen, bidrar USA:s och andra staters regeringar till att skapa bättre redovisning av klyvbart och annat material, gränskontroller och planer för att anställa atomfysiker och andra forskare för verkligt fredliga ändamål.

Om en stat underlåter att se till att dess territorium inte utnyttjas för verksamhet med anknytning till massförstörelsevapen av icke-statliga aktörer och läget skulle innebära ett hot mot internationell fred och säkerhet, skulle säkerhetsrådet kunna bemyndiga ett ingripande för att avlägsna hotet. Också utan stöd i säkerhetsrådet har en enskild stat enligt artikel 51 i FN-stadgan rätt att handla i självförsvar, om den utsätts för ett angrepp. Som framgår av diskussionen nedan kan denna rätt sannolikt utsträckas till en mycket begränsad rätt till förebyggande självförsvar i särskilda fall.

Ur praktisk synpunkt kan mycket göras – och görs redan – för att minska risken att icke-statliga aktörer tillgriper eller hotar med att använda massförstörelsevapen eller annat väpnat våld. Några åtgärder har nämnts ovan. Internationellt samarbete mellan underrättelseverksamhet, polis och finansiella institutioner är centralt. Nationella resurser för att snabbt upptäcka och fastställa att massförstörelsevapen har anskaffats eller används är också väsentliga för att göra snabba motåtgärder möjliga. Men det är lika viktigt eller ännu viktigare att man vidtar *rimligt möjliga* åtgärder politiskt, ekonomiskt eller socialt för att minska eller helt få bort den motivation som icke-statliga aktörer har att hota med eller att ta till våld, antingen det är mot ett värdland eller mot andra stater eller om hoten är massförstörelsevapen eller andra våldsmedel.

Vad göra med regimer som har eller försöker införskaffa massförstörelsevapen?

Libyens försök att införskaffa massförstörelsevapen må ha avslutats tillfredsställande efter år av diplomati och ekonomiska och andra sanktioner. Å andra sidan ger Nordkorea och Iran anledning till omedelbar oro, och det råder inga tvivel om att det skulle få mycket allvarliga följder om man misslyckades med att förhindra dessa stater att utveckla och förse sig med kärnvapen och andra massförstörelsevapen. I stora delar av världen oroar man sig också över att USA uppenbarligen tappat intresset för att minska och slutligen eliminera kärnvapeninnehaven och nu uppenbarligen strävar efter att ytterligare stärka USA:s egen kärnvapenkapacitet. Det finns en förtvivlan och besvikelse över att stormakterna och andra stater som vi vet har kärnvapen och andra massförstörelsevapen – Israel, Indien och Pakistan – inte nedrustar.

Vart är USA på väg och vart är världen på väg? Vad kan göras?

Håller USA på att överge den kollektiva säkerhetens och återhållandets politik för att i stället förlita sig på supermaktskontroll och direkta ingrepp för att stoppa spridning?

När man ser på Irak år 2003 och den amerikanska regeringens beslut att till slut gå till angrepp utan stöd av FN, kommer man svårligen från intrycket att detta var en avvikelse från en traditionell politik av *kollektiv säkerhet och återhållande*, inte minst när man också tänker på den kluvna eller föraktfulla inställningen till FN:s säkerhetsråd och internationella inspektioner. Den inställning som USA haft till en rad multilaterala frågor, särskilt på nedrustningsområdet, pekar i samma riktning. Enligt den traditionella politiken var väpnade angrepp endast ett FN-bemyndigat sistahandsalternativ, som i Koreakriget år 1950 och Gulfkriget år 1991 – med det viktiga men begränsade undantaget för självförsvar. Denna politik sökte begränsa risken för väpnade konflikter och förstörelsen i sådana konflikter genom *nedrustning och rustningsbegränsning* i form av bilaterala och multilaterala avtal och arrangemang som innefattade inspektion och kontroll.

Under kalla kriget fungerade inte kollektiv säkerhet genom FN:s säkerhetsråd, utan ersattes för många av avskräckning genom regionala kollektiva säkerhetsarrangemang som NATO. Men omedelbart efter det kalla krigets slut, då ett veto i säkerhetsrådet inte längre stod i vägen för beslut, blev världsomspännande lösningar möjliga och lockande. En höjdpunkt var ingripandet till följd av Iraks aggression mot Kuwait år 1990 och Gulfkriget år 1991. Under samma period, första hälften av 1990-talet, ledde också internationellt samarbete till goda resultat vad gäller nedrustning och rustningskontroll. Att man exempelvis kunde slutföra konventionen om kemiska vapen och det heltäckande provstoppsavtalet, som båda innefattar detaljerade internationella inspektionssystem, gav anledning till växande optimism. Som vi konstaterat ovan, håller den optimismen nu på att ersättas av förtvivlan.

Möjligheten att agera unilateralt blev kanske lockande för USA när man vann ställningen som enda supermakt under 1990-talet. Föreställningen om att kunna ingripa direkt för att stoppa spridning dök upp långt före år 2003. Man tänkte sig vidta kraftfulla, om nödvändigt kirurgiska och unilaterala, väpnade åtgärder för att stoppa spridningen av massförstörelsevapen. Israels attack och oskadliggörande av kärnreaktorn OSIRAK utanför Bagdad år 1981 är det exempel på kärnvapenområdet som ligger närmast till hands.

Föreställningen om att ingripa direkt för att stoppa spridning förekom i teoretiska diskussioner på 1990-talet. Men Irakinvasionen år 2003, utan FN-mandat och med det uttalade syftet att förstöra massförstörelsevapen, sågs av företrädare för Bush-regeringen som en praktisk tillämpning både av idén om direkta ingrepp mot spridning och av unilateralt föregripande anfall. Stora delar av världen frågade sig om den ensamma supermakten verkligen höll på att överge den väg mot kollektiv säkerhet som man själv och världen så länge sökt följa – om än med blandat resultat.

Är Bush-regeringen på väg mot en Pax Americana?

Ett antal steg som Bush-regeringen tagit, utöver det som hör samman med begreppet föregripande anfall, kan ses som att USA syftar till att i ökande utsträckning lita på sig själv och allt mindre förlita sig på kollektiva åtgärder för säkerhet:

- Bush-regeringen ser sig självt inbegripet i ett långvarigt världsomfattande krig mot terroriströrelser. Man anser sig huvudansvarig för att besegra en del av den. Internationellt stöd, samarbete och gemensamma ingripanden kan vara önskvärda i vissa sammanhang men ad hoc-arrangemang tycks vara att föredra framför givna organiserade ramverk.
- Ett exempel på gemensamma åtgärder mot massförstörelsevapen är det USA-utvecklade systemet (PSI) för att ingripa mot

transporter som misstänks innehålla massförstörelsevapen eller utrustning för att framställa dem. PR-värdet av systemet är nog större än dess praktiska betydelse, som förefaller vara begränsat till transporter av det slag som skedde till Libyen, där man före transporten inte varit på det klara med utrustningens karaktär.

- Genom bilaterala arrangemang försöker USA att förbereda platser (de kallas inte baser) som kan ta emot amerikanska väpnade styrkor med kort varsel över hela världen. Det skulle tillåta USA att med rörliga, moderna militärenheter visa sin styrka och vidta åtgärder för att förhindra, föregripa och bestraffa var och när man än anser det nödvändigt.
- I Västeuropa, där Ryssland inte lägre ses som ett hot, finns planer på att minska antalet amerikanska styrkor. De planeras i stället att öka i Östeuropa, som uppfattas som välvilligare och/eller billigare och i Centralasien, där risken för att terrorister skaffar sig baser och går till handling ökar och där det finns olja och gas av växande intresse för USA.
- Utveckling av en sköld mot inkommande långdistansmissiler.
- Beslutet att förkasta det heltäckande provstoppsavtalet, vilket innebär att USA förbehåller sig friheten att testa nya atomvapen och därigenom ger andra stater samma frihet.
- Utvecklingen av nya typer av kärnvapen.
- Beslutet att förkasta förslaget om en inspektionsregim i anslutning till konventionen om biologiska vapen.
- Motviljan mot att ingå överenskommelse med Ryssland om en begränsning av antalet kärnvapen i formell avtalsform och vägran att knyta en inspektionsregim till avtalet.
- Den negativa inställningen till att ha en inspektionsregim som en del av ett avtal som skulle förbjuda fortsatt produktion av klyvbart material – anrikat uran och plutonium – för vapenbruk.

Några kommentarer till de här punkterna följer nedan.

Motviljan att binda sig rättsligt, såväl multilateralt som bilateralt

Informella arrangemang som alternativ till mer formella överenskommelser är inget nytt, men det tycks som om det inom Bush-regeringen finns en närmast doktrinmässig motvilja mot internationella förbindelser som bygger på avtal. Högste ansvarige för nedrustningsfrågor på det amerikanska utrikesdepartementet, John Bolton, uppges ha sagt att han anser att avtal vanligtvis respekteras för att de erbjuder ömsesidiga fördelar, men han kunde inte se dem bindande för USA. I en uppsats från den 13 november 2003 gick Bolton än längre och hävdade att varje åtgärd från USA som är förenlig med författningen är berättigad. ”I klartext”, förklarade Bolton, ”kommer USA att fastställa vad som är berättigat och vad som inte är det, och kan göra det genom sin styrka. Det är ett tankesätt som åtminstone till en del bygger på att ’styrka ger rätt’.”

Det är ett häpnadsväckande resonemang, som tycks ha sin grund i en önskan att förkasta strikta, yttre begränsningar för USA och att vidmakthålla full frihet. Den motvilja som USA först visade att ingå överenskommelsen med Ryssland om en begränsning av antalet kärnvapen i ett bindande avtal pekar, som Bolton förklarat det, på att styrka och makt ses som det viktiga, medan rättsliga bidningar inte är önskvärda.

Det kan naturligtvis hävdas – och har också hävdats – att rättsligt bindande förpliktelser enligt exempelvis icke-spridningsavtalet, ger begränsad säkerhet och kan skapa en falsk känsla av trygghet, att de laglydiga följer dem och de skurkaktiga inte bryr sig om dem. Nordkorea drog sig helt enkelt ur icke-spridningsavtalet. Det har också sagts att en stat kan hålla sig till icke-spridningsavtalet, dra nytta av det exempelvis genom den ganska fria importen av material och kunskap, för att sedan dra sig ur och öppet visa upp vapen som man kunnat utveckla i hemlighet. Det har man varit rädd för när det gäller Iran, som gör anspråk på icke-spridningsavtalets fördelar och som utvecklar sin förmåga att anrika uran, som man hävdar är avsett för ett kärnkraftsprogram. Irak drog sig aldrig ur icke-spridningsavtalet men kunde dra nytta av det medan man lurade omvärlden. Libyen gjorde detsamma.

Trots att avtal om rustningskontroll som icke-spridningsavtalet kan brytas och så som de för närvarande tolkas också är för lätta att dra sig ur, är de inte meningslösa. Nedrustningsavtal står för stabilitet och förutsägbarhet. Det minskar förstås inte behovet av att vara uppmärksam på möjliga dolda överträdelser och att vidta försiktighetsåtgärder.

Motviljan mot inspektion

Den skepsis som Bush-regeringen i åtskilliga fall visat mot bindande avtal har en parallell i en skepsis mot internationell inspektion. Argumentet tycks vara att sådana inspektioner lätt missar att upptäcka avtalsbrott och invaggar omvärlden i falsk säkerhet, att inspektion inte behövs för laglydiga stater och inte fungerar mot de skurkaktiga.

Bush-regeringen har förkastat den föreslagna kontrollregimen för förbudet mot biologiska vapen. Den har hävdat att kontrollregimen i det heltäckande provstoppsavtalet inte är tillräckligt pålitlig, medan resten av världen tycks vara helt redo att lita på den. Regeringen har inte velat ha någon inspektionsregim kopplad till den bilaterala överenskommelsen med Ryssland om kärnvapennedskärningar och har förklarat sig vara emot varje inspektionsarrangemang som ska kontrollera efterlevnaden av ett avtal som förbjuder framställning av klyvbart material för vapen (FMCT).

Det är sant att inspektioner inte kunde upptäcka att Irak höll på att genomföra ett olagligt kärnvapenprogram före Gulfkriget och att Iran under lång tid kunde bedriva nukleära verksamheter utan att anmäla det, vilket man borde ha gjort. Det är dock inte självklart att avskaffande av inspektionsregimer är den bästa lösningen på svagheterna i systemen. Det är besynnerligt att denna skepsis mot internationella inspektioner och tilltron till nationella åtgärder kommer just nu när relativt billiga, oberoende, internationella inspektioner har visat sig vara att lita på medan nationella underrättelsetjänster, trots sina miljardbudgetar, misslyckats ordentligt.

Skölden

I nuvarande amerikanska ansträngningar att försvara kontinenten mot massförstörelsevapen har ”skölden” mot inkommande missiler blivit central. Syftet är att stoppa missiler, inte från stormakter med kärnvapen som

Ryssland och Kina utan från ”skurkstater” eller icke-statliga aktörer.

Det är dystert nog sant att utvecklingen av missiler pågår utom kontroll. Huruvida en sköld för miljarder dollar är ett kostnadseffektivt svar på hotet från anfall med massförstörelsevapen av ansvarslösa regeringar eller organisationer är emellertid något som många amerikanska och andra experter ifrågasätter. Attackerna den 11 september kunde genomföras med mycket enklare medel än interkontinentala missiler. På samma sätt som man nu hävdar att skölden inte kommer att ge skydd mot missiler från stormakterna, även om den i övrigt skulle fungera – vilket alls inte är säkert – så skulle skölden uppenbarligen inte erbjuda skydd mot skurkstater och icke-statliga aktörer om de skickade massförstörelsevapen på betydligt billigare och tekniskt mindre avancerade sätt än med långdistansmissiler.

Dessutom skulle det, om skölden i en framtid förfinades utöver nuvarande syfte, innebära att det hot om ömsesidig nukleär avskräckning (MAD) som hittills fungerat mellan stormakterna riskerar att försvinna. Vi skulle hamna i ett läge där USA kunde skjuta missiler mot varje stat var som helst i världen och samtidigt vara immun mot vedergällning med missiler. Ett praktiskt exempel på den förmågan är de kryssningsmissiler som Clinton-regeringen efter terrorattackerna mot USA:s ambassader i Nairobi och Dar es Salaam sände iväg mot vad man trodde var al-Qaida-läger i Afghanistan och vad som felaktigt antogs vara en fabrik för kemiska vapen utanför Khartoum.

Vad göra efter Irak?

Efter ockupationen av Irak år 2003 visade det sig att det var en uppenbar nackdel att inte ha erhållit något FN-mandat. Den unilaterala politiken hade haft ett pris: legitimitet. Man har försiktigt försökt få med andra stater och FN. Det har varit svårt, både på grund av säkerhetsläget i Irak och på grund av oviljan hos FN, USA och alla de andra inblandade staterna att framstå som om de hade ändrat uppfattning om krigets berättigande. Men ovedersägligen har det funnits en vilja att slicka såren och gå vidare. Hjälpen från generalsekreterarens särskilda sändebud Lakhtar Brahimi att sätta samman en interimsregering i Irak år 2004 var väsentlig.

Hur kan man gå vidare i de huvudfrågor som jag har diskuterat?

För det första har multilaterala åtgärder mot massförstörelsevapen och ansträngningar genom FN-organisationer aldrig tagits bort från USA:s dagordning, utan bara förts längre ned på listan. Numera kan ingen stat i världen, hur stor och stark den än är, klara av att se till sina intressen utan multilateralt samarbete och aktivt deltagande i multilaterala organisationer. Unilaterala försök att direkt ingripa mot spridning gör inte samarbetsinriktade åtgärder onödiga. Exportkontroller, ingripanden mot transporter och ekonomiska sanktioner är uppenbarligen åtgärder som USA helt enkelt inte kan genomföra på egen hand. För att framstå som legitima och vara effektiva kräver de multilateralt godkännande och stöd – ofta genom FN eller organisationer i FN-familjen.

För det andra tycks Bush-regeringen allmänt ha nedvärderat avtalsregimer som syftar till att begränsa och avskaffa massförstörelsevapen. Under förberedelsearbetet år 2004 för den konferens för översyn av icke-spridningsavtalet som ska hållas i maj 2005, klargjorde regeringen att den inte var villig att nämna de åtaganden som USA och andra kärnvapenmakter gjorde vid översynskonferensen år 1995, då avtalet förlängdes tills vidare.

Många blev förvånade och förskräckta över ställningstagandet och vi kan bara hoppas att den kommer att dras tillbaka.

I fråga om Iran har Bush-regeringen försökt utnyttja avtalets bestämmelser för att dra Irans kärnenergiprogram inför säkerhetsrådet, medan europeiska och andra stater har föredragit att hålla diskussionen av Irans efterlevnad av IAEA-kontrollen i det internationella atomenergiorganet, IAEA. I det här fallet, liksom vad gäller Nordkoreas kärnenergiprogram, tycks USA nästan angeläget att demonstrera hur multilateralt man handlar för att motverka kritiken mot unilateralism. Icke desto mindre har USA i fråga om både Iran och Nordkorea varit något av en ensamvarg och följt en mer aggressiv linje än andra. Dess diplomati har åtföljts inte av direkta hot utan av mer inlindade allmänna utsagor om att inga alternativ är uteslutna. Som vanligt vid sådana diplomatiska pokerspel är mediespekulationer om möjliga åtgärder för att stoppa spridning såsom dolda operationer, missilangrepp och till och med militärt ingripande, en del i spelet.

Det är uppenbart att Nordkorea och Iran bekymrar sig över risken att råka ut för ett amerikanskt anfall, fastän de är medvetna om att USA för närvarande är helt upptaget i Irak. De tvivlar på att FN-stadgans begränsningar av unilaterala ingripanden i någon nämnvärd grad kommer att ha något hämmande inflytande på den enda supermakten. Frågan är om de förtäckta hoten kommer att uppmuntra de två staterna att påskynda sina program för att framställa kärnvapen, eller förmå dem att öppet förhandla om att definitivt och på ett kontrollerbart sätt göra sig av med programmen.

För att få Iran och Nordkorea att frivilligt upphöra med aktiviteter som innebär stor risk för spridning och för att få dem att godkänna inspektioner, kan det komma att krävas motprestationer som omfattar något slags säkerhetsgarantier – vid sidan av en mängd andra åtgärder.

I fallet Iran skulle inte ens ett frivilligt löfte att avstå från att anrika uran mot multilaterala försäkringar om leverans av kärnbränsle kunna dölja det faktum att Irans förmåga att anrika uran har gjort landet till en ”nästan kärnvapenstat”. Medvetenheten om denna utveckling och om att Irak har den teoretiska och tekniska kunskapen för att utveckla kärnvapen i framtiden, även om man i dag är i fullständig avsaknad av infrastruktur för detta, borde föranleda en mer engagerad debatt om tanken på att skapa en zon som är helt fri från massförstörelsevapen i Mellanöstern, inklusive Israel. Alternativet – att verka för att begränsa Irans och Iraks möjligheter men inte Israels – torde vara svårt och riskfyllt.

För det tredje tycks USA fortfarande betrakta kontrollinspektioner som ett betydelsefullt verktyg för att förhindra spridning, om än med viss misstro. IAEA:s förstärkta kontrollsystem stöds också. Vidare förefaller USA i förhandlingarna med Nordkorea ha hållit fast vid att nya åtaganden från Nordkorea måste underställas kontrollinspektion. Det kommer att bli intressant att se vilket kontrollsystem man tänker sig för denna stat, som förmodligen varit mer sluten än någon annan i världen. Det är märkligt att hotet från olagliga kemiska och biologiska vapen, som i fallet Irak ansågs kräva krig, över huvud taget inte nämns i fallet Nordkorea.

Som jag redan redovisat tycks det ha funnits en viss bitterhet inom Bush-regeringen över att UNMOVIC:s inspektioner i Irak inte stod mer direkt under USA:s inflytande och på så sätt väsentligen skilde sig från UNSCOM:s verksamhet, som ofta fungerade som ett fjärrstyrt verktyg för amerikansk underrättelsetjänst. Man borde dock ha gett inspektionerna under UNMOVIC med deras mandat från FN:s säkerhetsråd erkännande för att de lyckades vara både effektiva och oberoende, samtidigt som de fick stöd och hjälp från olika regeringar, inklusive USA:s.

Utan oberoende riskerar en myndighet med uppdrag att kontrollera efterlevnaden av överenskommelser om rustningskontroll eller nedrustning att förlora sin trovärdighet. Efter Irakkriget har USA:s och Storbritanniens nationella underrättelsetjänster, som väl troget lyssnade till husbondens röst, tappat mycket i trovärdighet, liksom UNSCOM gjorde innan det upplöstes. Det betyder naturligtvis inte att stöd och hjälp från nationella myndigheter till internationella organ inte är önskvärt. Tvärtom är sådant stöd mycket efterfrågat för att förmedla tips och information som kommit fram genom andra kanaler än de som är tillgängliga för en internationell organisation. Men hjälpen måste ges på ett sätt som inte kommer i konflikt med oberoendet.

Möjligheterna att kunna arbeta oberoende och opartiskt är mycket större för en inspektionsmyndighet inom ramen för en internationell organisation med många stater än för en myndighet med anknytning till en eller bara ett par stater. Om det inte finns inspektionsrapporter från en internationell myndighet blir det öppet för olika parter att lyfta fram sina olika och kanske motstridiga påståenden. Ett sådant system skulle vara ofördelaktigt för små och svaga parter i jämförelse med stora stater och än mer i förhållande till en supermakt.

Internationella inspektionsregimer har någonting ovärderligt, som man sällan kan få genom övervakning från luften eller elektronisk avlyssning, nämligen tillträde till installationer på marken. Inspektörerna är visserligen inte poliser med verkställande makt och kan inte själva rent konkret stoppa olagliga verksamheter som de upptäcker. Men det betyder inte att de är utan makt och betydelse. Vakthundar som leds till rätt platser biter inte, men deras skall väcker troligen regeringarna. Också rapporter om att man blivit nekad tillträde eller andra hinder är varningssignaler som manar grannar och omvärlden till att titta närmare, utöva diplomati och påtryckningar och kanske även införa sanktioner.

Naturligtvis menar jag inte att varje internationell inspektion är värdefull i sig, bara man är medveten om begränsningarna. Även om inspektionssystem för att vara meningsfulla inte behöver uppnå en hundraprocentig säkerhet att hitta allt av betydelse i stora länder – vilket är omöjligt – måste arbetsvillkoren vara sådana att de möjliggör effektivitet, professionalism och självständighet.

Den erfarenhet och förmåga att genomföra inspektioner och övervakning som samlats under ett decennium med UNMOVIC och UNSCOM på deras kompetensområden borde tas till vara. Efter kriget har personalen begränsats till en liten grupp i New York som huvudsakligen ägnar sig åt analys. Men i resolutionen som år 1991 skapade en inspektionsregim för Irak såg man detta som ett steg mot att bygga upp en zon som är fri från massförstörelsevapen i Mellanöstern. Oron över Irans kärnenergiprogram ger anledning att på nytt diskutera en sådan zon. Det här är nog inte det bästa tillfället att göra sig av med UNMOVIC:s inspektionsenhet, som också skulle kunna vara till hjälp för säkerhetsrådet som ett tekniskt-analytiskt redskap, när rådet väntas bli mer engagerat i frågor om hot från massförstörelsevapen.

För det fjärde kan utvecklingen av en amerikansk sköld mot missiler förstås mot den dystra bakgrunden att världen än så länge helt har misslyckats med att åstadkomma effektiva begränsningar av spridningen av långdistansmissiler. Nordkoreas förmåga är det mest påtagliga exemplet på riskerna. Irak var synnerligen aktivt med sitt missilprogram och sökte tydligt gå runt de begränsningar som säkerhetsrådet beslutat om ända fram till invasionen år 2003. Många stater kommer framöver att kunna avfyra missiler mot vilken del av världen som helst. Den fråga som nu blir mycket angelägen är huruvida USA:s sköld (eller många enskilda sköldar) skulle kunna erbjuda lämpligt skydd.

En annan fråga är om den färdiga amerikanska skölden inte så småningom skulle leda till att andra stormakter utvecklade liknande sköldar, hellre än att acceptera att USA blev immunt medan de själva förblev sårbara? Vore det inte värt försöket, innan den dyrbara kapplöpningen kommer igång och innan mindre stater utvecklar missiler med skiftande räckvidd, att utveckla en världsomspännande missilregim som innefattar begränsningar för alla – om än inte nödvändigtvis likadana – och som skulle ge alla ett visst skydd mot missiler?

För det femte hävdar Bushs regering kraftfullt doktrinen om föregripande anfall – eller förebyggande självförsvar – och med mot FN förklenande ordalag talas det om att USA inte tänker ”be FN om en tillståndsstämpel innan man försvarar sig”. Ändå borde erfarenheten från Irak föranleda viss eftertanke om hur säkra underrättelseuppgifterna om ett hot måste vara, och hur stort och omedelbart förestående hotet måste vara, för att göra det berättigat att ta till väpnat våld innan hotet är ett faktum. Irak var ett misstag: de underrättelseuppgifter som talade om

Iraks massförstörelsevapen var bristfälliga; hotet existerade inte vid den tidpunkt då kriget startades, och om det fanns en risk för återupplivande av ett betydelsefullt vapenprogram så låg det långt i fjärran. Det är svårt att undvika reflektionen att en obegränsad kapacitet att skjuta missiler, en doktrin som ger frihet att använda den på vad som helst som definieras som ett ökande hot och felaktiga underrättelseuppgifter, är en skrämmande kombination.

Det är lätt att peka på det farliga i doktrinen om föregripande anfall och man kan bara hoppas att den inte tillämpas av skjutglada ledare. Men kärnan i resonemanget kommer vi inte ifrån: Ingen ansvarig regering som får reda på att ett nytt 11 september är på väg kommer att vänta med att slå tillbaka, utan kommer att försöka förhindra angreppet, med våld om nödvändigt och unilateralt. Ett sådant handlande skulle också bemötas av internationellt godkännande och förståelse. Det är emellertid svårt att fastställa just hur mycket och hur säker kunskap man måste ha och hur överhängande det måste vara för att vinna omvärldens förståelse. Det är inte sannolikt att man kommer att kunna formulera någon överenskommelse om detta. Det skulle kräva en tolkning av rätten till självförsvar enligt artikel 51 i FN-stadgan. Mer sannolikt är att en auktoritativ regel skulle kunna utvecklas gradvis som resultat av staternas praxis, inklusive säkerhetsrådets ställningstaganden.

För det sjätte och sista, måste vi hoppas att USA kommer att återvända till arbetet med global nedrustning – till vilket man genom svåra och farliga årtionden så avgörande och framgångsrikt bidragit – och lägga mindre vikt vid en kostsam dagordning för militär dominans.

Det kalla kriget ligger ordentligt bakom oss, det finns inga allvarliga konflikter om territorium mellan dagens stormakter, och tidigare ideologiska motståndare håller sig nu alla till pragmatism och olika typer av marknadsekonomi. Vi måste se upp så att kampen – kallad ”världskriget” – mot terrorismen inte av miljoner muslimer uppfattas som ett nytt ideologiskt ”korståg” och leder till fler snarare än färre terroristdåd.

Efter det att föreställningarna om direkta ingrepp mot spridning och föregripande anfall blivit litet skamfilade under Irakkriget, är det kanske sannolikt att det blir vissa justeringar i framtida amerikansk säkerhetspolitik, sedan svallvågorna från presidentvalskampanjen väl lagt sig. I så fall skulle den ambitiösa studie som Carnegie Endowment genomfört om det strategiska begrepp man kallar *samarbete för att begränsa hot* kunna erbjuda konstruktiva och väl utvecklade idéer. Där betonas behovet av samarbete med andra stater och samarbete inom ramen för FN och andra internationella organisationer, för att möta angrepp eller hot om krig, att förhindra spridning av massförstörelsevapen och att minska, för att slutligen helt avskaffa, sådana vapen. Rollen som ledarvarg hellre än ensamvarg skulle ligga mer i linje med USA:s ideal och traditioner.

Tre åtgärder som USA skulle kunna vidta om nedrustning och rustningskontroll vore särskilt viktiga för att skapa nytt hopp i världen och en rörelse framåt:

För det första, att skriva under det heltäckande provstoppsavtalet som senaten i Washington förkastade trots starkt stöd från militären. Avtalet har skrivits under av Frankrike, Ryssland, Storbritannien och ytterligare en mängd stater – men inte av Kina. Om USA skriver under skulle det bli till stor nytta, också för USA självt. Det skulle göra kvalitativ utveckling av kärnvapen mycket svårare både i de stater som redan har kärnvapen och i de stater som inte provat kärnvapen. Med all sannolikhet skulle en underskrift från USA få en dominoeffekt och locka fram åtaganden från Kina, Indien, Pakistan, Iran och Israel.

För det andra, att fullfölja förhandlingarna om ett avtal där stater förbinder sig att inte framställa klyvbart material för vapenbruk – höganrikat uran eller plutonium – inklusive effektiva kontroller av efterlevnaden. I augusti 2004 förklarade USA att man ville bli färdig med ett avtal men är negativ till kontrollbestämmelser. Detta ”stoppavtal” skulle bli ett starkt komplement till det heltäckande provstoppsavtalet. Det senare skulle innebära svårigheter för utveckling och kvalitetshöjning av kärnvapen. Stoppavtalet skulle avskräcka från framställning av allt explosivt material för kärnvapen. Paradoxalt nog var det alltid Ryssland och Kina som under kalla kriget motsatte sig kontrollåtgärder. Nu då Ryssland och Kina går med på detta, kommer motståndet från USA.

För det tredje, att ge upp tanken på all vidare utveckling av nya typer av kärnvapen. De stora summor som redan använts till dessa projekt och de än större summor som har avsatts av USA-kongressen, har redan lett till en vitt spridd uppfattning att dammluckorna öppnats för framställning av nya generationer kärnvapen. Det skulle vara väl optimistiskt att tro att goda exempel från stormakter åtföljs av resten av världen. Men det är dessvärre realistiskt att tro att dåliga exempel från stormaktens sida av andra kommer att ses som ett fritt fram för alla. Utvecklingen av nya kärnvapen i USA – och ännu fler provsprängningar – skulle oundvikligen föda cynism och en känsla av att ha förlorat en gemensam strävan att skapa en litet mindre våldsam värld.

Register